D1278948

PASSION

www.damnes-lelivre.fr

Illustration de couverture : Fernanda Brussi Gonçalves

Ouvrage publié originellement par les éditions Delacorte Press,
une marque de Random House Children's Books,
une division de Random House, Inc. New York,
sous le titre :
Passion

18, rue Barbès 92128 Montrouge Cedex
ISBN : 978-2-7470-3368-8
Dépôt légal : novembre 2011
Première édition

Loi n° 49-956 du 16 juillet 1949 sur les publications destinées à la jeunesse

Lauren Kate

PASSION

Traduit de l'anglais (États-Unis)
par Élisabeth Luc

bayard jeunesse

Pour M. et T., mes messagers venus du ciel.

REMERCIEMENTS

Mille mercis à Wendy Loggia, qui a imaginé ce roman un peu fou et qui m'a été d'un grand soutien pour toute la série. Merci à Beverly Horowitz pour sa sagesse et son style, à Michael Stearns et Ted Malawer, qui m'ont tirée vers le haut, à Noreen Herits et Roshan Nozari : qu'ils sachent que ma gratitude est plus profonde à chaque roman. J'adresse des remerciements tout particuliers à Krista Vitola, Barbara Perris, Angela Carlino, Judith Haut (on se retrouve à la foire au cheese dip de Little Rock), et à Chip Gibson, dont les méthodes expliquent pourquoi tout le monde est tellement cool, chez Random House.

Merci à mes amis du monde entier : Becky Stradwick et Lauren Bennett (une autre Lauren Kate !) en Grande-Bretagne, à Rino Balatbat et à tous les employés de la Librairie nationale des Philippines, à l'équipe enthousiaste de Random House en Australie, aux blogueurs de tous les pays. C'est pour moi un honneur de travailler avec chacun d'entre vous.

Merci à ma famille nombreuse et aimante, avec un clin d'œil maternel à Jordan, Hailey et David Franklin. Merci à Anna Carey pour les randonnées, notamment, à tous ceux de l'OBLC, et enfin à Jason, ma muse, mon univers, avec qui tout va de mieux en mieux.

« Si vous ne m'attrapez pas tout de suite, ne perdez pas courage,
Si vous ne me trouvez pas ici, cherchez ailleurs.
Je suis là, ici, à vous attendre. »

Walt Whitman, *Le Chant de moi-même*

PROLOGUE

Dark Horse
Louisville, Kentucky
27 novembre 2009

Un coup de feu retentit. Une imposante barrière s'ouvrit avec fracas. Les sabots des chevaux de course se mirent à marteler la piste dans un grondement de tonnerre.

– C'est parti !

Sophia Bliss redressa le large bord de son chapeau mauve pâle surmonté d'une plume et d'une voilette en mousseline. Il lui donnait l'air d'une véritable adepte des hippodromes, sans être trop voyant.

À l'occasion de cette journée aux courses, trois chapeaux sortaient de chez la même modiste de Hilton Head. La chevelure d'un blanc immaculé de Lyrica Crisp était coiffée d'une capeline jaune clair. Assise à gauche de Mlle Sophia, elle dégustait un sandwich au *corned beef*. Un chapeau de paille vert d'eau agrémenté d'un ruban de satin à petits pois était posé sur les cheveux noir de jais de Vivina Sole. À droite de Mlle Sophia, elle affichait un air sage trompeur, ses mains gantées de blanc croisées sur ses genoux.

– Superbe journée pour venir aux courses, commenta Lyrica.

À cent trente-six ans, la plus jeune des Aînés des Zhsmaelim essuya une tache de moutarde à la commissure de ses lèvres.

– Rendez-vous compte, c'est la première fois que je viens !

– Chut ! souffla Sophia.

Cette Lyrica n'était qu'une écervelée ! Les chevaux étaient un simple prétexte à leur présence, il s'agissait en réalité d'une réunion clandestine de grands esprits. Les autres n'étaient pas encore arrivés, mais ce n'était pas grave. Ils finiraient bien par se présenter dans cet endroit parfaitement neutre dont le nom était imprimé en lettres d'or sur l'invitation que Sophia avait reçue d'un expéditeur anonyme. L'objectif était de se révéler et d'élaborer un plan d'attaque commun. Ils n'allaient pas tarder... Du moins Sophia l'espérait-elle.

– Magnifique journée pour un sport exceptionnel, intervint sèchement Vivina. Dommage que notre cheval ne galope pas aussi vite que ces pur-sang, n'est-ce pas, Sophia ? Qui sait à quelle place notre Lucinda va terminer...

– Chut, j'ai dit ! murmura Sophia. Surveille ta langue de vipère ! Il y a des espions partout...

– Tu es complètement paranoïaque, répondit Vivina, ce qui fit glousser Lyrica.

– Il ne reste plus que moi ! rétorqua Sophia.

Il y en avait eu d'autres, pourtant : ils étaient vingt-quatre Aînés, à l'apogée des Zhsmaelim. Un groupe de mortels, d'immortels et de quelques transéternels, comme Sophia, unis par le savoir, la passion et la foi, avec un objectif commun : ramener le monde à son état d'innocence, à cette période brève mais bénie d'avant la Chute des anges, pour le meilleur ou pour le pire.

C'était inscrit très clairement dans le code qu'ils avaient peaufiné ensemble et signé tour à tour : pour le meilleur ou pour le pire.

La situation pouvait en effet basculer d'un côté ou de l'autre.

Toute médaille avait son revers : pile ou face, clair ou obscur, bien ou...

Sophia n'y était pour rien si les autres Aînés n'étaient pas parés contre cette éventualité. Telle était sa croix, se disait-elle, à mesure qu'ils déclaraient forfait, alléguant différents motifs : « Tes motivations sont trop sombres », « Le niveau de l'organisation se dégrade », « Les Aînés se sont aventurés trop loin de leur code d'origine ». Comme prévu, la première vague de lettres était arrivée moins d'une semaine après l'incident lié à la jeune Pennyweather.

Les expéditeurs affirmaient que c'était intolérable. Tout ça à cause de la mort d'une gamine insignifiante ! Un moment d'inattention, poignard à la main, et voilà que les Aînés s'affolaient, redoutant la colère de l'Échelle.

Les lâches...

Sophia n'avait pas peur de l'Échelle, dont la mission était de mettre les déchus à l'épreuve, et non les vertueux. Les anges de base tels que Roland Sparks et Arriane Alter. Tant que l'on ne trahissait pas le paradis, on pouvait déraper un peu. C'était inévitable, dans les périodes de désespoir. Sophia avait fulminé en découvrant les prétextes pleins de bons sentiments invoqués par les autres Aînés. Mais même si elle avait voulu récupérer les démissionnaires, ce qui n'était pas le cas, il n'y avait rien qu'elle puisse faire.

Sophia Bliss, bibliothécaire qui n'avait jamais été que secrétaire au conseil des Zhsmaelim, se retrouvait au rang supérieur des Aînés. Ils n'étaient plus que douze, et neuf d'entre eux n'étaient pas dignes de confiance.

Ainsi se retrouvaient-elles toutes les trois en ce lieu, affublées d'énormes chapeaux aux tons pastel, à faire mine de parier sur des chevaux. Et à attendre. C'était pathétique de tomber si bas...

Une course s'acheva. Dans le haut-parleur, une voix nasillarde annonça le nom des gagnants et la cote des prochains partants. Autour d'elles, spectateurs fortunés et amateurs éméchés criaient de joie ou s'affaissaient dans leur siège.

Une fille d'environ dix-neuf ans, aux cheveux blond pâle noués en queue de cheval, vêtue d'un imperméable marron et portant de grosses lunettes noires gravit lentement l'escalier métallique en direction des Aînées.

Sophia se raidit. Qu'est-ce qu'elle faisait là, celle-là ?

Il était difficile de savoir où se portait le regard de la jeune fille, que Sophia s'efforça de ne pas observer trop ouvertement. Cela n'avait guère d'importance, car cette fille ne la verrait pas : elle était aveugle. Toutefois...

La Bannie adressa un signe de tête à Sophia. Ah oui ! Ces imbéciles voyaient les âmes se consumer. La force vitale de Sophia devait être encore décelable.

La jeune fille s'assit dans une rangée vide, devant les Aînées, face à la piste. Elle se mit à feuilleter un programme à cinq dollars, qu'elle était incapable de lire.

– Bonjour, déclara la Bannie d'une voix monocorde, sans se retourner.

– Je me demande vraiment ce que tu fais là, répondit Mlle Sophia.

Dans le Kentucky, il faisait froid et humide en novembre. Pourtant, elle eut soudain le front moite de sueur.

– Notre collaboration a pris fin quand vos cohortes ont échoué à récupérer la fille. Et les boniments de celui qui se fait appeler Philip n'y changeront rien.

Sophia se pencha vers elle d'un air écœuré.

– Chacun sait que les Bannis ne sont pas dignes de confiance, ajouta-t-elle.

– Nous ne sommes pas en affaires avec vous, répliqua la Bannie en regardant droit devant elle. Vous n'étiez qu'un moyen parmi d'autres de nous rapprocher de Lucinda. Nous n'avons aucune envie de « collaborer » avec vous.

– Qui s'intéresse à votre organisation, de nos jours ?

Des pas claquèrent sur les gradins.

Grand, élancé, le jeune homme avait le crâne rasé. Son imperméable était assorti à celui de la jeune fille. Il portait des lunettes de soleil en plastique bon marché, de celles que l'on trouve à la caisse des supermarchés, à côté des piles électriques.

Philip s'assit juste à côté de Lyrica Crisp. Comme sa semblable, il ne se retourna pas vers les trois Aînées pour leur parler.

– Je ne suis pas étonnée de vous trouver là, Sophia, dit-il en baissant ses lunettes pour révéler ses yeux blancs et vides. Je suis simplement déçu que vous n'ayez pas jugé bon de m'informer que vous étiez aussi conviée.

Lyrica retint son souffle en découvrant ses yeux blancs, derrière les lunettes. Même Vivina perdit son sang-froid et eut un mouvement de recul. Sophia fulminait.

La Bannie brandit un carton doré, la même invitation que Sophia.

– Voilà ce que nous avons reçu !

Celle-ci semblait rédigée en braille. Sophia voulut s'en saisir pour en avoir le cœur net mais, d'un mouvement vif, la jeune fille fit disparaître le carton dans son imperméable.

– Écoutez, sales petits voyous, j'ai marqué vos flèches de l'emblème des Aînés. Vous travaillez pour moi...

– Faux, corrigea Philip. Les Bannis ne travaillent que pour eux-mêmes.

Sophia le vit tendre légèrement le cou en faisant mine de suivre un cheval, sur la piste. Cette façon d'agir des

Bannis comme s'ils voyaient clair l'avait toujours angoissée. Chacun savait pourtant qu'*il* les avait tous privés de vision d'un simple geste.

– Dommage que vous n'ayez pas réussi à la capturer, déclara Sophia dans un éclat de voix qui attira l'attention d'un couple âgé. Nous sommes supposés travailler ensemble, persifla-t-elle. La traquer. Et vous avez échoué !

– Cela n'avait aucune importance de toute façon.

– Comment ça ?

– Elle se serait perdue quoi qu'il arrive. Tel a toujours été son destin. Et le sort des Aînés, c'est-à-dire le vôtre, ne tiendrait qu'à un fil.

Sophia eut envie de lui sauter à la gorge et de l'étrangler pour faire sortir ces yeux blancs de leurs orbites. Son poignard semblait brûler le cuir de son sac à main, posé sur ses genoux. Si seulement il s'était agi d'une flèche d'argent ! Au moment où Sophia se leva, une voix retentit derrière elle.

– Veuillez rester assise ! Je déclare la séance ouverte.

Cette voix, Sophia la reconnut sans peine. Posée, autoritaire, impressionnante, elle fit presque trembler les gradins.

Aux alentours, les mortels n'y virent que du feu, mais Sophia s'empourpra, prise de sueurs froides qui la paralysèrent. Cette peur incontrôlable et terriblement angoissante lui dévorait les entrailles. Oserait-elle se retourner ?

Du coin de l'œil, elle distingua un homme en costume noir. Ses cheveux bruns étaient coupés court, sous son chapeau noir. Son visage doux et séduisant n'avait toutefois rien de mémorable. Bien rasé, le nez droit, un regard brun un rien familier... Sophia ne l'avait jamais vu, mais elle savait qui il était. Elle le sentait au plus profond d'elle-même.

– Où est Cam ? s'enquit la voix, derrière elle. On lui a envoyé une invitation.

– Il se prend sans doute pour Dieu le père à l'intérieur de quelque Annonciateur, comme tous les autres ! lança Lyrica, qui reçut aussitôt une tape de Sophia.

– Dieu le père, dites-vous ?

Sophia chercha en vain des paroles susceptibles de réparer une telle bourde.

– Quelques autres ont suivi Lucinda dans son périple vers le passé, dit-elle enfin. Dont deux Néphilim. Nous ignorons combien ils sont, au juste.

– Puis-je demander, fit la voix glaciale, pourquoi aucun d'entre vous n'a choisi de la poursuivre ?

Au bord de la panique, Sophia avait la gorge nouée, le souffle court.

– Nous ne pouvons pas... Nous n'avons pas encore les moyens de...

La Bannie lui coupa la parole.

– Les Bannis sont en train de...

– Silence ! ordonna la voix. Épargnez-moi vos excuses. Elles n'ont plus d'importance, tout comme vous, d'ailleurs.

Durant un long moment, le groupe demeura silencieux, terrifié de ne pas savoir comment donner une réponse satisfaisante. Quand il s'exprima enfin, sa voix était plus douce, mais non moins redoutable.

– L'enjeu est trop grave. Plus question de prendre le moindre risque.

Le silence s'installa. Puis il reprit :

– Le temps est venu pour moi de prendre les choses en mains.

Sophia masqua de son mieux son effroi, mais elle ne parvint pas à réprimer ses frissons. Il s'impliquait en personne ? Assurément, c'était la perspective la plus effrayante. Elle ne se voyait pas collaborer avec lui pour...

– Les autres resteront en dehors de cette histoire, décréta-t-il. C'est tout.

– Mais...

Le mot échappa à Sophia, qui ne put le ravaler. Des décennies de travail acharné... Et ses projets, tous ses projets !

Soudain, un rugissement infernal s'éleva, résonnant sur les gradins et parcourant toute la piste en une fraction de seconde.

Sophia se crispa. Le vacarme sembla la pénétrer jusqu'au plus profond d'elle-même. Elle eut l'impression qu'on lui déchirait le cœur en lambeaux.

Lyrica et Vivina se blottirent contre elle, les yeux fermés. Même les Bannis tremblèrent.

Alors que Sophia pensait que le bruit ne cesserait jamais, qu'elle allait enfin rencontrer la mort, le hurlement fit place à un silence absolu.

Pendant un certain temps, du moins.

En regardant aux alentours, elle constata que les autres personnes présentes n'avaient rien entendu.

Il murmura à son oreille :

– Votre temps est révolu. Ne vous avisez pas de vous dresser sur mon chemin.

En contrebas, un autre coup de feu retentit. La grille s'ouvrit de nouveau, mais cette fois, le bruit des chevaux sur la piste parut aussi léger qu'une averse sur les arbres.

Et avant que les chevaux n'aient franchi la ligne de départ, la silhouette qui se tenait derrière les Aînées disparut, ne laissant qu'une trace noire de sabots sur les planches de la tribune.

I

SOUS UN FEU NOURRI

Moscou, 15 octobre 1941

Lucinda !

Des voix lui parvenaient dans la pénombre.

Reviens !

Attends !

Luce les ignora et poursuivit son chemin. Son prénom résonna sur les parois sombres de l'Annonciateur, léchant sa peau comme des langues de feu. Était-ce la voix de Daniel ou de Cam ? Celle d'Arriane ou de Gabbe ? Était-ce Roland qui l'implorait de revenir tout de suite, ou bien Miles ?

Les appels devinrent diffus, puis Lucinda ne parvint plus du tout à les distinguer : bien ou mal, ami ou ennemi ? Elle aurait dû pouvoir les identifier. Hélas, rien n'était simple, désormais. Le noir et le blanc se fondaient en un dégradé de gris.

Certes, les deux camps s'accordaient sur un point : ils voulaient la faire sortir de l'Annonciateur. « Pour la protéger », affirmaient-ils.

Non, merci.

Pas maintenant.

Pas après qu'ils avaient ravagé le jardin de ses parents pour en faire leur champ de bataille. En pensant à ses parents, Luce avait envie de rebrousser chemin, or elle ignorait comment revenir en arrière. De toute façon, il était trop tard. Cam avait essayé de la tuer, du moins celle qu'il avait prise pour elle, et Miles l'avait sauvée – ce qui n'avait pas été simple non plus. Il n'avait réussi qu'à déplacer l'image de la jeune fille, car il tenait trop à elle.

Et Daniel ? Tenait-il suffisamment à elle ? Elle était incapable de le dire.

Finalement, lorsque le Banni s'était approché, Daniel et les autres avaient fixé Luce comme si c'était elle qui leur était redevable.

« Tu es notre billet d'entrée au Paradis », lui avait déclaré le Banni. « Le prix à payer. » Qu'est-ce que cela signifiait ? Encore quelques semaines plus tôt, elle ignorait même l'existence des Bannis. Pourtant, ils voulaient obtenir quelque chose d'elle, au point d'affronter Daniel. Une chose sans doute liée à la malédiction qui permettait à Luce de se réincarner après chacune de ses vies... Que pouvait-elle donc faire, selon eux ?

Où se trouvait la réponse à cette question ?

Elle sentit son estomac se nouer tandis qu'elle tournoyait en tous sens dans l'ombre froide, au plus profond du gouffre de l'Annonciateur.

Luce...

Les voix s'atténuèrent peu à peu pour n'être plus que des murmures, comme si elles avaient renoncé. Jusqu'à ce que...

Soudain, elles se firent plus claires et distinctes.

Luce...

Non. Elle ferma les yeux pour tenter de les chasser de son esprit.

Lucinda...

Lucy...

Lucia...

Luschka...

Elle avait froid, elle était fatiguée et n'avait pas envie de les entendre. Pour une fois, elle voulait qu'on la laisse tranquille.

Luschka ! Luschka ! Luschka !

Son pied heurta un obstacle avec un bruit sourd.

Quelque chose de froid, de très, très froid.

Elle avait touché la terre ferme et s'était arrêtée de tomber dans le vide, même si elle ne voyait rien devant elle, à part le manteau sombre des ténèbres. Puis elle baissa les yeux vers ses baskets.

Sa gorge se noua.

Une épaisse couche de neige lui arrivait à mi-mollets. Durant la traversée de ce tunnel obscur, alors qu'elle progressait vers le passé, elle s'était habituée à la fraîcheur humide. Celle-ci avait fait place à une tempête glaciale.

La première fois que Luce avait emprunté un Annonciateur, depuis sa chambre d'internat vers Las Vegas, elle était en compagnie de ses amis Shelby et Miles. À la fin de leur voyage, un rideau noir avait formé une barrière qui les séparait de la ville. Miles étant le seul capable de lire les textes relatifs à la traversée, il avait entamé un mouvement circulaire jusqu'à ce que l'ombre se morcelle. Jusqu'alors, Luce ignorait que cela leur attirerait des ennuis.

Cette fois, il n'y avait aucune barrière. Peut-être parce qu'elle voyageait seule dans un Annonciateur qu'elle avait appelé par la force de sa propre volonté. Mais la sortie était facile, presque trop : le voile noir s'était ouvert, tout simplement.

Une bourrasque de vent glacial la saisit. Elle fut aussitôt transie de froid et ses yeux se mirent à pleurer.

Où se trouvait-elle ?

Luce regrettait déjà d'avoir cédé à la panique. Certes, elle avait besoin de s'échapper, et elle tenait à retracer sa propre histoire pour épargner des souffrances à toutes ses incarnations, comprendre l'amour qu'elle avait tant de fois partagé avec Daniel, et surtout le ressentir au lieu d'en entendre parler. Oui, elle voulait comprendre cette malédiction dont Daniel et elle étaient affligés afin de pouvoir enfin la déjouer.

Mais pas comme ça, frigorifiée, seule, absolument pas préparée à cet endroit, à cette époque, quels qu'ils soient.

Devant elle, sous un ciel gris acier qui dissimulait la lune, s'étendait une rue enneigée aux bâtisses blanches. Au loin, elle percevait un grondement.

– Attends, murmura-t-elle à l'Annonciateur.

L'ombre s'éloigna de quelques centimètres. Luce voulut la retenir, mais elle lui échappa et s'écarta davantage. La jeune fille bondit et attrapa un petit lambeau humide.

En l'espace d'une seconde, l'Annonciateur se réduisit en doux filaments noirs dans la neige. Ils s'effilochèrent, puis disparurent complètement.

– Oh non..., murmura Luce. Qu'est-ce que je vais faire, maintenant ?

Au loin, la rue virait à gauche vers un carrefour plongé dans l'ombre. Sur les trottoirs s'amoncelaient des déblais de neige tassée, le long de deux bâtiments en pierre blanche. Luce n'en avait jamais vu de tels. Hauts de plusieurs étages, ils se distinguaient par une façade ornée d'arcades blanches et de colonnes sculptées.

Aucune fenêtre n'était éclairée. Luce eut l'impression que toute la ville était plongée dans le noir, hormis le faible halo que prodiguait un unique réverbère. Un nouveau grondement retentit dans le ciel. Le tonnerre ?

Luce serra les bras sur sa poitrine pour se réchauffer.

– Luschka !

C'était une voix de femme un peu tremblante, rauque et éraillée, comme si elle avait passé sa vie à aboyer des ordres.

– Luschka, petite imbécile ! Où es-tu ?

La femme se rapprochait. S'adressait-elle à Luce ? Cette voix... En l'entendant, Luce perçut quelque chose d'indéfinissable.

Une silhouette chancelante apparut alors au coin de la rue. Espérant la reconnaître, Luce la regarda fixement. C'était une petite femme voûtée qui pouvait avoir environ soixante-dix ans. Ses épais vêtements semblaient trop grands pour son corps chétif. Elle était coiffée d'un épais foulard noir. Dès qu'elle vit Luce, son visage se crispa en un étrange rictus.

– Où étais-tu passée ?

Luce observa les alentours. Il n'y avait personne d'autre, dans la rue. Cette vieille femme s'adressait donc forcément à elle.

– J'étais là, répondit-elle sans réfléchir.

En russe.

Elle porta une main à sa bouche. Voilà donc ce qui l'intriguait tant : son interlocutrice s'exprimait dans une langue qu'elle n'avait jamais apprise. Pourtant, non seulement elle en comprenait chaque mot, mais elle la parlait aussi !

– Je vais t'étrangler ! maugréa l'inconnue, le souffle court.

Elle se précipita vers la jeune fille pour l'enlacer. Elle avait une force impressionnante. La chaleur de son corps, après ce froid glacial, réconforta Luce au point qu'elle en eut les larmes aux yeux. Elle la serra à son tour.

– Grand-mère ? murmura-t-elle d'instinct à son oreille.

– Je quitte mon travail et qu'est-ce que j'apprends ? Tu as disparu ! Ce soir, en plus ! Et je te retrouve en train de courir les rues comme une folle ! As-tu au moins travaillé, aujourd'hui ? Où est ta sœur ?

Un grondement retentit dans le ciel, comme si un violent orage menaçait. Luce frémit et secoua la tête. Que répondre à cette question ?

– Ah ! s'exclama la vieille femme. Tu es moins désinvolte, à présent !

Perplexe, elle observa soudain la jeune fille de plus près.

– Mon Dieu ! Qu'est-ce que c'est que cette tenue ?

Gênée, Luce vit sa grand-mère balayer son jean du regard, puis effleurer de ses doigts noueux les boutons de sa chemise en flanelle. Enfin, elle agrippa sa petite queue de cheval.

– Parfois, je me demande si tu n'es pas aussi folle que ta mère, paix à son âme !

– Je..., bredouilla Luce en claquant des dents, j'ignorais qu'il ferait aussi froid.

La vieille femme cracha dans la neige pour marquer sa réprobation. Puis elle ôta son manteau.

– Prends ça, avant d'attraper la mort !

Elle le posa sur les épaules de Luce qui tenta de le boutonner de ses mains engourdies. Puis sa grand-mère lui noua son foulard sur la tête.

Une soudaine explosion dans le ciel les éclaira l'espace d'un instant. Cette fois, Luce comprit qu'il ne s'agissait pas d'un orage.

– Qu'est-ce qui se passe ? murmura-t-elle.

– C'est la guerre ! répondit la vieille dame d'un air interloqué. Aurais-tu perdu la tête en même temps que tes vêtements ? Allez, viens ! Il faut partir.

Elles foulèrent les pavés et les rails du tramway dans les rues enneigées. Contrairement à ce qu'elle pensait au départ, la ville n'était pas déserte, loin de là. Quelques voitures étaient garées le long des trottoirs. De temps à autre, au fond d'une ruelle sombre, des chevaux attelés hennissaient en soufflant de la buée. Des silhouettes voûtées couraient sur les toits. Dans une allée, un homme vêtu d'un pardessus déchiré entraînait trois jeunes enfants vers la porte d'une cave.

Au bout d'une ruelle s'ouvrait une avenue bordée d'arbres, offrant une large perspective sur la ville. Il n'y avait que des véhicules militaires démodés, presque grotesques, comme dans un musée de la guerre : des jeeps bâchées munies de pare-chocs géants, au volant très fin, avec la faucille et le marteau soviétiques peints sur les portières. En dehors de Luce et de sa grand-mère, cette rue était déserte. Seul le grondement du ciel venait rompre le silence inquiétant, presque lugubre.

Au loin, la jeune fille distinguait un fleuve et, sur la rive opposée, un haut édifice. Même dans le noir, Luce en discernait les tours et ses dômes ouvragés à la fois familiers et mythiques. Après un moment, elle comprit enfin où elle était :

Elle se trouvait à Moscou !

En pleine zone de guerre.

Au-dessus de chaque cible bombardée, un panache de fumée noire s'élevait dans le ciel gris : à gauche de l'imposant Kremlin, puis juste derrière lui, et à sa droite... Dans les rues, pourtant, aucun combat ne se déroulait. Les soldats ennemis ne semblaient pas avoir envahi la ville. Un peu partout, les bâtiments incendiés étaient ravagés par les flammes. Et le pire restait sans doute à venir...

Jamais Luce n'avait été témoin d'un tel chaos. Dans aucune de ses vies. Ses parents la tueraient s'ils savaient où elle se trouvait en cet instant. Quant à Daniel, il ne lui adresserait sans doute jamais plus la parole.

Mais auraient-ils au moins l'occasion de s'emporter contre elle ? N'allait-elle pas mourir au cœur de la bataille ?

Pourquoi avait-elle agi de la sorte ?

Parce qu'il le fallait, voilà tout. Même si elle était en proie à la panique, il lui restait un soupçon de fierté. Oui, il ne pouvait en être autrement...

Elle était allée voir de l'autre côté, toute seule. Elle était partie de son plein gré vers les contrées lointaines d'un passé qu'elle avait besoin de comprendre. Cela faisait trop longtemps qu'elle se laissait manipuler comme un pion sur un échiquier !

Mais que devait-elle faire, désormais ?

Elle hâta le pas, serrant très fort la main de sa grand-mère. C'était étrange : cette femme n'avait aucune idée de ce que Luce traversait, ni même de qui elle était vraiment. Or, ce simple contact rassurant lui permettait d'avancer.

– Où allons-nous ? s'enquit Luce tandis que la vieille femme s'engouffrait dans une rue.

Les pavés firent peu à peu place à un revêtement lisse et glissant. La neige s'était infiltrée dans les chaussures de tennis de Luce, dont les orteils commençaient à s'engourdir.

– Chercher ta sœur Kristina, répondit la grand-mère d'un ton bourru. Tu sais, celle qui travaille de nuit à creuser des tranchées à mains nues pour que tu puisses dormir tranquille !

Elles s'arrêtèrent à un endroit sans éclairage. Luce dut cligner les yeux plusieurs fois pour s'accoutumer à la pénombre et découvrit alors une sorte de fossé, au beau milieu de la ville.

Il devait y avoir là une centaine de personnes emmitouflées jusqu'aux oreilles. Certaines étaient à genoux et creusaient le sol à l'aide de pelles. D'autres se tenaient debout, pétrifiées, à scruter le ciel. Quelques soldats transportaient des monceaux de terre et de pierres dans des charrettes et des brouettes délabrées pour former une barricade, au bout de la rue. Les pans de leurs épais manteaux de laine leur battaient les chevilles. Sous leur toque, ils avaient l'air aussi tragiques que les civils. Lucinda comprit qu'ils œuvraient tous dans le même but : hommes en uniforme, femmes et enfants transformaient leur ville en forteresse. Ils faisaient de leur mieux, bien décidés à se battre jusqu'à leur dernier souffle pour empêcher les chars ennemis d'entrer.

– Kristina ! cria la grand-mère d'une voix teintée de panique, comme lorsqu'elle avait cherché Luce.

Une jeune fille apparut presque aussitôt à son côté.

– Qu'est-ce qui t'a retenue si longtemps ?

Grande et mince, Kristina avait les cheveux bruns. Quelques mèches s'échappaient de sous sa coiffe. Elle était d'une beauté à couper le souffle. Luce en eut la gorge nouée : cette fille faisait partie de sa famille, c'était manifeste.

Elle ne put s'empêcher de penser à Vera, l'autre sœur d'une vie passée qu'elle avait déjà rencontrée. Au fil des années, elle avait dû avoir des centaines de sœurs. Voire un millier. Des sœurs, des frères, des parents, des amis qu'elle avait dû aimer, puis perdre, sans qu'aucun n'ait rien vu venir. Elle les avait laissés à leur chagrin.

Il existait peut-être un moyen d'alléger leur peine et peut-être était-ce l'une des choses que Luce pouvait tenter de réparer dans ses vies passées.

Une détonation assourdissante retentit au loin, assez proche toutefois pour faire trembler le sol. Luce eut l'impression que son tympan droit explosait. Des sirènes d'alerte au bombardement se déclenchèrent.

– Baba ! s'écria Kristina en agrippant la main de sa grand-mère, au bord des larmes. Les nazis sont là, n'est-ce pas ?

Les Allemands... C'était la première fois que Luce voyageait seule dans le temps, et il fallait qu'elle tombe en pleine Seconde Guerre mondiale !

– Ils assiègent Moscou ? s'enquit-elle d'une voix tremblante. Ce soir ?

– Nous aurions dû partir avec les autres, répondit amèrement Kristina. Il est trop tard, maintenant.

– En abandonnant tes parents et ton grand-père ici, dans leurs tombes ? répondit Baba en secouant la tête.

– Tu préfères qu'on les rejoigne au cimetière ? lança Kristina en prenant Luce par le bras. Tu étais au courant de cette offensive ? Vous le saviez, toi et ton ami koulak ? C'est pour cela que tu n'es pas venue travailler, ce matin ? Tu étais avec lui, c'est ça ?

De quoi sa sœur pouvait-elle la soupçonner, au juste ? Que diable était-elle censée savoir ? Et avec qui se trouvait-elle ?

Sans doute Daniel, naturellement.

C'était cela. Luschka ne pouvait être qu'avec lui, en cet instant. Et les membres de sa famille confondaient cette Luschka-là avec Luce...

Elle sentit son cœur se serrer. Dans combien de temps allait-elle mourir ? Et si elle parvenait à trouver Luschka avant que cela ne se produise ?

– *Luschka.*

Sa sœur et sa grand-mère la regardaient fixement.

– Qu'est-ce qu'elle a, ce soir ? s'enquit Kristina.

– Partons, grommela Baba. Vous croyez que les Moscovites vont nous ouvrir les portes de leurs caves encore longtemps ?

Le long bourdonnement d'un avion de combat se fit entendre, au-dessus d'elles. Il était si proche que, en levant les yeux, Luce put distinguer la croix gammée noire peinte sur la face inférieure de ses ailes. Elle fut parcourue d'un frisson d'effroi. Une nouvelle explosion retentit. Un épais nuage de fumée noire enveloppa la ville. L'ennemi avait touché une cible toute proche, et deux détonations massives firent de nouveau trembler le sol.

Dans la rue, ce fut le chaos. La foule réunie dans la tranchée se dispersa en direction des ruelles. Des gens se précipitèrent dans l'escalier d'une station de métro pour attendre la fin du bombardement. D'autres se tapirent au coin des portes cochères.

Une rue plus loin, Luce vit une silhouette qui courait, une jeune fille de son âge coiffée d'un chapeau rouge et vêtue d'un long manteau de laine. La fuyarde tourna la tête un instant, puis détala. Mais Luce avait eu le temps de la reconnaître.

C'était elle.

Luschka.

Luce se libéra de l'emprise de sa grand-mère.

– Désolée, il faut que je parte !

Luce prit une profonde inspiration et se dirigea vers la fumée, au cœur de la zone bombardée.

– Tu es folle ! s'écria Kristina.

Mais ni elle ni sa grand-mère ne la suivirent. Elles n'étaient pas folles à ce point.

Les pieds gourds, Luce tenta de courir malgré l'épaisse couche de neige qui lui arrivait à mi-mollets. En atteignant le coin de la rue où elle avait vu passer la fille au chapeau rouge, cette incarnation antérieure d'elle-même, elle ralentit, le temps de reprendre son souffle.

Juste devant elle, un bâtiment occupant presque tout un pâté de maisons s'était effondré. La pierre blanche était noircie de cendres. À l'intérieur, un incendie faisait rage, comme dans le cratère d'un volcan.

Lors de l'explosion, des tonnes de débris avaient jailli des entrailles de l'immeuble, striant la neige de rigoles rouges. Luce eut un mouvement de recul, puis elle se rendit compte qu'il ne s'agissait pas de sang, mais de lambeaux de soie écarlate provenant sans doute d'un magasin de tissus ou d'un atelier de tailleur. Des portants difformes, chargés de vêtements, jonchaient la rue. Dans un fossé, un mannequin gisait sur le flanc et se consumait. Luce dut se couvrir la bouche avec le foulard de sa grand-mère pour ne pas suffoquer dans la fumée. Le sol enneigé était jonché de bris de verre et de pierres.

La jeune fille aurait dû faire demi-tour, rejoindre sa grand-mère et sa sœur pour se mettre à l'abri. Hélas, c'était impossible. Il fallait qu'elle trouve Luschka. Jamais elle n'avait été aussi proche de l'une de ses vies antérieures. Luschka l'aiderait peut-être à comprendre pourquoi son existence était différente, et pourquoi Cam avait décoché une flèche en direction de son image en pensant la tuer, affirmant à Daniel que c'était pour elle une fin meilleure... Meilleure que quoi ?

Elle se retourna lentement en quête du chapeau rouge, dans la nuit.

Là-bas !

La jeune fille détalait en direction du fleuve, en contre-bas. Luce se précipita à ses trousses.

Elles coururent au même rythme. En entendant une explosion, Luce se pencha. Luschka en fit autant, comme en écho au moindre de ses mouvements. De la rive, la vue sur la ville était imprenable. Elles se figèrent toutes deux dans la même position.

À une quinzaine de mètres devant elle, Luce vit son reflet fondre en sanglots.

Des quartiers entiers de Moscou étaient en feu. Des centaines d'habitations détruites ! Luce tenta de s'imaginer toutes ces existences réduites à néant, ce soir-là, mais cela lui semblait irréel, inaccessible, comme si elle lisait la scène dans un livre.

La jeune fille repartit. Elle courait tellement vite que Luce n'aurait pu la rattraper, même si elle l'avait voulu. Elles durent éviter de profonds cratères, parmi les bâtiments en flammes, et les grondements terribles du feu. Des camions militaires étaient retournés. Par leurs vitres brisées pendaient des bras inertes, carbonisés.

Luschka tourna soudain à gauche et disparut.

Sous une poussée d'adrénaline, Luce accéléra, foulant la neige à un rythme de plus en plus rapide, comme mue par une force irrépressible...

Luschka ne pouvait se diriger que vers un seul objectif.

– Luschka...

C'était la voix de Daniel.

Où était-il ? L'espace d'un instant, Luce oublia cette autre incarnation d'elle-même, cette jeune Russe dont la vie était en péril. Elle oublia que ce Daniel-là n'était pas le sien, mais...

Bien sûr que c'était le sien !

Daniel ne mourait jamais. Il avait toujours été là, il lui appartenait, comme elle lui appartenait aussi. Luce n'avait qu'une envie : se blottir de nouveau dans ses bras. Lui, il saurait quoi faire, il l'aiderait. Comment avait-elle pu douter ?

Attirée par sa voix, Luce courut encore, sans parvenir à le trouver. Luschka avait également disparu. Non loin du fleuve, Luce s'arrêta net au milieu d'un carrefour désert.

Elle avait le souffle court, les poumons compressés par le froid. Une douleur lancinante lui vrillait les oreilles et les picotements de ses pieds gelés étaient un calvaire.

Où aller ?

Devant elle s'étendait un vaste terrain vague ceint de fils barbelés et d'une palissade. Dans le noir, elle devina les décombres d'un bâtiment qui manifestement n'avait pas été bombardé le jour même.

Il n'en restait qu'un trou sombre. Que faisait-elle prostrée là ? Pourquoi avait-elle cessé de courir vers Daniel ?

En agrippant la grille, elle aperçut soudain une lueur.

Une église. Une église blanche et majestueuse occupait naguère cette parcelle de terrain, ornée de trois immenses arcades en façade. Cinq flèches dorées pointaient vers le ciel. À l'intérieur, des bancs s'étendaient à l'infini. Au sommet d'une volée de marches blanches se dressait un autel. Murs et plafonds voûtés étaient décorés de fresques sublimes. Partout, il y avait des anges...

La cathédrale du Christ-Sauveur.

Comment Luce le savait-elle ? Comment avait-elle deviné du plus profond de son être que ce néant avait été cet imposant édifice immaculé ?

Parce qu'elle s'y trouvait, quelques instants plus tôt. Elle vit en effet d'autres empreintes de mains dans les cendres qui recouvraient le fer de la grille. Luschka venait de passer. Elle avait ressenti quelque chose en observant les décombres de la cathédrale.

Luce crispa les doigts et cligna les yeux : elle se voyait, enfin, elle voyait Luschka, toute jeune.

Elle était assise dans l'église, vêtue d'une robe en dentelle blanche. Les fidèles entraient tour à tour, avant l'office, au son de l'orgue. L'homme séduisant qui se tenait à son côté devait être son père, et la femme installée près de lui, sa mère. Puis venaient la grand-mère que Luce avait déjà rencontrée et Kristina. Elles semblaient toutes les deux plus jeunes et bien nourries. Sa grand-mère avait précisé que ses deux parents étaient morts, or ils débordaient de vie. Ils connaissaient tout le monde, saluaient chaque famille qui passait. Luce s'observait et regardait son père serrer la main d'un jeune homme blond très beau. Celui-ci se pencha vers elle et lui sourit. Il avait de superbes yeux violets.

Lorsque Luce battit des paupières, la vision disparut pour faire place au champ de ruines. Elle se sentit très seule. Une autre bombe explosa sur la rive opposée. Sous le choc, la jeune fille tomba à genoux et se couvrit le visage de ses mains.

Soudain, elle perçut des sanglots étouffés et scruta la pénombre. Il était là.

– Daniel..., murmura-t-elle.

Il n'avait pas changé. Il irradiait malgré les ténèbres et le froid. Ses cheveux blonds, dans lesquels elle ne se lassait pas d'enfouir les doigts, ses yeux d'un violet grisé faits pour croiser son regard, ce visage impressionnant, ces pommettes hautes, ces lèvres charnues... Le cœur de la jeune fille s'emballa. Elle dut se tenir à la grille pour ne pas courir vers lui.

Car il n'était pas seul.

Il était en compagnie de Luschka. Il la consolait en lui caressant la joue et en l'embrassant pour chasser ses larmes. Ils échangèrent un baiser interminable. Seuls au monde, ils étaient tellement absorbés par leur étreinte qu'ils ne parurent pas sentir la secousse provoquée par une nouvelle explosion.

Leurs corps ne formaient plus qu'un dans la nuit noire.

Luce s'avança lentement, déambulant au milieu des décombres. Elle brûlait de se rapprocher de Daniel.

– Je pensais ne jamais te trouver, dit Luschka.

– On se retrouvera toujours, répondit Daniel en la soulevant de terre pour la serrer plus fort encore contre lui. Toujours !

– Hé, vous deux ! lança une voix depuis l'entrée d'un immeuble tout proche.

De l'autre côté des décombres, un homme dont Luce ne discernait pas les traits entraînait un petit groupe de personnes vers un bâtiment en pierre, où Luschka et Daniel devaient les rejoindre. Leur intention dès le départ était bien de se mettre à l'abri, mais ensemble.

Luschka répondit à l'appel et, se tournant vers Daniel, dit :

– Allons avec eux.

– Non, répliqua-t-il sèchement, d'un ton que Luce connaissait par cœur.

– Nous serions plus en sécurité que dans la rue. N'est-ce pas pour cela que nous nous sommes donné rendez-vous ici ?

Daniel se retourna et balaya du regard l'endroit où se cachait Luce. Le ciel s'illumina à la suite d'une série d'explosions. Luschka se mit à hurler et enfouit le visage contre le torse de Daniel. Luce fut donc la seule à voir son expression.

Un sentiment l'oppressait, plus fort que la peur des bombes.

Oh non...

– Daniil ! appela un jeune garçon, en maintenant la porte de l'immeuble ouverte. Daniil ! Luschka !

Tous les autres étaient déjà à l'intérieur.

Daniel se pencha alors vers Luschka pour murmurer à son oreille. Luce aurait tout donné pour savoir ce qu'il lui racontait. Prononçait-il les mêmes paroles que quand elle-même était bouleversée ou désemparée ? Elle avait envie de courir vers eux pour les séparer, mais c'était impossible. Une force lui intimait de se tenir tranquille.

Elle garda les yeux rivés sur le visage de Luschka comme si sa vie en dépendait.

Peut-être était-ce le cas, d'ailleurs.

Luschka hochait la tête en écoutant Daniel. Bientôt, sa terreur fit place au calme. Son visage se rasséréna. Elle ferma les yeux, acquiesça une nouvelle fois, puis elle pencha la tête en arrière et un sourire apparut sur ses lèvres.

Un sourire ?

Mais pourquoi ? Comment ? Elle semblait savoir ce qui allait se passer.

Daniil la serra contre lui. Elle se laissa aller dans ses bras tandis qu'il l'embrassait, les doigts dans ses cheveux. Il se mit à la caresser.

C'était un baiser si passionné et si intime qu'elle en eut le souffle coupé, si sublime qu'elle ne put détourner les yeux.

Pas même lorsque Luschka se mit à crier.

Soudain, la jeune fille s'embrasa et ne fut bientôt qu'une longue torche ardente.

Ce tourbillon de feu s'éleva avec une fluidité surnaturelle, comme si une grande écharpe de soie enveloppait son corps. Des flammes surgissant de toutes parts dévorèrent Luschka, illuminant ses membres qui s'agitaient follement... Soudain, son corps cessa de bouger. Daniil ne lâcha pas Luschka, même quand les flammes s'emparèrent de ses vêtements, brûlant sa chair dans un sifflement atroce...

Quand le feu s'éteignit enfin, aussi vite qu'une chandelle, Daniil avait les mains pleines de cendres. Alors, seulement, il baissa les bras.

Dans ses rêves les plus fous au sujet de ses vies antérieures, Luce n'avait jamais envisagé sa mort. Or, cette réalité était encore plus atroce que ses pires cauchemars. Elle demeura dans la neige, pétrifiée par ce spectacle, incapable d'esquisser le moindre mouvement.

Daniil s'écarta ensuite du tas de cendres et se mit à pleurer. Ses larmes formaient des traînées de suie sur ses joues. Ces cendres étaient tout ce qui restait de Luschka. Il grimaçait de chagrin, et ses grandes mains vides tremblaient. Ces mains qui semblaient faites pour enserrer la taille de Luschka, caresser ses cheveux, ses joues. Luce en ressentait une étrange jalousie mêlée à une profonde pitié. Que faire quand la seule personne que l'on aime vient de disparaître dans des conditions atroces ?

La souffrance qu'elle lisait sur le visage du jeune homme lui fendit le cœur. Ce spectacle bouleversant dépassait la douleur et le désarroi de Luce. Elle comprenait enfin l'amertume de Daniel, même si elle ne pouvait s'y résoudre. Si Miles aimait Luce, ce sentiment n'était pas comparable à l'amour de Daniel.

Il ne le serait jamais.

– Daniel ! cria-t-elle en sortant de l'ombre pour se précipiter vers lui.

Elle voulait lui rendre les baisers et les caresses qu'il venait de lui donner dans cette vie antérieure. Ce n'était pas une bonne idée, Luce le savait, mais, ce jour-là, plus rien n'était normal.

Daniil écarquilla les yeux et une expression d'effroi absolu crispa ses traits.

– Qu'est-ce qui se passe ? demanda-t-il lentement, d'un ton accusateur, comme si la scène d'agonie de Luschka n'avait jamais eu lieu.

Comme si la présence de Luce lui semblait encore pire que de regarder Luschka mourir.

– Qu'est-ce qui se passe ? répéta-t-il en levant une main noire de suie.

La façon dont il la regardait était une véritable torture. Elle s'arrêta net et retint ses larmes.

– Réponds-lui, fit une voix, dans l'ombre. Comment es-tu arrivée là ?

Luce aurait reconnu ce ton hautain entre mille : Cam surgit de sous le porche de l'abri.

Avec un léger froissement, puis dans un claquement de drapeau battant dans le vent, il déploya ses vastes ailes, encore plus beau et impressionnant que de coutume. Luce ne put s'empêcher de les contempler, tandis qu'elles répandaient une lueur dorée.

La scène qui se déroulait laissa Luce perplexe. D'autres anges qui rôdaient dans le noir s'avancèrent.

C'était Gabbe, Roland, Molly et Arriane.

Ils étaient tous là, les ailes serrées vers l'avant dans un scintillement d'or et d'argent presque aveuglant. Ils semblaient nerveux. Les extrémités de leurs ailes frémissaient, comme s'ils étaient prêts à se lancer dans la bataille.

Pour une fois, Luce ne fut nullement intimidée par leur allure sublime ou leurs regards appuyés. Non, elle ressentait du dégoût.

– Vous regardez ? À chaque fois ? s'enquit-elle.

– Luschka, répondit Gabbe d'un ton neutre, dis-nous simplement ce qui se passe.

Daniil intervint. Il prit la jeune fille par les épaules et se mit à la secouer.

– Luschka !

– Je ne suis pas Luschka ! cria Luce en se libérant de son emprise pour reculer de quelques pas.

Elle était horrifiée. Comment pouvaient-ils se regarder en face ? Comment avaient-ils pu la voir mourir de la sorte ?

C'en était trop. Elle n'était pas prête.

– Pourquoi m'observes-tu de la sorte ? demanda Daniil.

– Elle n'est pas celle que tu crois, Daniil, intervint Gabbe. Luschka est morte. Elle, c'est...

– Qui est-ce ? demanda Daniil. Qu'est-ce qu'elle fait là ? Quand...

– Regarde ses vêtements. De toute évidence, elle...

– Ferme-la, Cam ! Ce n'est peut-être pas elle, déclara Arriane, tout aussi effrayée par ce que Cam était sur le point de révéler.

Un cri déchira la nuit, puis un feu nourri se déversa sur le bâtiment situé en face dans un vacarme assourdissant. Un hangar en bois s'embrasa. Les anges ne se souciaient absolument pas de la bataille qui faisait rage autour d'eux. Ils ne s'intéressaient qu'à Luce. Seuls cinq ou six mètres les séparaient d'elle, et ils semblaient se méfier d'elle autant qu'elle se méfiait d'eux. Personne n'osait faire un pas.

À la lueur du hangar en flammes, l'ombre de Daniil se détacha de son corps. Luce se concentra pour l'appeler vers elle. Y parviendrait-elle ? Elle plissa les yeux et tendit chaque muscle de son corps. Elle n'avait pas encore le coup de main et ignorait comment la saisir.

Quand ses contours sombres se mirent à trembler, la jeune fille bondit pour agripper l'ombre. Elle la manipula jusqu'à la transformer en boule, comme elle avait vu faire Steven et Francesca, ses profs, le jour de son arrivée à Shoreline. Les nouveaux Annonciateurs étaient toujours brouillons, amorphes. Il fallait leur donner des contours nets, puis les étirer pour les aplanir. Ensuite, l'Annonciateur se transformait en un écran sur lequel défilait le passé, ou en une porte à franchir.

Cet Annonciateur-là était gluant, mais elle réussit néanmoins à le façonner. Ensuite, elle glissa une main à l'intérieur et ouvrit la porte.

Elle ne pouvait rester là plus longtemps, car elle avait désormais une mission à accomplir : se retrouver vivante dans une autre époque et découvrir à quoi les Bannis avaient fait référence en évoquant un « prix à payer ». Il fallait aussi qu'elle détermine l'origine de la malédiction qui les frappait, Daniel et elle, puis qu'elle la brise.

Abasourdis, ils la regardèrent manipuler l'Annonciateur.

– Quand as-tu appris à faire ça ? murmura Daniel.

Luce secoua la tête. Ses explications ne feraient que le troubler davantage.

– Lucinda !

Son vrai prénom... Ce fut le dernier son qu'elle entendit.

Bizarrement, alors qu'elle le dévisageait, elle n'avait pas vu ses lèvres remuer. Son esprit lui jouait des tours.

– Lucinda ! cria-t-il encore, paniqué, juste avant que Luce ne plonge tête la première dans les ténèbres qui l'appelaient.

II

ENVOYÉ DU CIEL

Moscou, 15 octobre 1941

– Lucinda ! cria Daniel de plus belle.

Trop tard.

En un clin d'œil, elle avait disparu. Il venait à peine d'émerger dans ce paysage sombre et enneigé qu'il avait senti un éclat lumineux, derrière lui, et la chaleur d'un feu, tout proche. Pourtant, lui ne voyait que Luce. Il se précipita vers elle, au coin de la rue. Elle semblait minuscule, emmitouflée dans le vieux manteau usé d'une autre, et si effrayée... Puis elle avait ouvert une ombre et...

– Non !

Une bombe toucha un immeuble, juste derrière lui. La terre trembla, la rue se souleva et le bitume se fendit. Une pluie de verre et de métal s'abattit sur le sol.

Puis ce fut le silence absolu. Pétrifié, Daniel demeurait incrédule, au milieu des décombres.

– Elle retourne en arrière, marmonna-t-il en époussetant ses épaules.

– Elle retourne en arrière, répéta quelqu'un comme en écho.

Cette voix, était-ce la sienne ? Ou bien un écho ?

Non, elle était trop proche, trop claire pour venir de sa propre bouche.

– Qui a dit ça ?

Il se rua vers là où Luce se tenait quelques instants plus tôt, au milieu des débris.

Deux êtres retinrent leur souffle.

Daniel se retrouva face à lui-même, enfin, pas tout à fait lui-même. L'autre était vêtu d'un uniforme d'officier, d'un épais manteau noir et chaussé de bottes de combat. Son regard s'enflamma face à Daniel.

Malgré eux, ils se rapprochèrent. Méfiants, ils tournaient en rond dans la neige, puis ils reculèrent.

– Reste à distance, dit le Daniel plus âgé au plus jeune. C'est dangereux.

– Je sais, rétorqua-t-il. Tu crois que je ne suis pas au courant ?

Sa proximité lui retournait l'estomac.

– Je suis déjà passé par là, reprit-il. Je suis toi.

– Qu'est-ce que tu veux ?

– Je...

Daniel scruta les alentours, le temps de retrouver ses esprits. Après des milliers d'années d'existence, à aimer Luce puis à la perdre, la trame de ses souvenirs commençait à s'effilocher. À force de se répéter, ses histoires étaient difficiles à dénouer les unes des autres. Mais il se rappelait ce lieu. Il n'y avait pas si longtemps...

Une ville dévastée, des rues enneigées, un ciel embrasé...

Cela aurait pu être n'importe quelle guerre.

Mais ici...

Un peu plus loin, la neige avait fondu, laissant un cratère sombre dans cet océan de blancheur. Daniel tomba à genoux et tendit la main vers l'anneau de cendres noires. Puis il ferma les yeux et se rappela précisément comment elle était morte dans ses bras.

Moscou, 1941.

Voilà donc ce qu'elle avait décidé de faire : voyager dans ses vies antérieures dans le but de comprendre.

Pourtant, ses morts successives n'avaient aucune explication rationnelle. Daniel le savait mieux que quiconque.

Dans certaines vies, toutefois, il avait tenté de l'éclairer, espérant changer le cours des choses. Parfois, il s'efforçait de la garder en vie plus longtemps, mais cela ne fonctionnait jamais vraiment. Parfois encore, comme lors de l'offensive sur Moscou, il avait choisi de la faire périr plus vite, pour l'épargner. Pour que, dans cette vie, son baiser soit son ultime expérience.

Et toutes ces vies projetaient les ombres les plus longues. Elles attiraient Luce comme des aimants tandis qu'elle cheminait à travers les Annonciateurs. Ces vies où il lui avait révélé ce qu'elle avait besoin de savoir, quitte à la détruire.

Comme à l'instant de sa mort à Moscou. Daniel s'en rappelait parfaitement et se sentait stupide. Il se souvint des paroles audacieuses qu'il lui avait murmurées, de son baiser si profond, de l'expression de Luce quand elle comprenait qu'elle était en train de trépasser. Non, rien n'avait changé. Cela se terminait comme les autres fois.

Ensuite, Daniel était toujours le même : sombre, anéanti, inconsolable.

Gabbe s'avança pour couvrir de neige l'anneau de cendres. Ses plumes diaphanes frissonnaient dans la nuit. Un halo scintillant entourait son corps penché vers la neige. Elle pleurait.

Les autres s'approchèrent à leur tour : Cam, Roland, Molly, Arriane.

Daniil, le Daniel d'autrefois, vint compléter le petit groupe.

– Si tu es venu nous mettre en garde, déclara Arriane, parle et va-t'en.

Elle avança ses ailes dans un geste protecteur et se campa devant Daniil, dont le teint était verdâtre.

Les anges n'avaient pas droit au moindre échange avec leurs prédécesseurs. Ce n'était pas un phénomène naturel. Daniel se sentait mal. Était-ce parce qu'il avait dû revivre la mort de Luce ou parce qu'il se trouvait en présence de cet autre lui-même ? Il était incapable de le dire...

– Nous mettre en garde ? railla Molly en contournant Daniel. Pourquoi Daniel Grigori prendrait-il la peine de nous mettre en garde contre quoi que ce soit ?

Elle lui fit face et le provoqua de ses ailes cuivrées.

– Non, reprit-elle. Je sais ce qu'il mijote. Cela fait des siècles qu'il se promène dans le passé. Toujours en quête de quelque chose, toujours une longueur de retard.

– Non, murmura Daniel.

Ce n'était pas possible. Il avait décidé de la rattraper, et il le ferait.

– Ce qu'elle veut savoir, intervint Roland, c'est ce qui t'amène ici. D'où que tu viennes.

– J'avais presque oublié, dit négligemment Cam en se massant les tempes. Il cherche Lucinda, tombée dans le passé.

Il se tourna vers Daniel et haussa les sourcils.

– Tu vas peut-être mettre ta fierté de côté et nous demander de t'aider, maintenant, reprit-il.

– Je n'ai pas besoin d'aide.

– On le dirait bien, pourtant, railla Cam.

– Ne t'en mêle pas ! cracha Daniel. Tu nous as déjà fait assez de mal.

– Elle est bien bonne ! s'exclama Cam en tapant des mains. Je suis impatient de connaître la suite.

– Tu joues un jeu dangereux, Daniel, déclara Roland.

– Je sais.

Cam émit un rire lugubre.

– Nous arrivons enfin à l'issue de la partie, j'ai l'impression.

– Quelque chose a changé ? demanda Gabbe, la gorge nouée.

– Elle est en train de comprendre, expliqua Arriane. Elle ouvre des Annonciateurs, elle les traverse, et elle est encore en vie !

Les yeux de Daniel virèrent au violet. Il se détourna pour observer les décombres de l'église, là où il avait pour la première fois posé les yeux sur Luschka.

– Je ne peux pas rester. Je dois la rattraper.

– D'après mes souvenirs, dit Cam, tu n'y arriveras pas. Le passé est écrit, mon frère.

– Ton passé, peut-être, mais pas mon avenir.

Daniel était incapable de toute réflexion. Ses ailes brûlaient de se déployer. Luce était partie, la rue était déserte. Il n'avait à se soucier de personne.

Rejetant les épaules en arrière, il libéra ses ailes dans un sifflement. Alors ce fut la lumière, la liberté absolue. Il y voyait plus clair, à présent. Il avait besoin de rester seul avec lui-même. Après un ultime regard vers l'autre Daniel, il s'envola.

Quelques instants plus tard, il entendit quelqu'un quitter le sol à son tour.

La version antérieure de Daniel le rejoignit dans le ciel.

– Où aller ?

Sans un mot, ils se posèrent au deuxième étage d'un immeuble proche de l'étang du Patriarche, sur une corniche face à la fenêtre de Luce, là où ils la regardaient dormir. Ce souvenir était plus récent pour Daniil, mais l'image furtive de Luce allongée sous les couvertures, en plein rêve, provoqua une onde de chaleur dans tout son corps.

Ils étaient d'humeur sombre. Dans la ville bombardée, quelle triste ironie du sort que le bâtiment ait été épargné, et non la jeune fille ! Ils restèrent ainsi en silence, dans la nuit glaciale, leurs ailes repliées avec soin pour éviter qu'elles ne se touchent.

– Comment cela se passe, pour elle, dans l'avenir ?

Daniel soupira.

– La bonne nouvelle, c'est que quelque chose a changé, dans cette vie. La malédiction semble avoir été... modifiée.

– Ah bon ? demanda Daniil en levant les yeux, une lueur d'espoir dans le regard. Tu veux dire que, dans cette vie, elle n'a pas encore conclu de pacte ?

– Nous ne le pensons pas. Hélas, ce n'est qu'une partie du problème. Il semblerait qu'une faille lui permette désormais de vivre plus longtemps que de coutume...

– Mais c'est dangereux ! s'exclama Daniil, catastrophé.

Son discours correspondait aux propos qui avaient envahi l'esprit de Daniel ce dernier soir, à Sword & Cross, quand il avait compris que quelque chose avait changé.

– Elle pourrait mourir et ne jamais revenir. C'est peut-être la fin. Tout est possible, désormais.

– Je sais.

Daniil mit du temps à retrouver une contenance.

– Je suis désolé. Bien sûr que tu es au courant... Mais comprend-elle au moins que cette vie est différente ?

Daniel observa ses mains vides.

– Une Aînée des Zhsmaelim a capturé et interrogé Luce avant qu'elle ne sache quoi que ce soit sur son passé. Lucinda s'est rendu compte que tout le monde est obsédé par le fait qu'elle n'est pas baptisée. Cependant, il y a encore beaucoup de choses qu'elle ignore.

Daniil gagna le bord de la toiture et observa la fenêtre obscure.

– Et quelle est la mauvaise nouvelle ?

– Je crains de ne pas le savoir. Je ne peux prédire les conséquences de sa fuite dans le temps si je ne la retrouve pas pour l'empêcher d'agir avant qu'il ne soit trop tard.

Dans la rue, une sirène se mit à hurler. Le bombardement était terminé. Bientôt, les Russes écumeraient la ville en quête de survivants.

Daniel fouilla les moindres recoins de sa mémoire. *Elle retournait en arrière, mais vers quelle vie ?* Il observa fixement son alter ego.

– Tu t'en souviens, toi aussi, n'est-ce pas ?

– Qu'elle... retourne en arrière ?

– Oui. Mais jusqu'où ? firent-ils en chœur en fixant la rue sombre.

– Et où s'arrêtera-t-elle ? demanda brusquement Daniel en reculant du bord.

Il ferma les yeux et inspira profondément.

– Luce est différente, maintenant. Elle...

Il sentait presque son parfum : propre, léger, radieux.

– Une modification fondamentale s'est produite. Nous avons enfin une véritable chance. Et je... je n'ai jamais été aussi heureux... et aussi malade de terreur.

En rouvrant les yeux, il fut étonné de voir Daniil hocher la tête.

– Daniel ?

– Oui ?

– Qu'est-ce que tu attends ? demanda-t-il avec un sourire. Va la chercher.

Sur ces mots, Daniel appela un Annonciateur, sur la corniche, et s'y engouffra.

III

ENTRÉE DES BLESSÉS

Milan, 25 mai 1918

Luce surgit de l'Annonciateur parmi les détonations. Elle se pencha en avant en se bouchant les oreilles.

De violentes explosions faisaient trembler le sol. De plus en plus fortes et spectaculaires, elles se fondirent en un unique grondement. Pas moyen d'échapper à cet enfer interminable.

Luce trébucha dans les ténèbres rugissantes. Elle se recroquevilla sur elle-même pour tenter de se protéger. Elle avait de la terre dans les yeux et la bouche. Chaque déflagration lui déchirait le cœur.

Elle ignorait encore où elle se trouvait. Les éclairs lui permettaient d'entrevoir des champs cultivés, entourés de clôtures abattues, puis elle se retrouvait aussitôt dans le noir.

Des bombes. Elles ne cessaient d'exploser de toutes parts.

Quelque chose clochait. Luce voulait voyager dans le temps, fuir Moscou et la guerre. Et voilà qu'elle semblait se retrouver à son point de départ... Elle grimaça en sentant une douleur à la hanche due à sa chute. Mais en voyant l'homme qui gisait à son côté, elle oublia vite sa propre souffrance.

Il était jeune, à peu près de son âge, fluet. Il avait des traits délicats, des yeux marron un peu timides, son visage était pâle et il respirait avec peine. La main qu'il avait crispée sur son ventre était noire de crasse. Son uniforme était imbibé de sang.

Luce ne parvenait pas à détacher les yeux de la blessure.

– Je ne suis pas censée être là, murmura-t-elle pour elle-même.

Les lèvres du jeune homme tremblaient, tout comme sa main ensanglantée lorsqu'il fit le signe de croix.

– Oh, je suis mort, souffla-t-il en la fixant de ses yeux écarquillés. Vous êtes un ange. Je suis mort et je suis au... Suis-je au Paradis ?

Il tendit la main vers elle. Luce faillit pousser un cri, saisie d'une nausée, mais elle ne put s'empêcher de poser la main sur les siennes et d'appuyer sur la plaie béante. Le sol trembla de nouveau. La secousse fit saigner la blessure. Du sang clair filtra entre les doigts de la jeune fille.

– Je m'appelle Giovanni, murmura-t-il en fermant les yeux. Je vous en prie, aidez-moi...

Luce réalisa enfin qu'elle ne se trouvait pas à Moscou. Le paysage était verdoyant. Au loin s'étendait une plaine parsemée de petits cratères révélant une terre riche et brune. L'air était sec, poussiéreux. Ce garçon s'exprimait en italien, or elle l'avait compris sans peine, comme à Moscou le russe.

Luce y voyait plus clair, à présent. Au loin, des torches balayaient les collines pourpres sous un ciel constellé. La jeune fille se détourna. Elle ne pouvait regarder les étoiles sans penser à Daniel et, pour l'heure, elle n'avait pas envie de penser à lui. Elle se trouvait à côté d'un jeune homme agonisant.

Au moins, il vivait encore.

Il croyait seulement être mort.

Comment lui en vouloir ? L'impact l'avait sans doute déboussolé. Peut-être même avait-il vu Luce arriver à travers l'Annonciateur, tel un tunnel obscur et terrifiant.

– Vous allez vous en tirer, assura-t-elle dans un italien parfait.

Cette langue qu'elle avait toujours eu envie d'apprendre lui semblait tout à fait naturelle. Elle avait la voix plus douce, plus fluide qu'elle ne l'aurait imaginé. À quoi ressemblait-elle donc, dans cette vie-là ?

Une rafale de détonations assourdissantes la firent sursauter. Les coups de feu se poursuivaient à l'infini. Les balles fusaient vers le ciel, suivies d'exclamations en italien, de pas lourds qui s'approchaient.

– On bat en retraite, marmonna le jeune homme. C'est mauvais signe...

Luce regarda en direction des soldats qui accouraient. Elle et son blessé n'étaient pas seuls. Une dizaine d'hommes les entouraient, meurtris, gémissants, ensanglantés. Leurs uniformes étaient brûlés et en lambeaux. Sans doute avaient-ils sauté sur une mine. Une odeur entêtante de sueur et de sang flottait dans l'air. C'était atroce. Luce dut se mordre les lèvres pour ne pas hurler.

Un homme en uniforme d'officier passa devant elle en courant, puis s'arrêta net.

– Qu'est-ce qu'elle fait là, celle-là ? Un champ de bataille n'est pas la place d'une infirmière. Vous ne nous serez d'aucun secours si vous mourez, mon petit. Rendez-vous au moins utile. Il faut charger les blessés.

Il disparut avant même que Luce ne puisse lui répondre. Le jeune homme qui gisait à ses pieds sombrait dans l'inconscience. Il tremblait de tout son corps. Luce chercha désespérément de l'aide.

Un peu plus loin, sur un chemin de terre, deux vieux camions étaient garés près de deux ambulances.

– Je reviens tout de suite, promit-elle au blessé en appuyant sur son ventre pour endiguer l'hémorragie.

En s'éloignant, elle l'entendit gémir de douleur.

Luce courut vers les véhicules, trébuchant chaque fois qu'un obus faisait trembler la terre.

Un groupe de femmes en tenue blanche se tenaient derrière l'un des camions. Des infirmières. Elles sauraient quoi faire pour secourir Giovanni. Mais en voyant leurs visages, Luce perdit espoir. Elles étaient si jeunes ! Certaines ne devaient pas avoir plus de quatorze ans. Leurs uniformes semblaient être des déguisements.

Luce les scruta tour à tour pour voir si elle se trouvait parmi elles. Il existait certainement une raison pour qu'elle ait atterri au cœur de cet enfer ! Aucun visage ne lui était familier, cependant. Leurs mines posées étaient indéchiffrables. Aucune ne semblait ressentir la terreur qui se lisait sur son propre visage. Sans doute en avaient-elles déjà trop vu, elles s'étaient habituées à l'horreur.

– Eau ! lança une voix de femme plus mûre, à l'intérieur du camion. Pansements, compresses !

Elle distribuait le matériel aux infirmières qui entreprirent d'installer un poste de secours de fortune au bord du chemin. Les blessés affluaient déjà vers l'arrière d'un véhicule. Luce se joignit aux infirmières qui attendaient leur équipement. Il faisait sombre. Nul ne lui dit mot. Elle sentait enfin leur stress. Sans doute étaient-elles entraînées à garder leur calme pour rassurer les soldats, mais celle qui se trouvait devant Luce tremblait.

Les soldats se déplaçaient par deux, soutenant leurs camarades, les portant parfois. Certains marmonnaient des questions sur la bataille qui faisait rage. D'autres étaient grièvement blessés et ne pouvaient retenir des cris de douleur. Certains avaient perdu une jambe en sautant sur une mine.

– Eau.

Luce se retrouva avec un broc dans les mains.

– Pansements, compresses...

L'infirmière en chef s'exprimait machinalement. Au moment de passer à la suivante, elle s'interrompit pour observer Luce de plus près. Celle-ci baissa les yeux. Elle portait encore l'épais manteau de laine de la grand-mère de Luschka, qui dissimulait heureusement le jean et la chemise qu'elle portait dans sa vie moderne.

– Uniforme ! dit-elle enfin du même ton monocorde, en lui lançant une robe blanche et une coiffe.

Luce la remercia d'un signe de tête et alla se changer derrière un camion. La longue robe blanche lui arrivait aux chevilles et sentait le chlore. Elle tenta de faire disparaître de ses mains le sang du jeune soldat à l'aide du vieux manteau qu'elle jeta ensuite derrière un arbre. Quand elle eut boutonné sa robe, relevé ses manches et noué sa ceinture autour de sa taille, son uniforme était taché de sang.

Elle saisit son matériel et traversa le chemin en courant. Le spectacle qui se déroulait sous ses yeux était atroce. L'officier n'avait pas menti. Une centaine d'hommes avaient besoin de soins. Que faire de ces pansements et de ces bandages ?

– Infirmière ! appela un soldat en glissant un brancard à l'arrière d'une ambulance. Infirmière ! Il a besoin de vous !

Luce comprit que c'était à elle qu'il s'adressait.

– Moi ? balbutia-t-elle.

Elle jeta un coup d'œil à l'intérieur du véhicule. Il faisait sombre. Ils étaient six dans un espace confiné. Les malheureux gisaient sur des couchettes en toile, trois de chaque côté, sur trois niveaux. Il ne restait de la place que par terre.

Quelqu'un écarta Luce d'un geste. Un autre brancard fut chargé tant bien que mal à bord du véhicule sur le sol. Le soldat était inconscient. Ses cheveux bruns étaient plaqués sur son visage.

– Allez-y, dit le premier soldat à Luce. Il part.

Voyant qu'elle ne bronchait pas, il désigna le strapontin installé à la portière de l'ambulance. Il se pencha ensuite pour faire la courte échelle à la jeune fille afin qu'elle s'y assoie. Un obus fit soudain trembler le sol. Luce ne put retenir un cri d'effroi.

Le souffle court, elle adressa au soldat un regard désolé et prit place.

Il lui tendit le broc d'eau et les bandages, puis entreprit de fermer la portière.

– Attendez ! s'exclama-t-elle. Que dois-je faire ?

L'homme parut étonné.

– Vous savez combien de temps il faut pour regagner Milan. Pansez leurs blessures et veillez à leur confort. Faites de votre mieux.

La portière claqua. Luce dut s'accrocher pour ne pas tomber sur le blessé allongé à ses pieds. Une lanterne pendue à un clou, dans un coin, éclairait faiblement l'intérieur du véhicule. L'unique vitre se trouvait juste derrière la tête de la jeune fille. Qu'était devenu Giovanni, le soldat blessé d'une balle dans le ventre ? Le reverrait-elle un jour ? Passerait-il au moins la nuit ?

Le moteur démarra et l'ambulance s'ébranla dans un sursaut. L'un des soldats se mit à gémir.

Quand ils eurent atteint une certaine vitesse, Luce entendit des gouttes tomber. Elle se pencha en avant, les yeux plissés dans la pénombre.

C'était le sang d'un soldat qui dégoulinait de la couchette supérieure sur le camarade allongé en dessous. Celui-ci avait les yeux ouverts et regardait le sang tomber goutte à goutte sur son torse. Il était si gravement touché qu'il ne pouvait bouger ni émettre le moindre son. Bientôt, le sang se mit à couler franchement.

Désespérée, Luce pleura avec le soldat. Elle voulut se lever, mais elle ne pouvait se déplacer qu'en chevauchant le blessé gisant à terre. Elle posa donc avec grand soin un pied de part et d'autre de son corps. S'agrippant à la couchette supérieure malgré les cahots, elle plaqua une épaisse compresse sur la toile. En quelques secondes, elle fut imbibée de sang.

– À l'aide ! appela-t-elle sans savoir si le conducteur de l'ambulance l'entendait.

– Qu'est-ce qui se passe ? demanda-t-il avec un fort accent provincial.

– Cet homme fait une hémorragie. Je crois qu'il va mourir !

– On meurt tous un jour, ma jolie !

Comment osait-il badiner en un moment pareil ? Quelques instants plus tard, il se retourna.

– Écoutez, je suis désolé, déclara-t-il, mais il n'y a malheureusement rien à faire. Il faut que je conduise les autres à l'hôpital.

Il avait raison. C'était déjà trop tard. Dès que Luce ôta la main de la toile, le sang se remit à couler si fort qu'il semblait impossible à endiguer.

Luce ne trouvait pas les mots pour réconforter le garçon désormais trempé du sang de son camarade qui, pétrifié, murmura un *Je vous salue Marie.*

Luce eut envie de fermer les yeux et de disparaître, de se fondre dans les ombres projetées par la lanterne et trouver un Annonciateur qui l'emmènerait ailleurs, n'importe où.

Sur cette plage, en contrebas du campus de Shoreline, par exemple. Là où Daniel l'avait entraînée pour voler au-dessus de l'océan, sous les étoiles. Ou bien dans ce bassin limpide où ils s'étaient baignés... Elle portait son maillot de bain jaune. Elle aurait préféré Sword & Cross à cette ambulance, même dans les pires moments, comme ce soir où elle était allée retrouver Cam dans ce bar. Ou quand elle l'avait embrassé. Elle aurait même préféré retourner à Moscou. Ce qu'elle vivait en cet instant était pire que tout ce qu'elle avait connu jusque-là.

À part...

Bien sûr que si ! Elle avait déjà enduré une épreuve similaire. C'était la raison de sa présence. Dans ce monde déchiré par la guerre existait une jeune fille morte, revenue à la vie, qui était devenue Luce. Elle avait dû panser des blessures, porter des seaux d'eau, réprimer bien des nausées... Penser à cette fille qui avait traversé un tel enfer lui donna de la force.

Le saignement s'atténua peu à peu. Le blessé du milieu avait perdu connaissance, de sorte que Luce se retrouva seule à observer ce triste spectacle. Puis le sang arrêta de ruisseler.

Elle prit un linge qu'elle trempa dans l'eau et entreprit de nettoyer le soldat, qui n'avait pas pris de bain depuis longtemps. Luce changea le pansement qu'il avait sur la tête. Quand il revint à lui, elle lui fit avaler quelques gorgées d'eau. Son souffle se fit plus régulier et il cessa de fixer le brancard supérieur avec effroi. Il parut se détendre un peu.

Elle parvint à réconforter les autres de son mieux, même celui du milieu, qui gardait les yeux fermés. Sans savoir pourquoi, Luce débarbouilla le soldat qui venait de mourir. Sans doute voulait-elle qu'il repose en paix.

Combien de temps était passé ? Impossible de le dire. Luce savait simplement qu'il faisait sombre, qu'elle avait mal au dos, la gorge sèche et qu'elle tombait de fatigue. Mais elle était toujours en meilleure posture que les autres passagers de l'ambulance...

Elle avait gardé le soldat de la couchette du bas pour la fin. Il était grièvement touché au cou, et elle redoutait qu'il ne perde trop de sang si elle nettoyait sa plaie. Elle s'assit tant bien que mal au bord du brancard et épongea le visage sale du jeune homme. Ses cheveux blonds étaient pleins de sang séché. Il était beau, néanmoins. Très beau. Mais l'attention de la jeune fille se reporta vite sur sa plaie. Sa compresse était imbibée de sang. Il suffisait que Luce s'en approche pour qu'il crie de douleur.

– Ne vous inquiétez pas, murmura-t-elle. Vous allez vous en sortir.

– Je sais, répondit-il doucement, avec une telle tristesse que Luce pensa avoir mal compris.

Elle l'avait cru inconscient, mais sa voix parut avoir touché quelque chose en lui.

Il battit des paupières, puis ouvrit lentement les yeux.

Ils étaient violets.

Le broc tomba des mains de la jeune fille.

Daniel.

Elle eut aussitôt envie de se blottir contre lui et de couvrir ses lèvres de baisers.

En la voyant, Daniel tenta de s'asseoir. Mais sa plaie se remit à saigner, et il pâlit. Luce n'eut d'autre solution que de le retenir.

– Chut..., fit-elle en le recouchant.

Elle s'efforça de le calmer, mais il s'agita, ce qui ne fit qu'empirer son saignement.

– Daniel, laisse-toi faire, implora-t-elle. Je t'en prie. Fais-le pour moi.

Leurs regards se croisèrent un long moment, puis l'ambulance s'arrêta brusquement. La portière s'ouvrit avec fracas. Un vent frais s'engouffra à l'intérieur du véhicule. Dehors, les rues étaient silencieuses.

Milan. C'était là que l'on amenait les blessés, avait déclaré le soldat en lui confiant l'ambulance. Ils devaient se trouver dans quelque hôpital.

Deux militaires apparurent et sortirent les brancards avec rapidité et précision. Bientôt, les blessés furent conduits à l'intérieur. Au moment de sortir Daniel, les brancardiers écartèrent Luce de leur chemin. Elle le vit cligner des paupières et eut même l'impression qu'il tendait la main vers elle. Elle le regarda s'éloigner, puis disparaître. Soudain, elle se mit à trembler.

– Ça va ?

Une jeune fille venait de passer la tête à l'intérieur de l'ambulance. Pimpante et jolie, elle avait les lèvres écarlates et de longs cheveux bruns coiffés en tresse. Sa tenue impeccable était plus ajustée que celle de Luce, qui prit conscience qu'elle était couverte de sang.

Elle descendit du véhicule, comme si on venait de la prendre la main dans le sac.

– Ça va, bredouilla-t-elle vivement. Mais...

– Inutile de t'expliquer, coupa la jeune fille en balayant l'ambulance du regard. Je vois que ça a été dur.

Luce la regarda poser un seau d'eau sur le sol du véhicule avant de monter à bord à son tour. Elle entreprit de frotter les civières imbibées de sang, puis le sol. De l'eau rougie ruissela à terre. Puis la jeune fille remplaça les linges souillés et ajouta du gaz dans la lanterne. Elle ne pouvait avoir plus de treize ans.

Luce voulut l'aider, mais l'autre la chassa d'un geste.

– Assieds-toi. Il faut te reposer un peu. Tu viens d'arriver, n'est-ce pas ?

Hésitante, Luce opina de la tête.

– Tu es la seule à venir du front ?

La jeune fille s'interrompit un instant dans son travail et posa sur Luce un regard noisette plein de compassion.

Luce ouvrit la bouche, mais elle avait la gorge tellement sèche qu'aucun son n'en sortit. Pourquoi avait-elle mis tant de temps à prendre conscience que c'était à elle qu'elle s'adressait ?

– Oui, répondit-elle enfin. J'étais toute seule.

– Eh bien, tu ne l'es plus, assura l'autre en souriant. On est toute une bande, ici, à l'hôpital. On a les plus gentilles infirmières, et les plus beaux patients, aussi. À mon avis, tu ne te déplairas pas, ici.

Elle voulut tendre la main, mais se rendit compte à quel point elle était sale. Elle se remit à la tâche en riant.

– Je m'appelle Lucia.

« Je sais », faillit répliquer Luce.

– Et moi...

Son esprit se troubla. Elle chercha désespérément un prénom, n'importe lequel.

– Dor... Doria.

Presque le prénom de sa mère.

– Sais-tu où... Où ils ont emmené les soldats qui viennent d'arriver ? reprit-elle.

– Tiens, tiens, ne me dis pas que tu es déjà amoureuse ! railla Lucia. Les nouveaux arrivants sont conduits dans l'aile est pour les soins de première urgence.

– Dans l'aile est, répéta Luce.

– Tu devrais aller voir Mlle Fiero, au bureau des infirmières. C'est elle qui s'occupe des emplois du temps et des affectations.

Lucia rit et baissa le ton en se penchant vers Luce.

– Et aussi du docteur, tous les mardis après-midi !

Luce la regarda fixement. Vue de près, cette autre elle-même était si réelle, si vivante. Exactement le genre de fille avec qui elle se serait vite liée d'amitié si les circonstances n'avaient pas été aussi dramatiques. Elle eut envie d'étreindre Lucia, mais une peur indescriptible la submergea. Elle avait pansé les blessures de sept soldats agonisants, dont l'amour de sa vie, et ne savait soudain pas comment se comporter face à Lucia. Elle semblait trop jeune pour connaître les secrets que Luce voulait tant découvrir : la malédiction, les Bannis... Luce craignit de l'effrayer en parlant de réincarnation et de Paradis. Lucia avait quelque chose dans le regard, une certaine innocence. Sans doute en savait-elle encore moins qu'elle...

Elle s'écarta de l'ambulance.

– Je suis ravie de t'avoir rencontrée, Doria ! lança Lucia.

Mais Luce avait déjà disparu.

Elle se trompa six fois de salle, fit sursauter trois soldats et renversa une armoire à pharmacie avant de retrouver Daniel.

Dans l'aile est, il partageait sa chambre avec deux camarades : un homme silencieux dont le visage était entièrement bandé, et un autre qui ronflait comme un sonneur. Il avait les deux jambes fracturées et une bouteille d'alcool dépassait un peu de son oreiller.

La chambre était nue, aseptisée. Par la fenêtre, on voyait une large avenue bordée d'orangers.

Luce était penchée sur le lit de Daniel et l'observait en train de dormir. Elle comprit comment leur amour avait pu éclore dans ce cadre. Lucia lui apportait ses repas, et il s'ouvrait chaque fois un peu plus à elle. Ils devaient être devenus inséparables lorsqu'il avait guéri. Elle se sentit à la fois jalouse, coupable et troublée, car elle était incapable de dire, à ce moment-là, si leur amour était une belle chose ou bien si tout cela était encore une preuve supplémentaire qu'il était impossible.

Elle était tellement jeune lors de leur rencontre ! Leur histoire avait dû durer longtemps, au cours de cette vie. Lucia avait certainement passé des années avec lui, avant que cela ne se produise. Avant qu'elle ne meure et ne se réincarne. Sans doute avait-elle cru qu'ils resteraient ensemble à jamais, sans savoir ce que cette expression signifiait vraiment.

Daniel, lui, le savait. Il l'avait toujours su.

Luce s'assit au bord de son lit en prenant soin de ne pas le réveiller. Et s'il n'avait pas toujours été aussi renfermé, inaccessible ? Dans leur vie à Moscou, elle venait de le voir lui murmurer quelques paroles à l'oreille, au moment crucial, juste avant sa mort. Si elle parvenait à lui parler, dans cette vie, il ne la traiterait pas comme il l'avait toujours fait. Il ne lui cacherait pas toutes ces choses. Il l'aiderait à comprendre et lui avouerait la vérité, pour une fois...

Ensuite, elle pourrait revenir au présent et il n'y aurait plus de secrets. Elle ne souhaitait rien d'autre, en réalité : qu'ils puissent s'aimer au grand jour, et qu'elle ne meure plus.

Elle effleura sa joue meurtrie d'une caresse. Comme elle aimait ce visage ! Sa peau chaude et lisse. Daniel semblait tellement serein que Luce aurait pu le contempler sous tous les angles pendant des heures sans se lasser une seconde. À ses yeux, il était parfait. Ses lèvres superbes n'avaient pas changé. En les frôlant, elle les trouva si douces qu'elle ne put s'empêcher de se pencher pour les embrasser. Il ne broncha pas.

Elle effleura son menton, puis l'embrassa dans le cou, là où il n'était pas blessé, et sur la clavicule. Ses lèvres s'attardèrent sur son épaule droite, à l'endroit d'où partaient ses ailes. Elle embrassa la chair meurtrie. C'était si dur de le voir allongé sur ce lit d'hôpital, impuissant, lui qui était capable de tant de choses. Lorsqu'il l'enveloppait de ses ailes, plus rien n'existait. Oh, si seulement elles pouvaient s'ouvrir, là, et l'aveugler de leur splendide blancheur ! Luce posa la tête sur son épaule. La cicatrice était brûlante contre sa peau.

Sans s'en rendre compte, Luce s'était assoupie, mais le grincement des roues d'un brancard, dans le couloir, la réveilla en sursaut.

Quelle heure était-il ? Le soleil entrait par la fenêtre et dardait ses rayons sur les draps blancs. La jeune fille s'étira. Daniel était encore endormi.

Dans la lumière matinale, la cicatrice de son épaule semblait plus claire. Luce eut envie de voir l'autre, mais son épaule était enveloppée dans un bandage. Au moins, il ne saignait plus.

En entendant la porte s'ouvrir, Luce sursauta de nouveau.

Lucia apparut sur le seuil, portant trois plateaux empilés les uns sur les autres.

– Tiens, tu es là ! déclara-t-elle, étonnée. Tu as déjà pris ton petit-déjeuner, sans doute.

Luce rougit et secoua la tête.

– Euh... Je...

– Bon, fit Lucia d'un air entendu. Je connais ce regard. Tu en pinces pour un patient, et tu es sérieusement entichée !

Elle posa les plateaux sur un chariot et rejoignit Luce.

– Ne t'en fais pas. Je ne dirai rien à personne... À condition que j'approuve ton choix.

Elle regarda Daniel un long moment, sans sourciller. En la voyant soudain écarquiller les yeux, Luce ressentit empathie, envie, chagrin, tous ces sentiments à la fois.

– Il est divin, déclara Lucia, au bord des larmes. Comment s'appelle-t-il ?

– Daniel.

– Daniel, répéta la jeune fille comme s'il s'agissait d'une parole sacrée. Un jour, je rencontrerai un homme comme lui. Un jour, je les rendrai tous fous, comme toi, Doria.

– Que veux-tu dire ?

– Il y a un autre soldat, dans une chambre voisine, répondit Lucia sans quitter Daniel des yeux. Tu sais, Giovanni ?

Perplexe, Luce secoua négativement la tête.

– Celui qui va bientôt se faire opérer... Il ne cesse de te réclamer.

– Giovanni... Celui qui a reçu une balle dans le ventre. Comment va-t-il ?

– Ça va, répondit Lucia en souriant. Je ne lui dirai pas que tu as un petit ami.

Elle lui adressa un clin d'œil et désigna les plateaux de petit-déjeuner.

– Je te laisse t'occuper des repas, dit-elle en sortant. On se voit plus tard ? Je veux tout savoir sur toi et Daniel. Toute l'histoire, hein ?

– D'accord, fit Luce, le cœur serré.

Restée seule avec Daniel, Luce ressentit une certaine angoisse. Dans le jardin de ses parents, après la bataille contre les Bannis, Daniel avait semblé horrifié en la voyant sauter dans l'Annonciateur... À Moscou aussi. Comment réagirait cet autre Daniel lorsqu'il ouvrirait les yeux et la découvrirait à son chevet ?

S'il rouvrait les yeux...

Elle se pencha vers lui. Il fallait qu'il se réveille, il ne pouvait en être autrement. Un ange ne mourait pas. En toute logique, c'était impossible. Et si elle avait tout détraqué en revenant dans le passé ? Elle avait vu *Retour vers le futur* et étudié la physique quantique au lycée. Ce qu'elle était en train de faire semait certainement le trouble dans l'espace temps. Et Steven Filmore, le démon qui enseignait à Shoreline, n'avait-il pas évoqué cette altération du temps ?

Elle n'y comprenait pas grand-chose, en réalité, mais elle avait une certitude : la situation pouvait s'avérer très grave et risquait d'effacer totalement sa propre existence. Ou de tuer son ange, l'amour de sa vie.

Prise de panique, elle saisit Daniel par les épaules et se mit à le secouer doucement. Il fallait qu'il comprenne qu'elle avait besoin d'un signe de vie. Tout de suite.

– Daniel, murmura-t-elle. Daniel !

Il remua les paupières. Luce poussa un soupir. Daniel ouvrit lentement les yeux, comme la veille. Dès qu'il reconnut la jeune fille, il les écarquilla et entrouvrit les lèvres.

– Tu es... vieille...

Luce rougit.

– Pas du tout ! répondit-elle en riant.

C'était bien la première fois que quelqu'un la trouvait vieille.

– Si. Tu es vraiment âgée.

Il semblait presque déçu.

– Je veux dire..., bredouilla-t-il en se frottant le front. Depuis combien de temps suis-je... ?

Alors Luce se rappela que Lucia avait quelques années de moins qu'elle. Mais Daniel n'avait pas encore rencontré Lucia. Comment pouvait-il connaître son âge ?

– Ne t'en fais pas pour cela, déclara-t-elle. J'ai quelque chose à te dire, Daniel. Je... Je ne suis pas celle que tu crois. Enfin, si... Je le suis toujours, mais cette fois, je viens de... euh...

– Bien sûr, dit Daniel avec un rictus. Tu es passée au travers pour arriver ici.

– Il le fallait, assura-t-elle.

– J'avais oublié, gémit-il, ce qui troubla Luce davantage. Tu viens de loin ? Non, ne me le dis pas.

Il la chassa d'un geste et recula dans son lit comme si elle souffrait de quelque maladie contagieuse.

– Comment diable est-ce possible ? Il n'y avait pas la moindre faille dans la malédiction. Tu ne devrais pas être là, c'est impossible !

– Des failles ? fit Luce. Quel genre de failles ? Il faut que je sache...

– Je ne peux pas t'aider, dit-il en toussant. Tu devras le découvrir par toi-même. C'est la règle.

– Doria.

Une femme que Luce n'avait jamais vue se tenait sur le seuil. Une femme mûre, blonde, austère, dont la coiffe était penchée sur sa tête. Luce ne saisit pas immédiatement qu'elle s'adressait à elle.

– Tu es Doria, n'est-ce pas ? La nouvelle recrue ?

– Oui, répondit Luce.

– Il faut constituer ton dossier dès ce matin, dit la femme sèchement. Je n'ai rien sur toi. Mais d'abord, tu vas me rendre un service.

Luce opina de la tête. Elle sentait qu'elle était en mauvaise posture, mais elle avait des soucis plus graves que cette femme et sa paperasserie.

– Le soldat Bruno entre en chirurgie, annonça l'infirmière.

– D'accord, déclara Luce en essayant de se concentrer.

Les propos de Daniel la tourmentaient. Elle avait enfin trouvé une nouvelle pièce du puzzle de ses vies !

– Le soldat Giovanni Bruno demande que l'infirmière de service n'assiste pas à son intervention. Il prétend avoir un faible pour celle qui lui a sauvé la vie. Son ange gardien, comme il dit ! Il paraît que c'est toi, ajouta-t-elle d'un air grave.

– Non, répliqua Luce. Je ne...

– Peu importe. C'est ce qu'il croit. Allons-y, conclut-elle en désignant la porte.

Luce se leva. Daniel se détourna pour regarder par la fenêtre.

– Il faut absolument que je te parle, souffla-t-elle. Je reviendrai.

L'intervention ne fut pas aussi éprouvante qu'elle l'avait imaginé. Luce se contenta de tenir la main de Giovanni en lui murmurant des paroles rassurantes, puis de passer les instruments au chirurgien sans le regarder ôter les éclats d'obus de sa chair meurtrie. Le médecin ne parut pas se formaliser de son manque évident d'expérience. Finalement, Luce ne s'absenta guère plus d'une heure.

Lorsqu'elle regagna la chambre de Daniel, elle ne trouva qu'un lit vide.

Lucia était en train de changer les draps. Elle se précipita vers Luce, qui crut un instant qu'elle allait l'embrasser. Or, elle s'écroula à ses pieds.

– Que s'est-il passé ? s'enquit Luce. Où est-il ?

– Je l'ignore, répondit la jeune fille avant de fondre en larmes. Il est parti. Comme ça. Je ne sais pas où.

Elle plongea dans le regard de Luce, les yeux embués de larmes.

– Il m'a chargée de te dire au revoir.

– Ce n'est pas possible, souffla Luce.

Ils n'avaient même pas eu l'occasion de discuter...

Naturellement. Daniel savait ce qu'il faisait en fuyant de la sorte. Il refusait de lui révéler toute la vérité. Il lui cachait quelque chose. Quelles étaient donc ces règles auxquelles il avait fait référence ? Et cette faille ?

Lucia rougit.

– Je sais que je ne devrais pas pleurer, hoqueta-t-elle, mais je n'arrive pas à me l'expliquer... J'ai l'impression que quelqu'un est mort.

Luce connaissait ce sentiment. Elles avaient cela en commun : quand Daniel partait, elles étaient inconsolables. Furieuse, Luce crispa les poings.

– Ne fais pas l'enfant !

Dans un premier temps, Luce demeura perplexe, croyant que la jeune fille s'adressait à elle, puis elle se rendit compte qu'elle s'était parlé à elle-même. Tremblante, elle se redressa fièrement, cherchant à adopter l'attitude digne et posée des autres infirmières.

– Lucia, fit-elle en tendant les bras vers la jeune fille.

Celle-ci recula en se tournant vers le lit inoccupé de Daniel.

– Ça va, lui assura Lucia en poursuivant sa tâche. Le seul élément que nous puissions maîtriser est notre travail d'infirmière. C'est ce que Mlle Fiero répète sans cesse. Le reste nous dépasse.

Non. Lucia se trompait, mais Luce ne savait comment la reprendre. Luce n'y comprenait pas grand-chose, mais elle savait au moins que sa vie ne la dépassait pas forcément. Elle était en mesure d'agir sur son destin, d'une façon ou d'une autre. Elle n'avait pas encore toutes les explications dont elle avait besoin, mais la solution était proche. Sinon, elle ne serait pas là, et elle n'aurait pas su qu'il était temps pour elle d'avancer.

Dans la lumière de cette fin de matinée, une ombre se déploya de l'armoire à pharmacie, dans un coin de la pièce. Luce se dit qu'elle pourrait l'utiliser, mais elle n'avait pas totalement confiance en ses capacités à appeler l'Annonciateur. Elle se concentra un moment et attendit de voir où il se plaçait.

Elle la vit frémir. Luttant contre sa répulsion, elle s'en saisit.

Tout à sa tâche, Lucia s'efforçait de dissimuler qu'elle pleurait encore.

Luce se hâta. Elle façonna l'Annonciateur en sphère, puis le manipula plus vite que jamais.

Le souffle court, elle fit un vœu et disparut.

IV

LE TEMPS GUÉRIT TOUTES LES PEINES

Milan, 25 mai 1918

En émergeant de l'Annonciateur, Daniel se sentait nerveux, méfiant.

Il n'était pas habitué à déterminer rapidement l'époque et le lieu où il venait de débarquer, ainsi que la marche à suivre. La seule chose dont il était certain était qu'une incarnation de Luce devait se trouver aux alentours, et qu'elle avait besoin de lui.

La pièce était toute blanche. Les draps du lit étaient immaculés, la fenêtre avait des montants blancs, et dans un coin, même la lumière du jour était blanche. L'espace d'un instant, le silence fut absolu, puis le brouhaha de ses souvenirs ressurgit.

Milan.

Il était à l'hôpital où elle avait été infirmière pendant la Première Guerre mondiale. Dans un lit se trouvait Traverti, son camarade de Salerne, qui avait sauté sur une mine en se rendant à la cantine. Il avait les deux jambes en charpie, mais il avait un tel charme que toutes les infirmières lui glissaient des bouteilles d'alcool sous l'oreiller. Il plaisantait sans cesse avec Daniel. Il y avait aussi Max Porter, un Britannique au visage brûlé, qui ne bronchait jamais, sauf quand on changeait ses pansements. Alors, il hurlait de douleur.

Les deux hommes avaient sombré dans un sommeil facilité par la morphine.

Au milieu de la pièce trônait le lit qu'il avait occupé après qu'il avait reçu une balle dans le cou, sur le front du Piave, après une embuscade. Daniel ne s'était enrôlé que parce que Lucia était infirmière, de sorte que cette blessure tombait presque à point nommé. Il palpa l'emplacement de sa plaie, qui le faisait souffrir comme à la première heure.

S'il était resté assez longtemps, les médecins auraient été surpris par l'absence de cicatrice. La peau de son cou était intacte. Toute trace avait disparu.

Au fil du temps, Daniel avait été roué de coups, projeté dans le vide, il avait reçu des balles dans le cou, le ventre et les jambes, il avait été torturé sur des charbons ardents et traîné à terre dans les rues de dizaines de villes. Mais un examen attentif de son corps ne révélait que deux petites marques : les orifices à peine perceptibles permettant à ses ailes de se déployer.

Tous les anges déchus en étaient dotés lorsqu'ils prenaient leur forme humaine. C'était leur seule particularité physique.

La plupart des autres se réjouissaient de ne jamais avoir de cicatrices. Sauf Arriane, bien sûr, qui en avait une dans le cou. Mais c'était une autre histoire. Cam et même Roland se lançaient à corps perdu dans les plus violentes bagarres contre n'importe qui. Ils ne perdaient jamais face à un mortel, mais ils aimaient être un peu secoués de temps à autre, sachant que, très vite, il n'y paraîtrait plus.

Pour Daniel, une existence qui ne laissait aucune trace était une preuve supplémentaire qu'il ne maîtrisait pas son destin. Rien de ce qu'il faisait ne laissait la moindre empreinte. Le poids de sa propre futilité était écrasant, surtout en ce qui concernait Luce.

Il se rappela soudain l'avoir vue en ce lieu, en 1918. Il s'était même enfui de l'hôpital.

C'était la seule chose susceptible de laisser une cicatrice sur son âme.

Il avait été troublé par cette rencontre, tout comme en cet instant. À l'époque, il pensait que, en tant que mortelle, Luce était incapable de remonter le temps pour se mettre en quête de ses vies antérieures. Quant à imaginer qu'elle puisse être vivante, c'était tout simplement impensable. Désormais, il savait que quelque chose avait changé dans l'existence de Lucinda Price, mais quoi ? D'abord, l'absence de pacte avec le Paradis. Mais il y avait autre chose...

Pourquoi n'y comprenait-il rien ? Il connaissait les règles et paramètres de la malédiction. Comment l'explication pouvait-elle lui échapper ainsi ?

Luce. Peut-être avait-elle effectué elle-même cette modification... Le cœur de Daniel s'emballa à cette perspective. Cela avait dû se produire au cours de ses périples dans les Annonciateurs. Elle avait forcément modifié quelque chose, mais quand ? Où ? Comment ? Daniel, lui, ne pouvait rien y changer.

Il fallait qu'il la trouve, comme il le lui avait toujours promis. Mais il devait également s'assurer qu'elle parvienne à ses fins pour que Lucinda Price, sa Luce, puisse exister.

S'il la rattrapait, il réussirait à l'aider. Il la conduirait vers le moment où elle pourrait changer les règles du jeu pour tout le monde. Il l'avait manquée de peu à Moscou, mais il la rejoindrait, cette fois-ci. Il lui suffisait de comprendre pourquoi elle avait atterri là. Il y avait forcément une raison bien cachée au fond de sa mémoire...

Ses ailes le brûlaient, et il eut honte. Cette vie en Italie s'était soldée par une mort atroce pour elle. Il s'en voudrait à jamais de la façon dont elle avait disparu.

Mais c'était bien des années plus tard, longtemps après leur rencontre dans cet hôpital. Lucia était si jeune et belle, innocente et espiègle à la fois. Elle l'avait aimé follement dès le premier regard. Elle était trop jeune pour que Daniel puisse lui exprimer son amour. Néanmoins, il n'avait jamais repoussé son affection. Lorsqu'ils se promenaient sous les orangers de la Piazza della Repubblica, elle glissait sa main dans la sienne. Et quand il la serrait, elle rougissait. Son audace le faisait rire, car elle se muait vite en timidité. Elle affirmait même qu'elle l'épouserait, plus tard.

– Tu es revenu !

Daniel fit volte-face. Il n'avait pas entendu la porte s'ouvrir, derrière lui. En le voyant, Lucia sursauta, radieuse, et lui offrit son plus joli sourire. Elle était d'une beauté à couper le souffle.

Que voulait-elle dire par là ? Ah oui, sans doute faisait-elle référence au jour où il s'était caché, de peur de la tuer par accident. Il n'avait pas le droit de lui révéler quoi que ce soit. Il fallait qu'elle découvre tout par elle-même. S'il osait la moindre allusion, elle s'embraserait. S'il était resté, elle lui aurait peut-être tiré les vers du nez... Il ne pouvait prendre un tel risque.

Son incarnation s'était donc enfuie et se trouvait aux environs de Bologne.

– Tu te sens bien ? s'enquit Lucia en s'approchant de lui. Tu devrais te coucher. Ton cou...

Elle tendit la main vers l'endroit où il avait reçu une balle, presque un siècle plus tôt. Soudain, elle écarquilla les yeux, recula, puis secoua la tête.

– Je croyais... J'aurais juré...

Elle se mit à s'éventer à l'aide du dossier qu'elle tenait. Daniel la prit par la main et la fit asseoir sur le lit, avec lui.

– Je t'en prie, dis-moi... Y a-t-il une jeune fille ici... Une jeune fille comme toi.

– Doria ? fit Lucia. Ton... amie ? Celle qui a de jolis cheveux et de drôles de chaussures ?

– Oui, souffla Daniel. Peux-tu me montrer où elle se trouve ? C'est urgent.

Lucia secoua la tête sans cesser de fixer son cou.

– Depuis combien de temps suis-je là ? demanda Daniel.

– Tu es arrivé hier soir. Tu ne te rappelles pas ?

– Non. C'est bizarre, mentit Daniel. J'ai reçu un coup sur la tête, sans doute.

– Tu étais gravement blessé, reprit Lucia. L'infirmière en chef pensait que tu ne passerais pas la nuit, mais les médecins sont venus...

– Non, coupa-t-il. Je sais.

– Tu as survécu, et nous nous en réjouissons tous. Je crois que Doria est restée toute la nuit à ton chevet. Tu t'en souviens ?

– Pourquoi ferait-elle une chose pareille ? demanda Daniel, dont le ton sec étonna la jeune fille.

Bien sûr que Luce était restée près de lui. Il en aurait fait de même pour elle.

Lucia se mit à sangloter. Il l'avait brusquée, alors que, s'il en voulait à quelqu'un, c'était bien à lui-même. Un peu étourdi, il prit la jeune fille par les épaules. Il était si facile de tomber amoureux d'elle ! Il se força à s'écarter pour tenter de retrouver ses esprits.

– Sais-tu où elle se trouve actuellement ?

– Elle est partie, répondit Lucia en se mordillant la lèvre. Après ton départ, elle était bouleversée et elle s'en est allée. Je ne sais pas où.

Elle était donc déjà en route. Quel imbécile ! Il voyageait dans le temps à la vitesse d'un escargot tandis que Luce filait à vive allure ! Il fallait pourtant qu'il la rattrape pour l'accompagner vers ce moment crucial qui ferait toute la différence. Ensuite, il ne la quitterait plus jamais. Plus personne ne lui ferait aucun mal. Et il l'aimerait à jamais.

Il se leva d'un bond et se dirigea vers la porte, mais Lucia le retint.

– Où vas-tu ?

– Il faut que je parte.

– À sa poursuite ?

– Oui.

– Tu devrais rester encore un peu, dit-elle, la main moite. Les médecins affirment que tu as besoin de repos. Je ne sais pas ce qui m'arrive... je ne supporte pas l'idée de te voir partir.

Daniel se sentait terriblement coupable.

– Nous nous reverrons, promit-il en posant sa petite main sur son cœur.

– Non, répondit-elle en secouant la tête. Mon père m'a dit la même chose, mon frère aussi, et ils sont morts à la guerre. Je n'ai plus personne. Je t'en prie, reste !

Il ne pouvait pas. S'il voulait avoir une chance de trouver Luce, il devait se mettre en route sans tarder.

– Quand la guerre sera finie, nous nous reverrons. Un été, tu iras à Florence et, quand tu seras prête, tu me trouveras dans les jardins de Boboli...

– Quoi ?

– Juste derrière le palais Pitti, au bout d'un petit chemin, près des hortensias. Cherche-moi.

– Tu dois avoir de la fièvre... C'est de la folie !

Il hocha la tête. Elle avait raison. Si seulement il existait une autre solution que de placer cette douce et belle jeune fille en mauvaise posture ! Il fallait qu'elle se rende dans ce jardin, tout comme Daniel devait se lancer à la poursuite de Lucinda sans tarder.

– Je t'attendrai là-bas. Fais-moi confiance.

Il l'embrassa sur le front. La jeune fille ne put retenir ses sanglots. Luttant contre son instinct, Daniel se détourna et se rua dans un Annonciateur qui l'emmènerait.

V

LOIN DU DROIT CHEMIN

Helston, Angleterre, 18 juin 1854

Luce fila dans l'Annonciateur tel un bolide hors de contrôle.

Elle rebondit sur les parois comme une balle. Elle ignorait sa destination, mais cet Annonciateur semblait plus étroit et moins souple que le précédent. Un vent humide et froid la propulsait plus loin encore dans le tunnel obscur.

Elle avait la gorge sèche et le corps fourbu, car elle n'avait pas fermé l'œil de la nuit, à l'hôpital. Chaque virage renforçait son sentiment d'être perdue, et son inquiétude.

Que fabriquait-elle donc dans cet Annonciateur ?

Elle ferma les yeux et s'efforça de penser aux mains puissantes de Daniel, à son regard intense, à son expression, dès qu'il la voyait... Au réconfort que lui apportaient ses ailes, quand il l'enveloppait pour l'emmener très haut, loin du monde et de ses soucis.

Comme elle avait été stupide de s'enfuir ! Ce soir-là, dans le jardin de ses parents, elle avait cru bien faire en entrant dans l'Annonciateur. Il lui avait semblé que c'était la seule solution. Mais pourquoi avoir agi de la sorte ? Pourquoi ? Comment avait-il pu croire une seconde qu'elle faisait pour le mieux ? Désormais, elle était loin de Daniel et de tous ceux qu'elle aimait par sa propre faute.

– Pauvre imbécile ! cria-t-elle dans le noir.

– Hé, là ! lança une voix rauque, juste à côté d'elle. Pas la peine de m'insulter !

Luce se crispa. Se pouvait-il qu'il y ait quelqu'un d'autre, dans l'Annonciateur ? Elle se méprenait, sans doute. Elle poursuivit son chemin, plus vite, cette fois.

– Ralentis, tu veux ?

Luce retint son souffle. La voix était moins distante et semblait s'exprimer au travers de l'ombre. Non. Il y avait quelqu'un à l'intérieur, avec elle.

– Qui est là ? demanda-t-elle, la gorge nouée.

Pas de réponse.

Le vent violent se mit à hurler dans ses oreilles. De plus en plus effrayée, la jeune fille bascula en avant dans le noir. Enfin, le bruit du vent s'atténua pour faire place à un autre, une sorte de ronronnement intense, comme si des vagues s'écrasaient au loin.

Non. C'était un son trop régulier pour être des vagues. Une chute d'eau, peut-être...

– J'ai dit : ralentis !

Luce tiqua. La voix, cette fois, lui parut à quelques millimètres à peine de son oreille et restait à sa hauteur. Elle semblait agacée.

– Tu n'apprendras rien de nouveau si tu ne cesses pas de t'agiter.

– Qui êtes-vous ? Qu'est-ce que vous voulez ? cria-t-elle. Oh !

Sa joue heurta un obstacle dur et froid. Le bruit d'une cascade envahit ses oreilles, puis elle sentit des gouttes d'eau sur sa peau.

– Où suis-je ?

– Tu es là. Tu es... sur « pause ». Tu n'as jamais eu l'idée de t'arrêter un instant pour humer les pivoines ?

– Les roses, vous voulez dire.

Luce tâtonna dans le noir. Il flottait une odeur minérale puissante qui n'était pas déplaisante, mais déconcertante. Elle se rendit compte qu'elle n'était pas dans une vie, ce qui devait signifier... qu'elle se trouvait toujours à l'intérieur de l'Annonciateur.

Il faisait très sombre, mais ses yeux finirent par s'accoutumer à l'obscurité. L'Annonciateur avait adopté la forme d'une petite grotte. Derrière Luce se dressait une paroi faite de la même pierre froide que le sol, percée d'un orifice par lequel s'écoulait de l'eau. La cascade qu'elle avait entendue se trouvait un peu au-dessus.

Et en dessous ? Trois ou quatre mètres de corniche, puis rien. Au-delà, c'était le néant.

– J'ignorais que c'était possible, murmura Luce pour elle-même.

– Quoi ? s'enquit la voix rauque.

– De... s'arrêter au milieu d'un Annonciateur.

Elle ne s'adressait pas à elle et ne voyait toujours personne. La situation était résolument inédite et alarmante. Toutefois, elle ne put s'empêcher de s'émerveiller de ce cadre.

– J'ignorais qu'il existait un lieu intermédiaire.

La voix émit un bougonnement nonchalant.

– Il y aurait de quoi écrire un livre avec tout ce que tu ignores, petite. En fait, je crois que quelqu'un l'a déjà écrit. Mais c'est une autre histoire. (Il toussa.) Et je parlais bien de pivoines, au fait.

– Qui êtes-vous ?

Luce se redressa et s'appuya contre la paroi, espérant que cette personne ne voie pas ses jambes trembler.

– Qui ? Moi ? demanda la voix. Je ne suis... que moi. Et je suis souvent là.

– D'accord... Qu'est-ce que vous faites ?

– Oh, je me promène...

Luce entendit un raclement de gorge, comme si l'individu se gargarisait avec des cailloux.

– J'aime bien cet endroit. C'est beau, ici. C'est calme. Certains Annonciateurs sont de vrais bazars. Mais pas le tien, Luce. Enfin, pas encore.

– Je suis perdue.

Pire encore, Luce était terrifiée. Devait-elle parler à cet inconnu ? Comment connaissait-il son nom, d'ailleurs ?

– En gros, je ne suis qu'un simple observateur, mais parfois, je dresse l'oreille en quête de voyageurs.

Lorsque la voix s'approcha, Luce frémit.

– Comme toi, par exemple. Vois-tu, cela fait un bout de temps que je suis dans le coin. Parfois, les voyageurs ont besoin de quelques conseils. Tu es montée à la cascade ? C'est très spectaculaire. Le top du top.

Luce secoua la tête.

– Mais vous avez dit que c'était mon Annonciateur. Un message de mon passé. Alors pourquoi seriez-vous...

– Heu, excuse-moi ! s'exclama-t-il, indigné. Permets-moi de te poser une question : si les canaux menant à ton passé sont si précieux, pourquoi laisses-tu tes Annonciateurs ouverts à tous les vents ? Hein ? Pourquoi ne les verrouilles-tu pas ?

– Je n'ai pas...

Luce ignorait qu'elle avait laissé le sien ouvert. D'ailleurs, elle ne savait pas qu'un Annonciateur pouvait se verrouiller...

Elle entendit un bruit sourd, comme des vêtements ou des chaussures que l'on jette dans une valise, mais elle ne décelait toujours rien.

– Je m'attarde plus que de raison. Je ne veux pas te faire perdre ton temps.

La voix s'étouffa soudain, puis Luce entendit :

– Au revoir...

Le silence revint, troublé par le bruit de la cascade et les battements frénétiques de son cœur.

Pendant un moment, la jeune fille n'avait pas été seule. En présence de cette voix, elle s'était sentie nerveuse, inquiète... mais pas seule.

– Attendez ! s'écria-t-elle en se levant d'un bond.

– Oui ? fit la voix, de nouveau proche d'elle.

– Je ne voulais pas vous chasser, affirma Luce.

Pour une raison inconnue, elle n'était pas prête à ce que la voix disparaisse. Cet homme la connaissait puisqu'il l'avait appelée par son prénom.

– J'aimerais seulement savoir qui vous êtes.

– Tiens donc ! s'exclama-t-il d'un ton léger. Tu n'as qu'à m'appeler... Bill.

– Bill, répéta Luce en plissant les yeux pour observer la paroi de la grotte. Vous êtes invisible ?

– Parfois, mais pas toujours... Rien ne m'y oblige, en tout cas. Pourquoi ? Tu préférerais me voir ?

– Ce serait peut-être un peu moins bizarre.

– Tout dépend de mon apparence, non ?

– Eh bien...

– Donc, reprit la voix, chaleureuse, quelle forme veux-tu que je prenne ?

– Je n'en sais rien.

Luce se tourna. Sa cuisse gauche était humide à cause de la cascade.

– C'est vraiment à moi de choisir ? À quoi ressembles-tu, quand tu es toi-même ?

– Je possède toute une gamme de physiques. Tu préfères que je commence par une jolie apparence, je suppose ?

– Sans doute...

– D'accord, marmonna la voix. *Huminah huminah huminah hummmm.*

– Qu'est-ce que tu fais ? s'enquit Luce.

– Je mets mon visage.

Il y eut un éclat lumineux, suivi d'une explosion qui plaqua Luce contre la paroi. L'éclat forma ensuite une boulette de lumière blanche éclatante qui éclaira la pierre grise de la grotte. Un mur se dressait derrière elle, ruisselant d'eau.

Soudain, à ses pieds, se tenait une petite gargouille.

– Ta da ! lança-t-elle fièrement.

Haute d'une trentaine de centimètres, elle était accroupie, les bras croisés, les coudes sur les genoux. Elle était grise et ressemblait à une statue de façade d'église. Elle adressa pourtant un signe de la main à Luce. Elle avait les ongles longs et acérés, les oreilles pointues, percées de petits anneaux en pierre. Deux semblants de cornes pointaient de chaque côté de son front bombé et tout plissé. Ses grosses lèvres formaient un rictus qui lui donnait un air de vieux bébé.

– C'est donc toi, Bill ?

– Absolument, confirma-t-il.

C'était une créature étrange mais nullement effrayante. Luce remarqua que ses vertèbres saillaient dans son dos. Elle avait une paire de petites ailes grises repliées, dont les pointes se rejoignaient.

– Alors ? demanda-t-il.

– C'est super, répondit-elle d'un ton neutre.

Bill se leva. Ses membres de pierre lui donnaient une allure étrange.

– Tu n'aimes pas mon aspect. Je peux faire mieux que ça, déclara-t-il en disparaissant aussitôt. Attends...

Il y eut un nouvel éclair.

Daniel apparut devant Luce, enveloppé d'une aura violette. Ses ailes déployées étaient superbes, immenses. On aurait dit qu'elles commandaient à la jeune fille de s'y lover. Quand il tendit la main, elle retint son souffle. Elle sentait que sa présence était incongrue, qu'elle avait autre chose en tête, mais elle avait oublié quoi. Elle avait l'esprit embrumé, la mémoire trouble. Mais plus rien n'avait d'importance. Daniel était là. Elle eut envie de pleurer de joie. Elle s'avança pour prendre sa main.

– Voilà, souffla-t-il. Enfin la réaction que j'attendais.

– Comment ? murmura Luce, abasourdie.

Une idée commençait à germer dans son esprit. Il fallait qu'elle s'en aille. Mais le regard de Daniel vint à bout de son hésitation, et Luce se laissa aller dans ses bras, pour goûter la saveur de ses lèvres.

Puis, de sa voix éraillée, Bill dit :

– Embrasse-moi.

Luce poussa un cri et recula d'un bond, comme si elle sortait d'un profond sommeil. Que s'était-il passé ? Comment avait-elle pu croire reconnaître Daniel en...

Bill lui avait joué un tour. Elle dégagea vivement sa main de la sienne, à moins qu'il ne l'ait lâchée quelques secondes plus tôt, au moment où il s'était transformé en gros crapaud couvert de verrues... La bestiole coassa avant de sauter vers la cascade, qui s'écoulait de la paroi de la grotte, et tira la langue vers le filet d'eau.

Le souffle court, Luce s'efforçait de masquer son effroi.

– Arrête ! dit-elle. Redeviens gargouille, je t'en prie !

– Comme tu voudras.

Après un nouvel éclair, Bill était là, accroupi, les bras croisés, immobile.

– J'étais sûr que tu marcherais ! jubila-t-il.

Luce se détourna, gênée, car il s'était moqué d'elle. Elle était furieuse que cela l'amuse.

– Et maintenant, reprit-il en se plaçant bien en vue, que souhaites-tu apprendre en premier ?

– De toi ? Rien du tout. Je ne sais même pas ce que tu fabriques là.

– Je t'ai contrariée, dit Bill en claquant ses doigts de pierre. J'en suis désolé. J'essayais simplement de connaître tes goûts : Daniel Grigori et les adorables gargouilles. Bon, récapitulons : tu n'aimes pas les crapauds. OK. Je ne te referai plus jamais ce coup-là.

Déployant ses ailes, il vint se percher sur l'épaule de la jeune fille. Il était lourd.

– Les ficelles du métier, alors, murmura-t-il.

– Je n'en ai pas besoin.

– Allons donc ! Tu ne sais même pas verrouiller un Annonciateur pour repousser les méchants. Tu n'as pas envie de savoir au moins ça ?

Luce haussa les sourcils.

– Pourquoi m'aiderais-tu ?

– Tu n'es pas la première à plonger dans le passé, tu sais. Et tout le monde a besoin d'être guidé. Tu as de la chance d'être tombée sur moi, plutôt que sur Virgile...

– Virgile ? demanda Luce en se rappelant ses cours de lycée. Celui qui a mené Dante dans le neuvième cercle de l'Enfer ?

– Celui-là même ! Il est tellement conformiste qu'il en est assommant. Bref, toi et moi n'irons pas en Enfer, dans l'immédiat. C'est la saison touristique, en ce moment.

Luce revit Luschka s'embraser, à Moscou, et sentit de nouveau la douleur intense qu'elle avait éprouvée quand Lucia lui avait appris que Daniel avait disparu de l'hôpital.

– Parfois, on a l'impression d'être en Enfer, pourtant, lui confia-t-elle.

– C'est simplement parce que nous avons mis du temps à nous rencontrer, répondit Bill en tendant vers elle une petite main de pierre.

Luce tenta de gagner du terrain.

– Alors... Dans quel camp es-tu ?

Bill émit un sifflement.

– Personne ne t'a expliqué que la réalité était plus complexe ? La frontière entre le bien et le mal est devenue floue après des millénaires de libre arbitre.

– Je sais tout cela, mais...

– Écoute, cela t'aidera peut-être, as-tu entendu parler de l'Échelle ?

Luce secoua la tête.

– Ce sont des espèces de guides, au sein des Annonciateurs, qui permettent aux voyageurs d'atteindre leur destination. Les membres de l'Échelle sont impartiaux, et ne penchent ni pour l'Enfer ni pour le Paradis. Tu vois ?

– D'accord, opina Luce. Donc, tu fais partie de l'Échelle ?

Bill lui adressa un clin d'œil.

– Voilà, nous y sommes presque...

– Où ça ?

– Dans la prochaine vie qui t'attend, celle qui a projeté l'ombre dans laquelle nous sommes.

Luce passa la main dans l'eau qui coulait le long de la paroi.

– Cette ombre... Cet Annonciateur... il est différent.

– S'il l'est, c'est uniquement parce que tu le veux. Si tu recherches une grotte ressemblant à une aire de repos dans un Annonciateur, elle apparaît.

– Je ne veux pas d'une aire de repos !

– Non, mais c'est ce dont tu as besoin. Or, les Annonciateurs s'en rendent compte. Et comme je suis là pour rendre service, je l'ai demandée pour toi.

La petite gargouille haussa les épaules. Luce entendit un bruit de pierres qui s'entrechoquent.

– L'intérieur d'un Annonciateur n'est pas un lieu. C'est un non-lieu, un écho sombre lancé par un élément du passé. Chacun est différent et s'adapte aux besoins de ses usagers, tant qu'ils se trouvent à l'intérieur.

Luce fut dérangée par cette idée qu'un écho du passé puisse savoir mieux qu'elle ce dont elle avait besoin.

– Combien de temps les gens restent-ils à l'intérieur ? s'enquit-elle. Des jours ? Des semaines ?

– Aucune durée dans le sens où tu l'entends. Dans les Annonciateurs, le temps réel ne s'écoule pas. Mais mieux vaut ne pas trop t'attarder. Tu risquerais d'oublier où tu vas et de te perdre à jamais. De devenir une vagabonde. Et ce n'est pas bon, ça. Ce sont des portails, ne l'oublie pas, et non des destinations.

Luce appuya la tête contre la paroi humide de la grotte. Que devait-elle penser de cette créature ?

– C'est ton travail, de servir de guide aux... usagers comme moi ?

– Absolument, fit Bill en claquant des doigts pour créer une étincelle. Tu as tout compris !

– Comment une gargouille s'est-elle retrouvée dans ce rôle ?

– Attention, je suis très fier de mon travail !

– Excuse-moi, je voulais dire : qui t'a engagé ?

Bill réfléchit un instant en faisant rouler ses yeux de marbres dans leurs orbites.

– Considère ça comme du bénévolat. Je suis doué pour les déplacements en Annonciateur, voilà tout. Autant partager mon savoir-faire, non ?

Il se tourna vers elle, le menton dans la main.

– Où allons-nous, au fait ?

– Quand allons-nous... ?

Troublée, Luce le regarda fixement.

– Tu n'en as aucune idée, n'est-ce pas ? fit-il en se frappant le front. Tu me dis que tu as plongé depuis le présent sans rien savoir sur ces déplacements ! Comment pourrais-tu comprendre quoi que ce soit ?

– Mais comment l'aurais-je pu ? répliqua Luce. Personne ne m'a rien dit !

Bill quitta son épaule et arpenta la corniche.

– Tu as raison. Tu as raison... Revenons à l'essentiel.

Il s'arrêta devant Luce, les mains sur les hanches.

– Bon, qu'est-ce que tu veux, alors ?

– Je veux... être avec Daniel, énonça-t-elle lentement.

Ce n'était pas tout, mais elle n'arrivait pas à trouver ses mots.

– Ah bon ? fit Bill, d'un ton encore plus inquiétant que son visage de pierre. La faille de ta plaidoirie, ma chère, c'est que Daniel était là, près de toi, quand tu as quitté ta propre époque, si je ne m'abuse ?

Submergée par le regret, Luce se laissa glisser le long de la paroi et s'assit.

– Il fallait que je m'en aille. Il refusait de me parler de notre passé, alors j'ai décidé de mener des recherches moi-même.

Elle s'attendait à ce que Bill la contredise de nouveau, mais il déclara simplement :

– Donc tu prétends être en quête.

Un sourire effleura les lèvres de la jeune fille. Une quête. Oui, cette idée lui plaisait.

– Tu vois ! Tu es en quête ! s'exclama Bill. Bon, la première chose à savoir est que les Annonciateurs viennent à toi en fonction de ce qui se passe, ici.

Il se martela le cœur de son poing de pierre.

– Ce sont des espèces de petits requins attirés par tes désirs les plus profonds.

– Bien.

Luce se rappelait les ombres de Shoreline. C'était presque comme si elles l'avaient choisie, et non l'inverse.

– Les Annonciateurs qui semblent trembler devant toi, t'implorer de les saisir te conduisent en fait vers le lieu où ton âme brûle de se rendre.

– La fille que j'étais à Moscou et à Milan, et toutes les autres vies que j'ai entrevues avant de savoir passer dans les Annonciateurs... C'est donc moi qui les recherchais...

– Oui, confirma Bill. Mais tu ne le savais pas, voilà tout. Les Annonciateurs le savaient à ta place. Tu vas faire des progrès et tu sentiras bientôt que tu partages leur savoir, car, aussi étrange que cela puisse paraître, ils font partie de toi.

Soudain, la jeune fille y vit plus clair. Elle comprit pourquoi, même depuis le début, quand elle avait peur, elle n'avait pas pu s'empêcher d'entrer dans les Annonciateurs, en dépit des mises en garde de Roland ou du regard d'effroi de Daniel. Les Annonciateurs donnaient toujours l'impression d'une porte qui s'ouvre. Était-ce vraiment le cas?

Le passé de Luce, qui paraissait si insondable, était peut-être à sa portée, et il lui suffisait de franchir la bonne porte. Elle pourrait voir qui elle avait été, ce qui avait attiré Daniel vers elle, pourquoi leur amour était maudit, et la façon dont il avait évolué, au fil du temps... Et surtout, ce qu'il pourrait advenir d'eux dans le futur.

– Nous sommes déjà en route vers quelque part, expliqua Bill. Mais maintenant que tu sais ce dont toi et les Annonciateurs êtes capables, la prochaine fois que tu passeras au travers, réfléchis bien à ce que tu veux. Et ne te focalise pas sur un endroit ou une époque. Concentre-toi sur ta quête.

– D'accord.

Luce s'efforça de remettre de l'ordre dans ses émotions et de les exprimer clairement.

– Pourquoi ne pas essayer tout de suite ? proposa Bill. Histoire de t'exercer. On aura peut-être une idée de ce qui nous attend. Pense à ce que tu recherches.

– Je veux comprendre, répondit-elle lentement.

– Bien, commenta Bill. Quoi d'autre ?

Une vague d'énergie se propagea en elle, comme si elle était sur le point de vivre quelque chose d'important.

– Je veux découvrir pourquoi Daniel et moi sommes maudits. Je veux briser cette malédiction. Et je veux éviter que l'amour me tue pour que nous puissions enfin être ensemble, pour de bon.

– Ouah ! lança Bill en agitant les bras. Restons raisonnables. Tu as affaire à une malédiction très ancienne. Toi et Daniel, c'est comme... Je ne sais pas moi, tu ne peux pas tout arranger d'un claquement de doigts. Il faut commencer en douceur.

– Oui, répondit Luce. D'accord. Alors peut-être que je devrais d'abord découvrir une seule de mes anciennes incarnations. M'approcher d'elle pour voir comment se déroule sa relation avec Daniel et si elle ressent la même chose que moi.

Bill hocha la tête, un sourire amusé au coin des lèvres. Il mena la jeune fille au bord de la corniche.

– Je crois que tu es prête. Allons-y !

Y aller ? La gargouille l'accompagnait ? Elle sortirait avec elle d'un Annonciateur, dans un autre passé ? Luce avait besoin de compagnie, mais elle connaissait à peine Bill...

– Tu te demandes pourquoi tu me ferais confiance, n'est-ce pas ? lui lança-t-il.

– Non, je...

– Je comprends, reprit-il en volant devant elle. Tu vas prendre goût à ma présence, surtout après les personnes que tu as fréquentées. Bien sûr, je n'ai rien d'un ange, mais je peux faire en sorte que ton déplacement en vaille la peine. Concluons un accord. Si tu en as marre de moi, tu n'as qu'à le dire, et je m'en irai.

Il tendit une longue main crochue.

Luce frémit. Cette main était couverte de verrues, de pustules et de mousse, comme celle d'une vieille statue. Elle n'avait aucune envie de la toucher, mais si elle refusait...

Elle s'en sortirait sans doute mieux avec lui.

Elle baissa les yeux. Elle se trouvait au bord du néant. Un détail capta alors son attention. Entre ses pieds, une pierre scintillante l'éblouit. Le sol devint meuble... et se mit à tanguer.

Luce se retourna et constata que la roche s'effritait sur toute la paroi de la grotte. Elle chancela. La corniche tremblait de plus en plus et commençait à s'évanouir sous elle. Elle sentit un vent frais sur ses talons et sauta...

Elle avait glissé sa main dans celle de Bill. Ils frémirent dans le vide.

– Comment sortir d'ici ? cria-t-elle en s'agrippant à lui de peur de sombrer dans le néant.

– Suis ton cœur ! lui ordonna Bill, radieux. Il ne te trompera pas.

Luce ferma les yeux et pensa à Daniel. Une sensation de légèreté l'envahit. Elle retint son souffle. En rouvrant les yeux, elle vit quelque chose filer dans l'obscurité électrique. La grotte fut traversée de secousses et se referma sur elle-même pour se transformer en un petit globe doré lumineux, qui se rétrécit et disparut.

Luce se retourna. Bill était tout près d'elle.

– Quelles sont les premières paroles que je t'ai adressées ? s'enquit-il.

Luce se rappela à quel point la voix de Bill avait semblé l'atteindre au plus profond d'elle-même.

– Tu m'as dit de ralentir, que je n'apprendrais jamais rien en m'agitant ainsi à travers mon passé.

– Et ?

– C'était exactement ce que je voulais faire, mais je l'ignorais encore.

– C'est peut-être pour cela que tu m'as trouvé à ce moment précis ! cria Bill pour couvrir le bruit du vent, en battant des ailes à vive allure. Et c'est peut-être aussi pourquoi on se retrouve... ici.

Le vent se calma et le grésillement fit place au silence.

Les pieds de Luce touchèrent le sol. Elle eut l'impression de sauter d'une balançoire. Parsemée de minuscules fruits rouge vif, des fraises des bois, l'herbe lui arrivait presque aux genoux. Devant elle, un rang de bouleaux argentés bordait la pelouse impeccable d'un domaine. Derrière se dressait une imposante demeure.

De l'endroit où elle se trouvait, elle distinguait une volée de marches blanches en pierre menant à l'entrée de service d'un manoir de style Tudor. Une immense roseraie de fleurs jaunes taillées avec soin poussaient à l'extrémité nord du gazon et un petit labyrinthe végétal occupait une zone proche de la grille est, entourant un potager dont les haricots grimpaient haut sur leurs tuteurs. Une allée de gravier coupait le jardin en deux en direction d'un kiosque blanchi à la chaux.

Luce en eut la chair de poule. Elle eut la sensation viscérale d'être déjà venue. Ce n'était pas une simple impression de déjà-vu. Cette propriété signifiait quelque chose pour Daniel et elle. Elle s'attendait presque à se voir enlacée, avec lui.

Le kiosque était désert, baigné dans la lueur orangée du soleil couchant.

Un sifflement la fit sursauter.

Bill.

Elle avait oublié qu'il était avec elle. Il planait dans les airs, de sorte que leurs têtes étaient à la même hauteur. Hors de l'Annonciateur, il était encore plus répugnant qu'au premier abord. Au grand jour, il avait la peau sèche et couverte d'écailles et il empestait le moisi. Des mouches volaient autour de lui. Luce s'écarta légèrement, souhaitant presque qu'il redevienne invisible.

– C'est mieux qu'un champ de bataille, commenta-t-il en observant les lieux.

– Comment as-tu su que j'étais déjà venue ici ?

– Je... Je suis Bill, fit-il en haussant les épaules. Je sais un tas de choses.

– Très bien, où sommes-nous, alors ?

– À Helston, en Angleterre, répondit-il en portant une griffe à sa tête, les yeux fermés. En l'an que tu désignerais comme étant 1854.

Il croisa ensuite ses griffes sur son torse, tel un écolier miniature récitant sa leçon d'histoire.

– Une petite ville tranquille du sud des Cornouailles. C'est le roi Jean en personne qui l'a fondée. Le blé est haut de plus d'un mètre : ce doit être l'été. Dommage que nous ayons manqué le mois de mai. Les habitants organisent une fête des fleurs incroyable ! Tu n'imagines même pas. Enfin, si. Ton incarnation antérieure a été la reine du bal deux années de suite. Ton père, un homme très riche, est entré au bas de l'échelle dans le commerce du cuivre...

– C'est passionnant, le coupa Luce en foulant l'herbe. J'entre. Je veux lui parler.

– Attends, fit Bill en la devançant, planant devant son visage. Ça ne va pas du tout, ça !

D'un doigt, il décrivit un cercle. Luce se rendit compte qu'il faisait référence à ses vêtements. Elle portait encore l'uniforme d'infirmière italienne de la Première Guerre mondiale.

Bill saisit le bas de sa longue robe et dévoila ses chevilles.

– Qu'est-ce que tu portes, en dessous ? Ce sont des Converse, n'est-ce pas ? C'est une plaisanterie ! railla-t-il. Je me demande comment tu as survécu à toutes ces vies antérieures sans moi...

– Je me suis débrouillée, merci.

– Tu devras faire mieux que ça si tu veux passer un moment ici.

Bill plongea dans le regard de la jeune fille, puis virevolta autour d'elle. Quand elle se retourna vers lui, il avait disparu.

Une seconde plus tard, elle entendit sa voix, soudain très distante.

– Oui ! Génial, Bill !

Un point gris apparut dans l'air, près de la maison, et devint de plus en plus gros. Bientôt, Lucie put voir les traits de son visage. Bill volait dans sa direction, un paquet sombre dans les bras.

Il tendit une main, mais se contenta de tirer légèrement sur le côté de sa robe. La couture de l'uniforme se défit et glissa sur son corps. Luce dissimula de son mieux sa nudité, mais, un instant plus tard, plusieurs jupons s'enfilèrent sur sa tête.

Bill s'affaira autour d'elle comme une couturière émérite, emprisonnant sa taille dans un corset, aux baleines désagréables. Il y avait tant de taffetas que ses jupons bruissaient même quand elle restait immobile dans la douce brise.

Elle avait plutôt fière allure, pour l'époque. Puis elle se rendit compte qu'elle portait aussi un tablier blanc noué autour de sa taille, sur une longue robe noire. Elle leva la main et arracha aussitôt sa coiffe blanche de domestique.

– Je suis une bonne ? demanda-t-elle.

– Bien vu, Einstein ! Tu es une bonne.

C'était idiot, mais elle était un peu déçue. Ce domaine était tellement prestigieux et le parc si magnifique... N'aurait-elle pas pu flâner dans ce parc comme une véritable lady victorienne ?

– N'as-tu pas dit que ma famille était fortunée ?

– Ta famille dans cette vie antérieure était riche à millions. Tu pourras le constater quand tu la rencontreras. Elle t'appelle Lucinda et trouve ce diminutif de Luce absolument scandaleux.

Bill se pinça le nez et émit un rire qui se voulait hautain.

– Elle, elle est riche, mais toi, ma chère, tu n'es qu'une intruse qui voyage dans le temps qui n'y connaît rien aux manières de la haute société. Alors, à moins que tu ne veuilles te faire remarquer comme une pauvre fille de Manchester et être renvoyée avant même d'avoir dit un mot à Lucinda, il faut que tu agisses discrètement. Tu es aide-cuisinière, tu sers à table, tu vides les pots de chambre. À toi de voir. Ne t'en fais pas. Je ne te dérangerai pas. Je peux disparaître en un clin d'œil.

Luce gémit.

– J'entre et je fais semblant de travailler ici ?

– Non ! s'exclama Bill en levant les yeux au ciel. Tu entres et tu te présentes à la maîtresse de maison, Mme Constance.

Dis-lui que ta dernière patronne est partie s'installer sur le continent et que tu cherches une autre place. C'est une vieille mégère acariâtre et très à cheval sur les références. Tu as de la chance, j'ai une longueur d'avance sur toi. Tu trouveras la lettre dans la poche de ton tablier.

Luce y glissa une main et en sortit une épaisse enveloppe scellée à la cire rouge. Elle lut: Mme M. Constance, inscrit à l'encre noire.

– Tu sais tout sur tout, n'est-ce pas?

– Merci, dit Bill en s'inclinant avec grâce.

Voyant qu'elle se dirigeait déjà vers la maison, il la rattrapa en battant des ailes à toute vitesse.

Ils avaient dépassé la rangée de bouleaux et traversaient le gazon impeccable. Au moment de gravir la première marche, Luce s'arrêta. Elle venait de remarquer deux silhouettes, dans le kiosque. Un homme et une femme qui marchaient vers le manoir. Vers elle.

– Descends, murmura-t-elle.

Elle n'était pas prête à être vue à Helston, surtout en compagnie de Bill, qui bourdonnait autour d'elle comme un insecte géant.

– Descends toi-même, répondit-il. Ce n'est pas parce que j'ai fait une entorse à mon principe d'invisibilité que tous les mortels peuvent me voir. Les seuls yeux dont je dois me méfier sont... Ouah!

Bill haussa soudain ses sourcils de pierre, produisant un bruit sourd.

– Je file, dit-il en plongeant derrière des plants de tomates.

Des anges, songea Luce. C'étaient sans doute les seuls autres êtres à pouvoir voir Bill. Elle le devina quand elle comprit qui étaient cet homme et cette femme qui avaient provoqué le départ précipité de Bill. À l'abri des feuilles touffues des plants de tomates, Luce les observait, fascinée.

Daniel...

Le reste du parc fut soudain plongé dans le silence. Les oiseaux cessèrent de chanter. Luce n'entendait plus que des pas lents sur le gravier. Les derniers rayons de soleil semblaient se concentrer sur Daniel, formant autour de lui une aura dorée. Il avait la tête penchée vers la femme et discutait en marchant. Sa compagne n'était pas Luce.

Âgée d'une vingtaine d'années, elle était très belle, avec ses boucles brunes sous son grand chapeau de paille. Sa robe en mousseline jaune d'or était somptueuse.

– Avez-vous pris goût à notre petit hameau, monsieur Grigori ? demanda la jeune femme d'une voix haut perchée pleine d'assurance.

– Un peu trop, peut-être, Margaret.

Le cœur de Luce se serra de jalousie lorsqu'elle vit Daniel sourire.

– Difficile de croire que je ne suis à Helston que depuis une semaine. Peut-être resterai-je plus longtemps que prévu. (Il marqua une pause.) Tout le monde se montre très aimable.

Margaret rougit. Luce fulminait. Même lorsqu'elle rougissait, cette jeune femme était parfaite.

– Espérons que cela se ressentira dans votre travail, déclara-t-elle. Mère est enchantée d'accueillir un artiste. Nous sommes tous ravis.

Luce leur emboîta le pas. Après le potager, elle s'accroupit derrière un rosier, les mains au sol, penchée en avant pour mieux entendre leur conversation.

Puis elle retint son souffle. Elle venait de se piquer le pouce sur une épine et saignait.

Elle lécha sa blessure et agita la main en s'efforçant de ne pas tacher son tablier. Durant ce court laps de temps, une partie de la conversation lui échappa. Margaret observait Daniel, pleine d'espoir.

– Je vous ai demandé si vous seriez aux fêtes du solstice, cette semaine, dit-elle d'un ton légèrement implorant. Mère organise toujours une grande réception.

Daniel murmura quelques paroles, indiquant qu'il ne manquerait cela pour rien au monde, mais, de toute évidence, il était distrait. Il ne cessait de se détourner de la jeune femme. Il scrutait les alentours, comme s'il percevait la présence de Luce.

Quand il se tourna en direction de la jeune fille, celle-ci constata que ses prunelles étaient d'un violet intense.

VI

LA FEMME EN BLANC

Helston, Angleterre, 18 juin 1854

Lorsqu'il arriva à Helston, Daniel était furieux.

Il reconnut le lieu sans tarder, dès que l'Annonciateur l'éjecta, seul, sur la rive du lac de Loe. Ses eaux calmes reflétaient les nuages rosés du soir. Étonnés par cette apparition soudaine, les martins-pêcheurs s'envolèrent au-dessus du champ de trèfles pour se poser sur un arbre noueux de la lande, au bord de la route. Celle-ci menait vers une bourgade où il avait rencontré Lucinda.

Se retrouver sur ces terres verdoyantes le touchait au plus profond de lui-même. Il avait beau essayer de refermer les portes sur son passé, d'aller de l'avant, chaque mort de la jeune fille était une épreuve particulièrement marquante. Daniel fut surpris que ses souvenirs de cette période passée dans le sud de l'Angleterre fussent si précis.

Mais il n'était pas là en villégiature. Il n'était pas là pour tomber amoureux de la ravissante fille du négociant en cuivre. Non, il devait empêcher une jeune fille irresponsable de se perdre dans les moments les plus sombres de son passé au risque d'en mourir. Il venait l'aider à briser la malédiction une fois pour toutes.

Il entama sa longue marche vers la petite ville.

C'était une fin de journée d'été chaude et lourde. Dans les rues d'Helston, les dames coiffées de chapeaux et vêtues de robes ourlées de dentelle échangeaient à voix basse des propos courtois avec les messieurs en costume de lin dont elles tenaient le bras. Les couples s'arrêtaient devant les vitrines des boutiques. Ils discutaient avec leurs voisins ou s'arrêtaient au coin d'une rue pour prendre congé.

De leur tenue au rythme de leurs pas, tout était d'une lenteur agaçante, chez ces gens. Daniel se sentit totalement décalé.

Ses ailes, dissimulées sous son manteau, brûlaient d'impatience. Il devait y avoir un endroit où il était certain de trouver Lucinda. Chaque soir, elle se rendait sous le kiosque, dans le parc, à la tombée de la nuit. Mais où débusquer sa Luce, celle qui sautait dans les Annonciateurs, celle qu'il avait besoin de trouver... Il n'avait aucun moyen de le savoir.

Les deux autres vies dans lesquelles Luce avait fait une incursion faisaient sens, à ses yeux. Dans le projet global, elles constituaient des... anomalies. Des moments du passé où elle avait été à deux doigts de découvrir la vérité sur leur malédiction, juste avant de mourir. Mais il ne comprenait pas pourquoi son Annonciateur l'avait amenée ici.

La période d'Helston avait été paisible. Dans cette vie, leur amour avait grandi lentement, naturellement. Même la mort de la jeune fille s'était déroulée dans l'intimité. Ils n'étaient que tous les deux. Un jour, Gabbe avait employé le terme de « honorable » pour décrire la fin de Lucinda, à Helston. Cette mort, au moins, ils l'avaient vécue seuls.

Non, la plongée dans cette vie était un accident qu'il ne s'expliquait pas. Elle pouvait donc se trouver n'importe où dans le village.

– Monsieur Grigori ! s'exclama une voix aiguë, dans la rue. Quelle merveilleuse surprise de vous trouver ici !

Une femme blonde vêtue d'une longue robe bleue à motifs apparut devant Daniel, le prenant par surprise. Elle tenait la main d'un garçon potelé de huit ans, au visage parsemé de taches de rousseur. Il semblait malheureux dans sa veste crème et avait une tache sous le col.

Enfin, Daniel se souvint : c'était Mme Holcombe et son vaurien de fils Edward, à qui il avait donné des leçons de dessin pendant quelques semaines fort pénibles, durant son séjour à Helston.

– Bonjour, Edward, dit-il en se penchant pour serrer la main de l'enfant, avant de s'incliner devant sa mère. Madame Holcombe...

Jusqu'à cet instant, Daniel n'avait guère accordé d'attention à sa tenue, lors de ses déplacements dans le temps. Il se moquait de ce que les passants pouvaient penser de son pantalon gris moderne ou de la coupe étrange de sa chemise blanche. Il ne ressemblait en rien aux autres hommes présents dans la rue. S'il croisait des gens qu'il avait connus, deux cents ans plus tôt, affublé des vêtements qu'il portait deux jours auparavant, pour Thanksgiving, chez les parents de Luce, la nouvelle risquait de se répandre en ville.

Daniel ne tenait pas à attirer l'attention ou à ce que quelque chose l'empêche de trouver Luce. Il fallait qu'il change de vêtements. Les Holcombe n'y virent toutefois que du feu, car Daniel était revenu dans une époque où il passait pour un artiste excentrique.

– Edward, montre à M. Grigori ce que ta maman vient de t'acheter, déclara Mme Holcombe en lissant les cheveux de son fils.

À contrecœur, l'enfant sortit de son sac une panoplie de peintre, cinq petits pots de peinture à l'huile et un long pinceau à manche rouge.

Daniel lui adressa les félicitations d'usage : Edward avait bien de la chance de posséder désormais du matériel digne de son talent. Comment diable pouvait-il écourter cette conversation ?

– Il est très doué, persista Mme Holcombe en prenant le bras de Daniel. Le problème, c'est qu'il trouve ses leçons de dessin moins exaltantes qu'il ne le faudrait, pour quelqu'un de son âge. C'est pourquoi je me suis dit qu'un matériel adéquat lui permettrait de mieux exprimer son talent d'artiste. Vous comprenez, monsieur Grigori ?

– Bien sûr, lui assura Daniel. Procurez-lui tout ce qui pourra l'inciter à peindre. C'est une excellente idée...

Il fut soudain parcouru d'une vague de froid. Ses paroles restèrent un instant coincées dans sa gorge.

Cam venait de sortir d'un pub, de l'autre côté de la rue.

L'espace d'un instant, Daniel fulmina. Il l'avait pourtant affirmé clairement : il refusait l'aide des autres. Il crispa les poings et voulut se diriger vers lui, mais...

Bien sûr, c'était un autre, le Cam de la période Helston. Apparemment, il prenait du bon temps, dans son costume rayé à la dernière mode victorienne. Il portait ses cheveux noirs longs jusqu'aux épaules. Appuyé contre la porte du pub, il plaisantait en compagnie de plusieurs hommes.

Cam sortit un cigare à extrémité dorée d'un étui carré. Il n'avait pas encore vu Daniel. Dès qu'il l'apercevrait, il retrouverait son sérieux. Depuis le départ, Cam empruntait les Annonciateurs plus souvent que tout autre ange déchu. Il était plus expert que Daniel ne le serait jamais : voyager à travers les ombres du passé était un don que possédaient ceux qui avaient pactisé avec Lucifer.

Un regard à Daniel lui indiquerait que son rival était un Anachronisme.

Un homme hors du temps.

Alors, Cam se rendrait compte qu'il se passait quelque chose d'important, et Daniel ne parviendrait jamais à s'en débarrasser.

– Vous êtes tellement généreux, monsieur Grigori, babillait Mme Holcombe, qui tenait toujours Daniel par la manche.

Cam tourna la tête dans leur direction.

– C'est bien naturel, répondit vivement Daniel. À présent, si vous voulez bien m'excuser... (Il ôta la main de son bras.) Il faut que je file... Acheter quelques vêtements.

Il s'inclina et se précipita dans la première boutique.

– Monsieur Grigori ! lança Mme Holcombe.

Daniel la maudit en silence et fit mine de ne pas l'avoir entendue, ce qui ne l'incita qu'à s'écrier :

– Mais vous êtes ici chez une couturière, monsieur Grigori !

Daniel se trouvait déjà à l'intérieur. La porte se referma derrière lui avec un tintement de cloche. Au moins avait-il trouvé refuge pour quelques instants. Il espérait que Cam ne l'avait pas remarqué et que la voix stridente de Mme Holcombe lui avait échappé...

Le silence régnait dans la boutique où flottait un parfum de lavande. Le plancher était usé par les talons des bottines. Les rayonnages étaient garnis de rouleaux de tissu jusqu'au plafond. Daniel baissa le rideau en dentelle pour ne pas être vu de la rue. En se retournant, il vit le reflet d'une autre personne, dans la glace.

Il réprima un soupir de soulagement et de surprise.

Il l'avait trouvée.

Luce était en train d'essayer une longue robe de mousseline blanche. Son haut col était orné d'un ruban jaune qui rehaussait l'éclat de ses yeux noisette. Elle avait les cheveux attachés sur le côté avec une barrette incrustée de perles. Elle ne cessait d'ajuster ses épaules en se mirant sous tous les angles. Daniel fut subjugué.

Il aurait pu passer des heures à l'admirer, mais il retrouva vite ses esprits. Il la saisit par le bras.

– Cela fait trop longtemps que cela dure.

Tout en parlant, Daniel se sentit submergé par le contact délicieux de sa peau sous sa main. La dernière fois qu'il l'avait touchée remontait à cette nuit où les Bannis la lui avaient prise.

– Tu imagines à quel point tu m'as fait peur ? Tu es en danger, ici, toute seule.

Contrairement à ce qu'il avait imaginé, Luce ne protesta pas. Elle poussa un cri et lui assena une gifle retentissante.

Car ce n'était pas Luce, mais Lucinda.

Or, ils ne s'étaient pas encore rencontrés, dans cette vie-là. Sans doute venait-elle de rentrer de Londres, avec sa famille. Daniel et elle étaient sur le point de faire connaissance, lors de la fête du solstice organisée par les Constance.

Il s'en rendit compte en voyant la mine outrée de Lucinda.

– Quel jour sommes-nous ? s'enquit-il, au désespoir.

Elle allait le prendre pour un fou. Trop amoureux, il n'avait pas remarqué la différence entre la jeune fille qu'il avait déjà perdue et celle qu'il devait sauver.

– Je suis désolé, bredouilla-t-il.

Voilà pourquoi il était à ce point anachronique. Il se perdait dans les détails les plus insignifiants. Un contact furtif, son regard si profond, un effluve du parfum de ses cheveux, un souffle partagé dans l'espace réduit d'une boutique...

Lucinda observa la joue écarlate de Daniel et grimaça. Dans le miroir, elle croisa son regard. Daniel sentit son cœur se serrer. La jeune fille entrouvrit les lèvres et pencha la tête de côté. Elle le fixa comme une femme follement amoureuse.

Non...

Ce n'était pas ainsi que cela devait se dérouler. Ils étaient censés se rencontrer lors de la fête... Daniel maudissait leur destin, mais il ne voulait pas bouleverser les vies qu'elle avait déjà vécues, car elles la ramenaient toujours vers lui.

Il s'efforça de paraître indifférent, voire maussade. Les bras croisés, il s'écarta légèrement en évitant avec soin de regarder la jeune fille. Même s'il en mourait d'envie.

– Pardonnez-moi, dit Lucinda en posant les mains sur son cœur. J'ignore ce qui m'a pris. Je n'ai jamais rien fait de tel...

Daniel n'avait aucune intention de discuter. Ne l'avait-elle pas giflé souvent déjà ? Arriane tenait même le compte dans un petit carnet à spirale intitulé « Petite effrontée ».

– Tout est ma faute, admit-il vivement. Je... Je me suis trompé de personne.

Il avait déjà trop joué avec le passé, d'abord avec Lucia, à Milan, et maintenant... Il recula encore.

– Attendez ! lança-t-elle en tendant la main.

Ses yeux magnifiques l'attiraient comme deux aimants.

– J'ai l'impression que nous nous connaissons, mais je ne parviens pas à vous resituer...

– Je crains que ce ne soit pas le cas.

Il se tenait sur le seuil de la boutique. Il écarta le rideau de dentelle pour voir si Cam se trouvait toujours dans la rue. Malheureusement, il était là...

Dos tourné, Cam racontait un récit de son invention à grand renfort de gestes. Sans doute se décrivait-il comme un héros. Il risquait de faire volte-face à tout moment, et Daniel serait pris la main dans le sac.

– Je vous en prie, monsieur ! l'implora Lucinda en se précipitant vers lui. Qui êtes-vous ? Je crois vous connaître... Je vous en prie, attendez !

Il devait sortir dans la rue, malgré le danger qui pesait sur lui. Il ne pouvait rester là, avec Lucinda, si elle se comportait de la sorte. Ça n'allait pas du tout, elle était en train de tomber amoureuse d'un autre lui-même ! Il avait déjà vécu cette existence et elle ne s'était pas déroulée ainsi. Il fallait qu'il s'enfuie au plus vite.

Daniel dut s'éloigner à contrecœur de Lucinda alors que son âme lui intimait de se précipiter vers elle, de la prendre dans ses bras et de goûter au fruit de ses lèvres, à l'ivresse envoûtante de son amour.

Il ouvrit la porte de la boutique et partit en courant sous la lumière du soleil couchant. Il se moquait éperdument de ce que les gens pensaient de lui. Il courait comme un dément pour éteindre le feu qui s'emparait de ses ailes.

VII

SOLSTICE

Helston, Angleterre, 21 juin 1854

Luce avait les mains meurtries, rouges et pleines de crevasses.

Depuis son arrivée dans le domaine des Constance, à Helston, trois jours plus tôt, elle n'avait cessé de laver des monceaux de vaisselle. Elle s'affairait de l'aube au crépuscule, à astiquer assiettes et plats, saucières et argenterie. En fin de journée, sa nouvelle patronne, Mlle McGovern, faisait souper le personnel de cuisine : une malheureuse tranche de viande froide accompagnée de pain rassis et de fromage. Chaque soir, Luce s'écroulait de fatigue dans une soupente, en compagnie de Henrietta, une jeune femme pulpeuse originaire de Penzance[1], aux dents en avant et aux cheveux filasse.

La charge de travail était accablante.

Comment une famille pouvait-elle salir en une seule journée assez de vaisselle pour faire travailler deux jeunes filles douze heures d'affilée ? Les plats à récurer ne cessaient de s'accumuler dans les cuvettes et Mlle McGovern surveillait sa nouvelle recrue d'un œil critique. Le mercredi, toute la maison ne parlait que de la fête du solstice prévue dans la soirée. Pour Luce, cela signifiait de la vaisselle supplémentaire. Elle observa son évier plein d'eau sale d'un air morose.

– Ce n'est pas ce que j'espérais, marmonna-t-elle à Bill, qui planait aux alentours d'un placard, comme à son habitude.

Luce ne s'était toujours pas habituée à être la seule à le voir. Chaque fois qu'il s'approchait d'une autre domestique pour se livrer à quelque plaisanterie salace, la jeune fille se crispait. Bill était bien le seul à se trouver drôle.

– Vous autres enfants du siècle n'avez aucune conscience professionnelle, dit-il. Encore un détail : n'oublie pas de parler à voix basse.

Luce se détendit un peu.

– Si récurer cette énorme poêle m'aidait au moins à comprendre mon passé, ma conscience professionnelle te sidérerait. Mais tout cela ne sert à rien...

---

1. Petit port situé en Cornouailles, dans le sud-ouest de l'Angleterre.

Elle agita la poêle au visage de Bill. Le manche était maculé de graisse de porc.

– Et me donne mal au cœur, ajouta-t-elle.

Luce était consciente que sa frustration n'avait rien à voir avec la vaisselle. Sans doute se comportait-elle comme une enfant gâtée, mais elle ne voyait plus le jour depuis qu'elle travaillait dans cette cuisine. Elle n'avait pas recroisé une seule fois Daniel depuis le premier jour. Et elle ignorait tout de sa propre version de l'époque. Elle se sentait seule, abattue et déprimée, un peu comme à ses débuts à Sword & Cross, avant Daniel, avant de connaître quelqu'un sur qui elle pouvait vraiment compter.

Elle avait abandonné Daniel, Miles et Shelby, Arriane et Gabbe, Callie et ses parents, et pour quoi ? Pour se retrouver en cuisine ? Non : pour briser cette malédiction. En serait-elle capable ? Et même si Bill la trouvait geignarde, elle n'y pouvait rien, elle était sur le point de craquer.

– Je déteste ce travail et cet endroit. Je déteste cette stupide fête du solstice, sans parler de cette tourte au faisan...

– Lucinda est invitée à la réception, ce soir, dit soudain Bill avec un calme déstabilisant. Et il se trouve qu'elle adore la tourte au faisan des Constance.

Il s'assit en tailleur sur le plan de travail et tourna la tête à 360° pour s'assurer qu'ils étaient bien seuls.

– Lucinda sera là ? fit Luce en lâchant sa poêle dans l'eau savonneuse. Je lui parlerai. Je vais quitter cette cuisine et je lui parlerai.

Bill hocha la tête comme si c'était prévu depuis le départ.

– N'oublie pas le poste que tu occupes. Si une future version de toi-même avait débarqué dans une fête de lycéens et t'avait dit...

– Moi, j'aurais voulu savoir, coupa Luce. J'aurais insisté pour tout savoir. J'aurais brûlé de tout savoir.

– Hum... Eh bien... (Bill haussa les épaules.) Lucinda n'en fera rien, je peux te le garantir.

– C'est impossible, affirma Luce en secouant la tête. Elle est... moi.

– Non. C'est une version de toi qui a été élevée par des parents totalement différents, dans un autre monde. Vous partagez la même âme, mais elle n'est pas comme toi, tu verras. (Il lui adressa un sourire énigmatique.) Sois prudente, c'est tout.

Bill lança un regard vers la porte qui s'ouvrit brusquement.

– Luce, du nerf!

Il plongea les pieds dans l'évier et poussa un soupir rauque de contentement au moment même où Mlle McGovern entrait, tirant Henrietta par le bras. La gouvernante énumérait les plats du souper.

– Après les pruneaux au vin...

À l'autre extrémité de la cuisine, Luce murmura à Bill:

– Nous n'avons pas terminé cette conversation.

De ses pieds de pierre, la gargouille éclaboussa le tablier de la jeune fille.

– Un petit conseil: cesse de parler à ton ami invisible pendant que tu travailles. Les autres vont te prendre pour une folle.

– Je commence à me demander moi-même si ce n'est pas le cas, soupira Luce en se redressant.

Elle ne tirerait rien de plus de Bill, du moins pas tant que les autres seraient présents.

– Myrtle et vous devrez être au sommet, ce soir, lança Mlle McGovern à Henrietta en foudroyant Luce du regard.

Myrtle. C'était le prénom que Bill lui avait inventé dans ses lettres de référence.

– Bien, mademoiselle, répondit Luce.

– Bien, mademoiselle ! répondit Henrietta sans le moindre sarcasme.

Luce appréciait la jeune fille, en dépit de son manque d'hygiène évident.

Quand la gouvernante fut sortie en trombe de la cuisine, elles se retrouvèrent seules. Henrietta s'assit sur la table, à côté de Luce, en balançant ses pieds chaussés de bottines noires. Elle ignorait que Bill était présent, à imiter ses mouvements.

– Tu veux une prune ? proposa Henrietta en prenant deux fruits bien mûrs dans la poche de son tablier. Elle en tendit un à Luce.

Elles mordirent dans les fruits en souriant, tandis que le jus coulait sur leur menton.

– J'ai cru t'entendre parler, lança Henrietta, les sourcils arqués. Tu as un soupirant, Myrtle ? Ne me dis pas que c'est Harry, des écuries ! C'est un vaurien, celui-là !

La porte s'ouvrit de nouveau. Les deux jeunes filles sursautèrent et lâchèrent leurs prunes pour faire mine de frotter la vaisselle.

Luce s'attendait à voir Mlle McGovern, mais elle se figea en découvrant deux jeunes filles portant la même robe en soie blanche. Elles traversèrent la pièce crasseuse en riant.

L'une d'elles était Arriane.

L'autre était Annabelle. Luce mit un moment à la reconnaître. C'était la jeune fille aux cheveux roses qu'elle avait brièvement rencontrée lors de la journée des parents, à Sword & Cross, et qui s'était présentée comme étant la sœur d'Arriane.

Un genre de sœur.

Henrietta gardait la tête baissée, comme si cette course dans la cuisine était habituelle. Comme si elle risquait d'avoir des ennuis en remarquant la présence des deux jeunes filles. Celles-ci les ignorèrent totalement, elle et Luce. Les domestiques semblaient faire partie des meubles.

Arriane et Annabelle riaient trop fort. Lorsqu'elles frôlèrent le plan de travail, Arriane prit une poignée de farine sur la surface en marbre et la jeta au visage d'Annabelle.

Pendant une fraction de seconde, Annabelle parut furieuse. Puis elle éclata de rire et riposta en lançant de la farine sur Arriane.

Lorsqu'elles sortirent en trombe, elles riaient à gorge déployée. Elles se rendirent dans le petit jardin, qui menait au parc. Le soleil brillait. Daniel s'y trouvait peut-être. Luce brûlait d'envie de les suivre.

Luce ne parvenait pas à identifier ses sentiments : choc, embarras ? Étonnement, frustration ?

Sa confusion devait se lire sur son visage, car Henrietta l'observait d'un air étrange.

– Ce groupe-là est arrivé hier soir, lui expliqua-t-elle à voix basse. Des cousines de Londres venues pour la fête. (Elle se dirigea vers la table.) Elles ont failli ruiner ma tarte aux fraises, avec leurs bêtises. Oh, ce doit être bien, d'être riche ! On le sera peut-être, dans une prochaine vie. Pas vrai, Myrtle ?

– Oui..., bredouilla Luce.

– Bon, ben je vais mettre le couvert, annonça Henrietta en prenant une pile d'assiettes sous son bras dodu. Tu devrais faire munition de farine au cas où ces filles repassent par ici.

Elle lui adressa un clin d'œil et poussa la porte à l'aide de son généreux postérieur, avant de disparaître dans le couloir.

Quelqu'un apparut à sa place, un jeune homme noir en tenue de domestique, le visage dissimulé derrière une grande boîte de provisions qu'il posa sur une table, au fond de la cuisine.

En découvrant son visage, Luce sursauta.

– Roland !

En levant les yeux vers elle, il tiqua, puis se ressaisit. Lorsqu'il s'approcha d'elle, il désigna sa tenue.

– Pourquoi es-tu habillée ainsi ?

Luce tira sur le nœud de son tablier pour l'enlever.

– Je ne suis pas celle que tu crois.

Il la regarda fixement, tourna la tête à droite, puis à gauche.

– Dans ce cas, tu es le portrait craché d'une fille que je connais. Depuis quand les Biscoe s'abaissent-ils à s'échiner à l'office ?

– Les Biscoe ?

Roland eut l'air amusé.

– Ah, je comprends... Tu te fais passer pour quelqu'un d'autre. Tu te fais appeler comment ?

– Myrtle, répondit Luce d'un ton morose.

– Tu n'es donc pas la Lucinda Biscoe à qui j'ai servi une tarte aux coings, sur la terrasse, il y a deux jours ?

– Non.

Que dire, comment le convaincre ? Luce se tourna vers Bill pour obtenir de l'aide, mais il avait disparu. Bien sûr. En tant qu'ange déchu, Roland était en mesure de voir Bill.

– Que dirait le père de Mlle Biscoe s'il voyait sa fille ici, les mains dans l'eau sale ? demanda Roland avec un sourire. Quelle excellente plaisanterie !

– Roland, ce n'est pas une plai...

– Qu'est-ce que tu caches ?

Roland se tourna vers le jardin.

Un léger bourdonnement dans le placard révéla à Luce la cachette de Bill. Il semblait lui adresser une sorte de signal, mais elle n'avait aucune idée de ce dont il s'agissait. Bill lui intimait sans doute de se taire. Mais que pouvait-il faire ? Sortir et la bâillonner ?

Le front de Roland était emperlé de sueur.

– Sommes-nous seuls, Lucinda ?

– Absolument.

Il pencha la tête de côté et attendit.

– J'ai pourtant l'impression que non.

La seule autre présence dans la pièce était celle de Bill. Pourquoi Roland le ressentait-il alors qu'Arriane ne s'était rendu compte de rien ?

– Écoute, je ne suis vraiment pas celle que tu crois, répéta Luce. Je suis une Lucinda, mais je... Je viens du futur. C'est difficile à expliquer, en fait. Puis, prenant une profonde inspiration, elle ajouta :

– Je suis née à Thunderbolt, en Géorgie... En 1992.

– Ah, fit Roland, la gorge nouée. Eh bien...

Il ferma les yeux et se mit à parler très lentement.

– Et les étoiles sont tombées sur terre, dit-il, comme des figues qui chutent de l'arbre lors d'une tempête.

Ces paroles mystérieuses, Roland les énonça de toute son âme, comme s'il se rappelait une citation ou le vers d'une vieille chanson de blues. Le genre de chanson qu'elle l'avait entendu chanter au cours d'une soirée, à Sword & Cross. À cet instant, il ressemblait au Roland qu'elle connaissait déjà, comme s'il avait quitté un instant son personnage victorien.

Mais ses paroles cachaient autre chose. Luce les avait déjà entendues.

– Qu'est-ce que cela signifie ? demanda-t-elle.

Le placard bourdonna de plus belle.

– Rien.

Roland rouvrit les yeux et redevint normal. Il avait les mains calleuses et des biceps imposants. Ses vêtements trempés de sueur collaient à sa peau brune. Il semblait las. Luce fut submergée d'une étrange tristesse.

– Tu es domestique ici ? s'enquit-elle. Les autres... enfin, Arriane... court dans tous les sens, mais toi, tu dois travailler, n'est-ce pas ? Uniquement parce que tu es...

– Noir ? hasarda Roland en soutenant son regard jusqu'à ce qu'elle se détourne, gênée. Ne t'en fais pas pour moi, Lucinda. J'ai enduré pire que la folie mortelle. Mon heure viendra.

– Les choses s'arrangent, dit-elle, même si ses mots de soutien semblaient futiles et n'étaient pas forcément exacts. Les gens sont parfois cruels.

– Mieux vaut ne pas trop s'en soucier, tu ne crois pas ? déclara Roland avec un sourire. Au fait, qu'est-ce qui te ramène ici, Lucinda ? Daniel est au courant ? Et Cam ?

– Cam est là, lui aussi ?

Cette nouvelle n'aurait pourtant pas dû la surprendre.

– Si mes calculs sont bons, il vient de débarquer en ville.

Luce décida de ne pas y penser, dans l'immédiat.

– Daniel ne sait pas encore, admit-elle. Mais il faut que je le trouve, et Lucinda aussi. Il faut que je sache...

– Écoute, la coupa Roland en reculant, les mains en l'air, comme si elle était radioactive. Tu ne m'as pas vu, aujourd'hui. Nous n'avons jamais eu cette conversation. Autre chose : tu ne peux pas aller voir Daniel comme ça...

– Je sais, répondit-elle. Il va être dingue.

– Être dingue ? répéta Roland, étonné par cette expression étrange, au point que Luce faillit éclater de rire. Si tu veux dire qu'il risque de tomber amoureux de cette incarnation de toi... Alors oui, c'est vraiment dangereux. Tu es ici en visite.

– Très bien, je suis là en visite. Mais je peux au moins leur parler.

– Non. Tu ne fais pas partie de cette vie.

– Ce n'est pas ce que je recherche. Je veux juste savoir pourquoi...

– Ta présence ici est dangereuse : pour toi, pour eux, pour tout. Tu comprends ?

Non, Luce ne comprenait pas. En quoi pouvait-elle être dangereuse ?

– Je n'ai pas envie de rester ici. Je veux simplement savoir pourquoi cette malédiction pèse sur Daniel et moi, enfin, sur Lucinda et Daniel.

– C'est précisément ce que je voulais dire, déclara Roland en se passant une main sur le visage. Écoute-moi, reprit-il, d'un ton dur. Tu peux les observer à distance, mais n'oublie pas que tu n'as aucun droit, ici.

– Pourquoi ne dois-je donc pas leur parler ?

Il alla fermer la porte et actionna le verrou. Puis il se retourna, la mine grave.

– Il est possible que tu puisses intervenir sur le passé, et que ton action ait de réelles répercussions sur l'Histoire, sur ta propre histoire.

– Je ferai attention...

– Ce ne sera pas suffisant. L'amour est un domaine si fragile que tu n'auras aucun moyen de savoir ce que tu as brisé. Le moindre changement pourrait t'échapper. Et si tu as envie de briser une certaine malédiction...

Luce parut étonnée.

– Eh bien, bonne chance ! lança Roland dans un éclat de rire. Car même si tu réussis, tu ne le sauras pas, ma chère. Le moment précis où tu changes ton passé ? Cet évènement sera comme il a toujours été. Et tout ce qui en découlera sera comme toujours. Le temps a le don de faire le ménage, en ce qui te concerne aussi, alors tu ne verras pas la différence.

– Mais je le saurai forcément, répondit-elle, espérant se convaincre elle-même. Il est impossible que je ne remarque...

Roland secoua la tête.

– Non. Avant que tu puisses faire quoi que ce soit de bien, tu déformeras l'avenir en rendant ce Daniel-ci amoureux de toi au lieu de cette pimbêche de Lucinda Biscoe.

– Il faut que je la rencontre. Je dois saisir pourquoi ils s'aiment...

Roland secoua la tête.

– Je t'en prie, n'essaie pas d'interférer sur cette incarnation de toi, Lucinda. Daniel, au moins, est prévenu des dangers et il est capable de s'empêcher de modifier le temps de façon drastique. Mais Lucinda Biscoe, elle, ne sait rien.

– Personne ne sait jamais rien..., souffla Luce, la gorge nouée.

– Il ne reste pas beaucoup de temps à cette Lucinda. Laisse-la le partager avec Daniel et être heureuse. Si tu passes dans son monde et qu'un changement a des conséquences pour elle, cela pourrait aussi en avoir pour toi, aussi. Ce ne serait pas une bonne chose.

Roland lui parut moins sarcastique que Bill, mais Luce n'avait plus envie d'entendre un seul mot sur tout ce qu'elle ne devait pas faire. Si seulement elle pouvait s'entretenir avec cette Lucinda...

– Et si... Lucinda pouvait disposer d'un peu plus de temps ? demanda-t-elle. Et si...

– C'est impossible. Tu ne ferais qu'accélérer sa fin. Tu ne changeras rien en discutant avec elle. Cela sèmerait la zizanie dans tes vies passées ainsi que dans ton existence actuelle.

– Ma vie n'est pas en désordre. Et je peux arranger les choses. Il le faut.

– Cela reste à prouver... La vie de Lucinda Biscoe est terminée, mais ta fin n'est pas encore écrite.

Roland s'essuya les mains sur son pantalon.

– Sans doute pourrais-tu apporter des changements à ta vie, à ta grande histoire avec Daniel, mais tu n'en feras rien ici.

Luce fit la moue. Aussitôt, l'expression de Roland s'adoucit.

– Je suis content que tu sois là, dit-il.

– Tu l'es vraiment ?

– Personne d'autre ne te le dira, mais nous te cherchons tous. J'ignore ce qui t'amène ici, je me demande même comment tu as réussi à venir. Mais je préfère penser que c'est bon signe.

Il l'observa si intensément qu'elle se sentit ridicule.

– Tu es en train de te questionner, n'est-ce pas ?

– Je cherche simplement à comprendre, avoua Luce.

– Tant mieux.

En entendant un bruit de voix dans le couloir, Roland s'écarta de Luce et se dirigea vers la porte.

– À ce soir, lança-t-il en prenant discrètement congé.

Dès que Roland eut disparu, le placard s'ouvrit et heurta la jambe de la jeune femme. Bill surgit et respira profondément comme s'il avait retenu son souffle pendant tout ce temps.

– J'ai bien envie de t'étrangler ! avoua-t-il en hoquetant.

– Je ne vois pas pourquoi tu es hors d'haleine. Tu ne respires même pas...

– C'est pour faire de l'effet. Quand je pense aux efforts que je déploie pour assurer ta couverture... et dès que l'occasion se présente, tu racontes tout au premier venu !

Luce leva les yeux au ciel.

– Roland ne risque pas de faire toute une histoire parce qu'il m'a vue. Il est très cool.

– C'est ça, il est cool ! railla Bill. Il est futé, aussi. S'il est tellement génial, pourquoi ne t'a-t-il pas informée de ce que je sais sur le fait de garder ses distances avec son passé ? Sur...

Il marqua une pause et écarquilla les yeux.

– Sur le fait d'être à l'intérieur.

La jeune fille se pencha vers lui.

– Qu'est-ce que tu racontes ?

Bill croisa les bras et agita sa langue de pierre.

– Je ne te le dirai pas !

– Bill ! implora Luce.

– Pas encore, en tout cas. Voyons d'abord comment tu t'en sors, ce soir.

En fin de journée, Luce marqua enfin une pause, la première depuis son arrivée. Juste avant le souper,

Mlle McGovern annonça à toute la cuisine qu'elle avait besoin d'aide pour la réception. Luce et Henrietta, qui étaient les deux plus jeunes, et les plus désireuses d'assister aux festivités, se portèrent volontaires.

– Bien, bien, fit Mlle McGovern en notant le nom des deux jeunes filles.

Elle s'attarda sur les cheveux gras de Henrietta.

– À condition que vous preniez un bain. Vous empestez l'oignon, toutes les deux.

– Bien, mademoiselle, répondirent-elles en chœur.

Toutefois, dès que la gouvernante eut disparu, Henrietta se tourna vers Luce.

– Prendre un bain avant cette réception ? Et risquer d'être en retard ? Elle est folle !

Luce éclata de rire. Pour sa part, elle était trop heureuse de remplir le baquet, dans le cellier. L'eau était tiède, mais les sels lui firent un bien fou. Elle se réjouissait à la perspective de rencontrer enfin Lucinda. Croiserait-elle également Daniel ? Elle emprunta ensuite une tenue de domestique propre à Henrietta. À vingt heures, les premiers invités commencèrent à franchir la grille nord du domaine et à remonter l'allée.

En observant le défilé de voitures éclairées de lanternes depuis une fenêtre du vestibule, Luce frémit. La maisonnée était en pleine effervescence. Partout, les domestiques s'affairaient, mais la jeune fille demeurait immobile. Elle le sentait au plus profond d'elle-même : Daniel était là, tout proche.

Le manoir était superbe. Le jour de son arrivée, Mlle McGovern lui avait fait visiter rapidement les lieux, qui étaient méconnaissables, brillants ainsi de mille feux. Elle avait l'impression d'évoluer dans un décor de cinéma hollywoodien. D'énormes bouquets de lys bordaient l'entrée. Des sièges en velours étaient disposés contre le mur tapissé d'un papier fleuri.

Les invités franchirent le seuil par deux ou trois, des plus âgés, comme Mme Constance, aux plus jeunes, comme Luce. Le regard pétillant, drapées dans leurs capes blanches, les dames recevaient les hommages de messieurs en habit. Des laquais déambulaient parmi les convives pour leur offrir des coupes de champagne.

Luce trouva Henrietta à l'entrée de la salle de bal, qui bruissait de mille froufrous : des robes aux couleurs chatoyantes, du tulle, de la soie, de l'organdi. Les plus jeunes filles portaient de jolis bouquets qui embaumaient toute la maison.

La tâche de Henrietta était de prendre les châles et réticules des invitées. Luce était chargée de distribuer des carnets de bal très raffinés, brodés du blason des Constance. La liste des morceaux joués par l'orchestre était inscrite à l'intérieur.

– Où sont les hommes ? murmura Luce à Henrietta.

– Je te reconnais bien là ! pouffa la jeune fille. Au fumoir, bien sûr !

Elle désigna de la tête un couloir, dans l'ombre.

– Espérons qu'ils seront assez intelligents pour y rester jusqu'à ce que le souper soit servi ! Qui a envie de les entendre rabâcher leurs histoires sur cette guerre, en Crimée ? Pas ces dames. Ni moi. Et toi non plus, Myrtle.

Soudain, Henrietta haussa les sourcils et regarda en direction d'une porte-fenêtre.

– Oh, j'ai parlé trop vite... On dirait que l'un d'eux s'est échappé.

Luce se retourna. Un homme seul se tenait parmi toutes ces femmes. Il tournait le dos aux deux jeunes filles, ne révélant qu'une crinière noir de jais et une veste à queue de pie. Il s'entretenait avec une femme blonde vêtue d'une robe rose pâle. Ses boucles d'oreilles en diamant scintillèrent quand elle tourna la tête et croisa le regard de Luce.

Gabbe.

L'ange superbe parut interloqué, comme si Luce était une apparition. Puis elle adressa un signe imperceptible à l'homme à qui elle parlait. Avant même qu'il ne fasse volte-face, Luce reconnut son profil altier.

Cam.

Troublée, elle lâcha ses carnets de bal. Aussitôt, elle se baissa maladroitement pour les ramasser. Puis elle les confia à Henrietta avant de s'enfuir.

– Myrtle ! lança sa collègue.

– Je reviens tout de suite, répondit-elle en gravissant les marches du grand escalier.

Mlle McGovern la congédierait en apprenant qu'elle avait abandonné son poste, mais c'était le cadet de ses soucis. Luce n'était pas disposée à affronter Gabbe alors qu'elle avait besoin de trouver Lucinda.

Et elle ne voulait pas se trouver en présence de Cam, que ce soit dans sa propre vie ou dans une autre. Elle frémit en se rappelant cette flèche qu'il avait décochée dans sa direction, le soir où les Bannis avaient voulu emporter son reflet vers le ciel.

Si seulement Daniel était là...

Or il était absent. Luce ne pouvait qu'espérer qu'il l'attende, pas trop fâché, quand elle aurait décidé de ce qu'elle ferait et retournerait dans le présent.

Au sommet de l'escalier, Luce se rua dans la première pièce qu'elle trouva, referma la porte et s'y adossa pour reprendre son souffle.

Elle était seule dans un grand salon, une pièce somptueuse, meublée d'un divan couleur ivoire et de fauteuils en cuir disposés autour d'un clavecin. Des rideaux d'un rouge profond encadraient les trois grandes fenêtres du mur ouest. Dans la cheminée crépitait une flambée.

Luce découvrit un mur entier couvert de rayonnages chargés de livres reliés en cuir. Il y avait même une échelle montée sur roulettes qui permettait d'atteindre les volumes des rangées supérieures.

Luce fut soudain attirée par un chevalet posé dans un coin. C'était la première fois qu'elle montait à l'étage du manoir des Constance, et pourtant... Un seul pas sur le tapis persan suffit à raviver un souvenir. Elle eut l'impression d'avoir déjà vécu cette scène.

Daniel. Luce pensa à la conversation qu'il avait eue avec Margaret, dans le jardin. Ils avaient parlé de sa peinture. Il vivait de la vente de ses toiles. Le chevalet... Ce devait être son atelier.

Elle s'approcha pour voir ce qu'il était en train de peindre.

Au dernier moment, trois voix aiguës derrière la porte firent sursauter la jeune fille.

Luce se figea en voyant la poignée s'actionner. Elle n'avait pas le choix: elle se glissa derrière le rideau de velours.

Il y eut un bruissement de taffetas, puis une porte claqua. Quelqu'un retint son souffle. Puis Luce entendit des gloussements. Elle posa une main sur sa bouche et se pencha légèrement pour jeter un coup d'œil derrière le rideau.

La Lucinda de Helston se tenait à quelques mètres d'elle, vêtue d'une superbe robe blanche ourlée de soie, dont le dos révélait un corset. Ses cheveux bruns étaient relevés sur sa tête, formant un chignon de boucles soyeuses. Son collier de diamants scintillait sur sa peau pâle. Elle était d'une beauté et d'une noblesse à couper le souffle.

Cette incarnation d'elle-même était la personne la plus élégante que Luce eût jamais vue.

– Tu es radieuse, ce soir, Lucinda, déclara une voix douce.

– Thomas est revenu te voir? demanda une autre, taquine.

Luce reconnut Margaret, la fille aînée des Constance, celle qui se promenait avec Daniel, dans le parc. L'autre jeune fille était une réplique plus jeune de Margaret, sans doute sa sœur cadette. Elle devait avoir l'âge de Lucinda, et elle la taquinait comme une amie proche.

Elle ne mentait pas: Lucinda était radieuse.

Lucinda s'écroula sur le divan ivoire et poussa un soupir spectaculaire qui cherchait à attirer l'attention sur elle. Luce comprit que Bill avait vu juste: elle n'avait rien de commun avec cette vie passée.

– Thomas ? fit Lucinda en plissant le nez. Mais enfin, le père de Thomas n'est qu'un vulgaire bûcheron...

– Pas du tout ! s'écria la jeune sœur. C'est un bûcheron qui n'a rien de vulgaire. Il est riche !

– Tout de même, Amelia, fit Lucinda en déployant le bas de sa robe sur ses chevilles. Il fait presque partie de la classe laborieuse.

Margaret se percha sur le bord du divan.

– Tu n'avais pas une aussi mauvaise opinion de lui, la semaine dernière, quand il t'a rapporté cette capeline de Londres.

– Eh bien, les choses évoluent. Et j'apprécie les belles capelines. (Lucinda fronça les sourcils.) Mais cela ne m'empêchera pas de demander à mon père qu'il lui interdise de me rendre visite.

Aussitôt, le froncement de sourcils fit place à un sourire rêveur et elle se mit à chantonner. Les autres l'observèrent, incrédules, tandis qu'elle caressait la dentelle de son châle en regardant par la fenêtre. Luce se cachait à quelques centimètres de là.

– À quoi pense-t-elle ? murmura Amelia à sa sœur.

– À qui, plutôt ! railla Margaret.

Lucinda se leva pour s'approcher de la fenêtre. Luce se cacha de son mieux. Elle avait très chaud, soudain. Lucinda Biscoe chantonnait tout près d'elle. Puis un bruit de pas se fit entendre : Lucinda s'éloigna, sans un mot.

Luce hasarda un nouveau coup d'œil. Lucinda se tenait devant le chevalet, comme fascinée.

– Qu'est-ce que c'est ? s'enquit-elle en montrant la toile à ses amies.

Luce ne la voyait pas clairement, mais elle semblait assez banale, un thème floral, apparemment.

– C'est l'œuvre de M. Grigori, expliqua Margaret. Ses croquis étaient si prometteurs, quand il est arrivé ici. Je crains qu'il ne lui soit arrivé quelque chose. Depuis trois jours, il ne représente que des pivoines. (Elle haussa les épaules.) Les artistes sont des gens bizarres.

– Oh, lui est séduisant, Lucinda ! intervint Amelia en la prenant par le bras. Il faut absolument que nous te présentions M. Grigori, ce soir. Il a de si beaux cheveux blonds ! Quant à ses yeux !...

– Si Lucinda estime que Thomas Kennington et son argent ne sont pas dignes d'elle, je doute qu'un simple peintre soit à la hauteur.

Le ton de Margaret suggérait qu'elle avait le béguin pour Daniel.

– J'aimerais beaucoup le connaître, déclara Lucinda qui se remit à chantonner.

Luce retint son souffle. Lucinda n'avait donc pas encore rencontré Daniel ? Comment était-ce possible, alors qu'elle était manifestement amoureuse ?

– Allons-y, proposa Amelia en entraînant Lucinda par la main. Nous sommes en train de manquer toute la fête avec nos bavardages.

Luce devait agir. D'après Bill et Roland, il était impossible de sauver sa vie passée. Il était même trop dangereux de s'y risquer. Et même si elle y parvenait, le cycle des Lucinda qui avaient vécu après celle-ci serait modifié. Luce elle-même changerait, ou elle disparaîtrait.

Mais il existait peut-être un moyen de mettre Lucinda en garde, pour éviter qu'elle ne s'engage dans cette relation aveuglée par l'amour. Pour qu'elle ne meure pas à cause d'un châtiment ancien sans même comprendre ce qui lui arrivait. Les jeunes filles avaient presque quitté la pièce quand Luce osa émerger de sa cachette.

– Lucinda !

La jeune fille fit volte-face ; elle resta perplexe en découvrant la tenue de domestique de Luce.

– Nous auriez-vous espionnées ?

Elle n'eut pas l'air de la reconnaître. C'était étrange : Roland n'avait pas confondu Luce avec Lucinda, dans la cuisine. Or Lucinda ne semblait déceler aucune ressemblance frappante. Que voyait Roland en elle, qui échappait à cette fille ? Luce respira profondément et se força à poursuivre, l'air mal assuré.

– Non... je ne vous ai pas espionnées, bredouilla-t-elle. Il faut que je vous parle.

Lucinda pouffa et se tourna vers ses deux amies.

– Plaît-il ?

– N'êtes-vous pas celle qui distribue les carnets de bal ? lui demanda Margaret. Mère ne sera pas contente d'apprendre que vous négligez votre travail. Quel est votre nom ?

– Lucinda, répondit Luce en s'approchant. Il s'agit du peintre, M. Grigori.

Lucinda croisa son regard et quelque chose se passa. Luce ne put détourner le sien.

– Allez-y sans moi, ordonna-t-elle à ses amies. Je vous rejoins dans un instant.

Les deux jeunes filles échangèrent un regard perplexe. Il était manifeste que Lucinda était la meneuse du groupe. Les deux sœurs s'éclipsèrent sans un mot.

Luce referma la porte du salon.

– Qu'y a-t-il de si important ? s'enquit aussitôt Lucinda, qui ne put réprimer un sourire. Vous a-t-il interrogée à mon propos ?

– Ne vous engagez pas avec lui, répondit vivement Luce. Si vous le rencontrez ce soir, vous le trouverez très séduisant. Vous serez tentée de tomber amoureuse de lui. N'en faites rien !

Luce s'en voulait de parler de Daniel en ces termes peu flatteurs, mais c'était le seul moyen de sauver Lucinda.

Celle-ci pouffa et tourna les talons.

– J'ai connu une fille qui venait du... Derbyshire, poursuivit Luce. Elle m'a raconté un tas d'histoires sur lui et sa réputation. Il a brisé bien des cœurs, vous savez. Il a même anéanti ces jeunes filles.

Les lèvres purpurines de Lucinda laissèrent échapper un son étonné.

– Comment osez-vous vous adresser à une dame en ces termes ? Pour qui vous prenez-vous ? Le fait qu'un peintre me plaise ou non ne vous regarde en rien. (Elle pointa un index vers Luce.) Seriez-vous amoureuse de lui, vous aussi, espèce de petite garce égoïste ?

– Non ! s'exclama Luce avec un mouvement de recul, comme si elle venait de recevoir une gifle.

Bill l'avait prévenue que Lucinda était différente, mais elle ne pouvait se réduire à cette facette déplaisante de sa personnalité. Sinon, pourquoi Daniel l'aimerait-il ? Comment pouvait-elle faire partie de l'âme de Luce ?

Elles devaient être liées par autre chose.

Lucinda était penchée sur le clavecin et griffonnait quelques mots sur un bout de papier. Elle se redressa, puis le plia en deux, avant de le glisser dans la main de Luce.

– Je ne rapporterai pas votre impudence à Mme Constance, dit-elle en la toisant avec mépris. À condition que vous remettiez ce message à M. Grigori. Ne manquez pas cette chance de sauver votre emploi.

Une seconde plus tard, elle n'était plus qu'une silhouette blanche dans le couloir, qui s'en allait rejoindre les autres convives.

Luce prit connaissance du texte.

Cher monsieur Grigori,

Depuis notre rencontre chez la couturière, l'autre jour, je ne puis vous chasser de mon esprit. Voulez-vous me rejoindre sous le kiosque du parc, ce soir, à neuf heures ? Je vous y attendrai.

Bien à vous,

Lucinda Biscoe

Luce déchira la lettre en mille morceaux qu'elle jeta dans la cheminée. Si elle ne remettait pas ce message à

Daniel, Lucinda se retrouverait toute seule sous le kiosque. Luce pourrait l'y rejoindre et la mettre de nouveau en garde.

Elle se précipita dans le couloir, puis en direction de l'escalier de service menant aux cuisines. Elle croisa les cuisiniers, les pâtissiers et Henrietta.

– Tu nous as mises dans un sacré pétrin, Myrtle ! s'exclama la jeune fille, mais Luce était déjà sortie.

Dans l'air frais et sec, elle courut vers le kiosque. Il était presque neuf heures et le soleil se couchait sur le bosquet du parc. La jeune fille longea l'allée baignée d'une lumière rose. Elle huma le parfum de la roseraie, puis passa devant le labyrinthe végétal.

Elle posa les yeux sur l'endroit où elle avait émergé de l'Annonciateur, puis foula l'allée vers le kiosque désert. Elle venait de s'arrêter quand quelqu'un la saisit par le bras.

Elle fit volte-face.

Et se trouva nez à nez avec Daniel.

Une brise légère faisait voler ses cheveux blonds sur son front. Dans son costume noir, avec sa montre à gousset et une petite pivoine blanche à sa boutonnière, Daniel était encore plus beau que dans ses souvenirs. À la lueur du crépuscule, il avait le teint radieux. Un sourire flottait au coin de ses lèvres. Dès qu'il les posa sur Luce, ses yeux se teintèrent de violet.

La jeune fille ne put réprimer un soupir. Elle brûlait de s'approcher pour lui tendre sa bouche, de le prendre dans ses bras, et de sentir ses ailes, derrière ses épaules. Elle avait envie d'oublier ce qu'elle était venue faire en ce lieu, pour se laisser aller contre lui. Il n'y avait pas de mots pour exprimer combien il lui avait manqué.

Non. Il s'agissait de Lucinda.

Et Daniel, son Daniel à elle, était bien loin, pour l'heure. Difficile d'imaginer ce qu'il faisait ou pensait. Il était encore plus dur de songer à leurs retrouvailles à l'issue de tout cela. Mais n'était-ce pas là l'objet de sa quête ? En apprendre suffisamment sur son passé pour pouvoir être avec Daniel, dans le présent ?

– Tu n'es pas censé être là, dit-elle au Daniel de Helston.

Car il ne pouvait pas savoir que Lucinda Biscoe voulait le rencontrer en ce lieu. Or, il était là. C'était comme si rien ne pouvait s'interposer entre eux. Ils étaient voués à se retrouver, quoi qu'il arrive.

Le rire de Daniel était celui auquel Luce était habituée, celui qu'elle avait entendu pour la première fois à Sword & Cross, quand il l'avait embrassée. Ce rire qu'elle adorait. Mais ce Daniel-ci ne la connaissait pas vraiment. Il ignorait qui elle était, d'où elle venait et ce qu'elle essayait de faire.

– Vous non plus, répondit-il en souriant. Nous devrions être au bal, à l'intérieur. Et plus tard, quand nous nous connaîtrons un peu, nous ferons une promenade au clair de lune. Mais le soleil n'est pas encore tout à fait couché. Ce qui signifie qu'il va falloir danser encore un bon moment. (Il tendit la main.) Je m'appelle Daniel Grigori.

Il n'avait même pas remarqué qu'elle avait une tenue de domestique, ni qu'elle ne se comportait pas comme une jeune Anglaise de bonne famille. Il venait de poser les yeux sur elle, mais, comme Lucinda, il était déjà aveuglé par l'amour.

Cette scène donnait un nouvel et étrange éclairage à leur relation, certes merveilleuse, mais marquée par une tragique confusion. Était-ce bien Lucinda qu'aimait Daniel, ou l'inverse ? Ou s'agissait-il d'un cycle infernal dont ils ne pouvaient sortir ?

– Ce n'est pas moi, dit tristement Luce.

Il lui prit les mains. Elle se détendit un peu.

– Bien sûr que si, répondit-il. C'est toujours toi.

– Non, persista Luce. Ce n'est pas juste envers elle. Tu es vraiment injuste. De plus, elle est méchante.

– De qui parles-tu donc ?

Il semblait se demander s'il devait la prendre au sérieux ou en rire.

Du coin de l'œil, Luce aperçut une silhouette blanche se diriger vers eux, depuis l'arrière du manoir.

Lucinda.

Elle venait à la rencontre de Daniel. Elle était en avance sur l'heure qu'elle avait notée dans son message.

Le cœur de Luce s'emballa. Il ne fallait pas que Lucinda le voie ici. Pourtant, elle ne pouvait quitter Daniel si vite.

– Pourquoi l'aimes-tu ? demanda Luce presque malgré elle. Qu'est-ce qui te rend amoureux d'elle, Daniel ?

La main qu'il posa sur son épaule lui procura une sensation merveilleuse.

– Doucement, répondit-il. Nous venons de nous rencontrer, mais je te promets que je n'aime que...

– Hé, vous ! La domestique !

Lucinda les avait repérés. À en juger par le ton de sa voix, elle était furieuse. Elle hâta le pas vers le kiosque, maudissant l'humidité de la pelouse.

– Qu'avez-vous fait de ma lettre ? demanda-t-elle à Luce.

– Cette fille..., bredouilla-t-elle à l'adresse de Daniel. C'est moi, en un sens. Je suis elle. Tu nous aimes toutes les deux, et il faut que je comprenne...

Daniel observa Lucinda, celle qu'il avait aimée, qu'il aimerait dans cette vie. Il distinguait clairement son visage, à présent. Alors il se rendit compte qu'il y avait deux Lucinda.

Il regarda Luce et se rendit compte que la main posée sur son épaule tremblait.

– L'autre, c'est toi. Qu'as-tu donc fait ? Comment as-tu réalisé cela ?

– Vous, là-bas ! cria Lucinda, déconfite en voyant que Daniel tenait Luce. Je m'en doutais ! s'exclama-t-elle en se hâtant. Écartez-vous de lui, espèce de traînée !

Luce commençait à céder à la panique. Elle n'avait d'autre solution que de s'enfuir. Mais juste avant de partir, elle effleura la joue de Daniel.

– Est-ce l'amour ou bien simplement une malédiction qui nous réunit ?

– C'est l'amour, souffla-t-il. Tu ne le sais donc pas ?

Elle s'écarta de lui, prit ses jambes à son cou pour traverser la pelouse et s'enfonça dans le bosquet de bouleaux, vers les hautes herbes par où elle était arrivée. En trébuchant, elle tomba face contre terre. Elle avait mal partout, et elle était folle de rage. Contre Lucinda, à cause de sa méchanceté, et contre Daniel pour sa façon de tomber amoureux sans réfléchir. Elle se reprochait aussi sa propre impuissance à modifier la situation. Lucinda allait mourir en dépit de son intervention. Luce se mit à marteler le sol de ses poings en gémissant de frustration.

– Allons, allons, fit une voix tandis qu'une main de pierre lui tapotait le dos.

Luce la repoussa.

– Fiche-moi la paix, Bill !

– Tu as fait un gros effort. Tu es vraiment allée au front, cette fois. Hélas... (Bill haussa les épaules.) C'est terminé, maintenant.

Luce se redressa et le fusilla du regard. Son air satisfait lui donna envie de revenir sur ses pas pour dire à Lucinda qui elle était en réalité, lui révéler ce qui l'attendait dans peu de temps.

– Non, dit-elle en se levant. Ce n'est pas terminé.

Bill la repoussa à terre avec une force incroyable pour une si petite créature.

– Si, c'est fini. Monte vite dans l'Annonciateur.

Luce se tourna vers l'endroit que lui désignait Bill. Elle n'avait même pas remarqué la porte noire qui planait juste devant elle. Son odeur de moisi la rendit malade.

– Non.

– Si, insista Bill.

– C'est toi qui m'as dit de ralentir, il me semble.

– Écoute, je vais te fournir une explication de texte : dans cette vie, tu es une garce et Daniel s'en moque ! Il te courtise pendant quelques semaines, il t'offre des fleurs.

Un gros bisou et hop ! Tu comprends ? Il n'y a pas grand-chose à voir.

– Tu ne saisis pas.

– Quoi ? Que les gens de l'époque victorienne sont complètement coincés et ennuyeux au possible ? Si tu as l'intention d'errer dans ton passé, fais au moins en sorte que ce soit agréable. Allons vers les endroits qui en valent la peine.

Luce ne broncha pas.

– Existe-t-il un moyen de te faire disparaître ? s'enquit-elle.

– Dois-je te faire entrer de force dans l'Annonciateur comme un chat dans une cage ? En avant !

– J'ai besoin de constater qu'il m'aime moi, et non l'idée qu'il se fait de moi à cause d'une satanée malédiction à laquelle il est lié. J'ai besoin de sentir qu'il y a quelque chose de plus fort entre nous, quelque chose de réel !

Bill s'assit à son côté dans l'herbe. Puis il parut changer d'avis et se hissa sur ses genoux. D'abord, elle voulut le chasser, comme les moustiques qui volaient autour de sa tête, mais lorsqu'il leva les yeux vers elle, elle comprit qu'il était sincère.

– Mon enfant, l'amour vrai que Daniel éprouve pour toi ne doit pas t'inquiéter. Tu es son âme sœur, bon sang ! Vous êtes faits l'un pour l'autre. Inutile de rester ici pour en avoir la certitude. C'est vrai dans toutes vos vies.

– Comment ?

– Tu veux voir le véritable amour ?

Elle opina de la tête.

– Alors viens.

Il l'entraîna vers l'Annonciateur qui planait devant eux et prenait l'apparence du rabat d'une tente. Bill s'envola, forma un loquet invisible de son index et tira. L'Annonciateur s'ajusta avant de former un pont vers un tunnel obscur.

Luce se tourna vers Daniel et Lucinda, mais ne les vit pas. Ils n'étaient que des silhouettes floues collées l'une à l'autre.

Bill fit un geste de sa main libre en direction de l'Annonciateur.

– Entre !

VIII

VU DES AILES

Helston, Angleterre, 26 juillet 1854

Lorsqu'il s'éveilla, sur cette plage isolée de Cornouailles, Daniel avait les vêtements délavés par le soleil et la joue pleine de sable. Cela pouvait faire une journée, une semaine, un mois qu'il vagabondait, seul. Peu importait le temps ; il l'avait passé à se punir de son erreur.

Rencontrer Lucinda chez cette couturière avait été une erreur grave qui consumait son âme chaque fois qu'il y pensait.

Or, il ne cessait d'y penser.

Ses lèvres délicieuses qui s'arrondissaient en disant: «Je crois vous connaître. Je vous en prie. Attendez.»

Si adorable, si audacieuse...

Pourquoi cette conversation n'avait-elle pas été insignifiante? Un échange furtif dans le cadre de sa cour? Cela aurait pris moins d'importance. Mais une première rencontre! Il avait fallu que Lucinda Biscoe le remarque en premier, lui, le mauvais Daniel. Il aurait pu tout mettre en péril, déformer l'avenir à tel point que Luce aurait pu être morte ou méconnaissable...

Mais non: si tel était le cas, il ne se serait pas souvenu de sa Luce. Le temps aurait pris un autre tour et il n'aurait aucun regret parce que sa Luce serait différente.

Ce Daniel-là avait dû réagir à Lucinda Biscoe d'une façon qui réparait l'erreur de Daniel. Il ne se souvenait pas vraiment comment tout avait commencé. Seule la fin était restée gravée dans sa mémoire. Mais il avait décidé qu'il ne s'approcherait pas de sa version passée pour la mettre en garde, de peur de croiser Lucinda de nouveau et de lui faire du mal. Il ne pouvait que se retirer et attendre.

Habitué à l'éternité, il venait de vivre l'enfer...

Daniel perdit toute notion du temps. Il laissa dériver son esprit au son de l'océan qui balayait la côte.

Il pouvait facilement mettre un terme à sa quête en entrant dans un Annonciateur et en pourchassant Luce vers sa prochaine destination. Pour une raison inconnue, toutefois, il s'attarda à Helston en attendant que la vie de Lucinda Biscoe y prenne fin.

En se réveillant, ce soir-là, il vit le ciel parsemé de nuages pourpres. C'était le milieu de l'été. Le soir de la mort de Lucinda. Il ôta le sable de sa joue et ressentit une étrange sensibilité dans ses ailes cachées. Son cœur battait à tout rompre.

Le moment était venu.

La mort de Lucinda se produirait après la nuit tombée.

L'incarnation de Daniel serait seule dans le salon des Constance, en train de dessiner Lucinda Biscoe une dernière fois. Ses bagages seraient près de la porte, avec peu d'effets à l'intérieur: sa trousse en cuir, ses fusains, quelques carnets à croquis, son livre sur les Observateurs, une paire de chaussures de rechange. Il avait vraiment l'intention de partir le lendemain matin. Quel mensonge...

Dans les moments précédant les morts de Lucinda, Daniel se montrait rarement honnête envers lui-même. L'amour le plongeait dans la confusion. Chaque fois, il se mentait, s'enivrait de sa présence et perdait le fil de ce qui allait arriver.

Il se rappelait particulièrement bien comment tout s'était terminé dans cette vie à Helston: il avait nié qu'elle devait mourir jusqu'au moment où il l'avait plaquée contre le rideau de velours rubis pour l'embrasser follement.

Il avait alors maudit le destin. C'était un spectacle horrible. Sa souffrance était intacte comme si on venait de lui marquer la peau au fer rouge.

En attendant que le soleil soit couché, il demeura seul au bord de l'eau. Les vagues venaient mourir sur ses pieds nus. Il ferma les yeux et tendit les bras pour permettre à ses ailes de surgir. Elles ondulèrent bientôt derrière lui, sous l'effet du vent, lui procurant une sensation de légèreté et de sérénité, mais lui donnant une allure féroce et imposante. Parfois, quand il était inconsolable, Daniel se refusait à déployer ses ailes. C'était une punition qu'il s'infligeait. Le soulagement profond, cette incroyable liberté presque palpable qui le submergeaient chaque fois que ses ailes s'ouvraient, semblaient artificiels comme une drogue. Mais ce soir-là, il s'offrit ce luxe.

Il se mit à genoux dans le sable et s'envola.

À un mètre au-dessus de l'eau, il vira brutalement pour tourner le dos à l'océan, les ailes tendues sous son corps, tel un superbe radeau.

Il frôla ensuite la surface, étirant ses muscles à chaque battement, glissant sur les vagues jusqu'à ce que l'eau passe du turquoise au bleu glacier. Alors il plongea. Ses ailes formèrent dans l'eau froide un sillage violet qui l'encercla.

Daniel adorait nager. La fraîcheur, les courants imprévisibles, l'harmonie de l'océan et de la lune... C'était l'un des rares plaisirs terrestres qu'il comprenne vraiment. Ce qu'il appréciait par-dessus tout, c'était nager en compagnie de Lucinda.

À chaque mouvement, Daniel s'imaginait que la jeune fille était présente, qu'elle fendait les vagues avec grâce, comme tant de fois auparavant, radieuse dans la lueur chaude et chatoyante.

Quand la lune luisit, haute dans le ciel sombre, Daniel se trouvait au large de Reykjavík. Il émergea enfin, battant des ailes avec une puissance qui chassa le froid.

Le vent violent le sécha en quelques secondes, tandis qu'il s'élevait dans les airs. Il traversa plusieurs couches de gros nuages gris, puis se retourna et progressa dans les cieux étoilés.

Ses ailes s'agitaient en toute liberté, mues par l'amour, la terreur, la pensée de Luce, tandis que les eaux, en contrebas, brillaient comme des diamants. Il accéléra vivement en survolant les îles Féroé, puis la mer d'Irlande. Il longea ensuite le canal Saint-Georges pour se retrouver à Helston.

Il était tellement contre nature de regarder la fille qu'il aimait apparaître et mourir aussitôt !

Mais Daniel devait garder confiance et voir au-delà de la souffrance. Il fallait qu'il attende avec impatience toutes les Lucinda qui viendraient à la suite de ce sacrifice, et celle qu'il poursuivait, la Luce ultime, qui mettrait fin au cycle maudit.

La mort de Lucinda, ce soir-là, était le seul véritable moyen pour qu'ils soient vainqueurs, la seule chance dont ils disposaient.

Quand il atteignit le domaine des Constance, la demeure était plongée dans l'obscurité. L'air était chaud et lourd.

Il plaqua ses ailes contre son corps pour ralentir sa descente sur la limite sud de la propriété. Il distinguait le toit blanc du kiosque et avait une vue générale du parc, l'allée de gravier qu'elle devait avoir empruntée, quelques instants plus tôt, quittant discrètement la maison de son père pendant que tout le monde dormait. Sa chemise de nuit était dissimulée sous une longue cape noire. Dans sa hâte de le rejoindre, elle avait oublié toute convenance.

Daniel aperçut le salon éclairé par une unique chandelle qui l'avait attirée vers lui. Les rideaux étaient légèrement écartés, de sorte que Daniel pouvait regarder à l'intérieur sans être vu.

Il s'approcha de la fenêtre du salon, à l'étage, et plana à l'extérieur tel un espion.

Était-elle au moins là ? Il prit une profonde inspiration, puis déploya de nouveau ses ailes et posa le visage contre la vitre.

Dans un coin, Daniel dessinait furieusement dans son carnet à esquisses. Cette incarnation de lui-même semblait épuisée, malheureuse. Il se rappelait précisément ce sentiment : voir les minutes s'égrener sur la pendule, s'attendre à ce que Lucinda surgisse à tout moment... Et son étonnement, quand elle s'était faufilée derrière lui, en silence, comme si elle était cachée derrière le rideau...

Il fut tout aussi surpris de la voir à l'œuvre, cette fois encore.

Sa beauté dépassait ses attentes les plus folles, ce soir-là. Elle avait les joues rosies par cet amour qui la submergeait et qu'elle ne comprenait pas. Ses cheveux noirs s'échappaient de sa longue tresse soyeuse. Sa chemise de nuit, fluide et légère, semblait flotter sur sa peau parfaite...

À cet instant, le Daniel d'autrefois se leva et fit volte-face. En découvrant le spectacle qui s'offrait à lui, il afficha une expression manifestement peinée.

Si seulement Daniel avait pu faire quelque chose pour l'aider à supporter cette épreuve ! Mais il ne pouvait que lire sur ses lèvres.

Qu'est-ce que tu fais là ?

Luce s'approcha encore, les joues empourprées. Tous deux semblaient attirés l'un vers l'autre comme des aimants, par une force qui les dépassait. Puis ils s'écartèrent aussitôt.

À l'agonie, Daniel planait à l'extérieur.

Ce spectacle était une véritable tragédie, mais il fallait qu'il le supporte.

Daniel et Lucinda tendirent la main l'un vers l'autre, d'abord hésitants, jusqu'au moment où leurs peaux entrèrent en contact. Ils cédèrent alors à une passion débridée. Ils ne s'embrassaient même pas, ils se contentaient de parler. Mais leurs lèvres se frôlaient, leurs âmes se touchaient presque, un halo brûlant, pur se forma autour d'eux sans qu'ils s'en rendent compte.

Daniel n'avait jamais assisté à cette scène de l'extérieur.

Que cherchait donc sa Luce ? Une preuve irréfutable de la sincérité de leur amour ? Pour Daniel, cet amour faisait partie de lui, de son identité. Il devait hélas en être autrement pour elle, qui n'avait pas accès à la splendeur de leur amour, uniquement à sa fin brûlante.

Chaque instant serait une totale révélation.

Il plaqua la joue contre la vitre et soupira. Dans le salon, Daniel commençait à succomber, à perdre la pseudo-détermination derrière laquelle il se cachait depuis le départ. Ses bagages étaient prêts, certes, mais c'était Lucinda qui devait partir...

Il prit la jeune fille dans ses bras. À l'intérieur, bien que la fenêtre fût fermée, Daniel sentait le parfum entêtant de sa peau. Il s'enviait, car il l'embrassait dans le cou en lui caressant le dos. Son désir était si intense qu'il aurait pu briser ce carreau s'il ne s'était pas retenu.

« Continue », intima-t-il à cet autre Daniel. Que cela dure un peu plus longtemps. Encore un baiser. Une douce caresse, avant que la pièce ne se mette à trembler et que les Annonciateurs commencent à frissonner dans l'ombre.

Le verre était chaud sous sa joue. La catastrophe allait arriver.

Il voulut fermer les yeux, mais en fut incapable. Lucinda frémit dans les bras de Daniel. Son visage se tordit de douleur. Elle leva la tête, et voyant les ombres danser au plafond, elle écarquilla les yeux. Mais il était déjà trop tard.

Elle se mit à crier, puis s'embrasa pour former une colonne de flammes.

Daniel fut projeté contre le mur. Recroquevillé sur lui-même, le visage enfoui dans ses mains, il se mit à trembler.

Dehors, Daniel était terrorisé par le spectacle des flammes qui dévoraient Lucinda en crépitant. Enfin, celle-ci disparut sans laisser de trace.

C'était un miracle. Chaque parcelle du corps de Daniel le picotait. Et si cette mort ne l'avait pas ravagé, il l'aurait presque trouvée superbe.

Puis Daniel se leva. Ses ailes sorties de sa veste noire occupaient presque tout l'espace. Il leva les poings vers le ciel et se mit à hurler.

À l'extérieur, Daniel, n'y tenant plus, fracassa la vitre qui vola en éclats. Puis il entra par la fenêtre.

– Qu'est-ce que tu fais là ? demanda l'autre, ahuri, les joues inondées de larmes.

Avec leurs quatre ailes déployées, il ne restait guère d'espace, dans le salon. Ils tentèrent de s'éloigner l'un de l'autre, car ils savaient ce qu'ils risquaient au moindre contact.

– Je regardais..., répondit Daniel.

– Tu... Quoi ? Tu es venu pour regarder ?

Il se mit à agiter ses ailes.

Sa terrible souffrance faisait peine à voir.

– Daniel, il fallait que cela se produise.

– Épargne-moi tes mensonges ! Ne fais surtout pas ça ! Tu recommences à suivre les conseils de Cam ?

– Non ! cria Daniel à sa version antérieure. Écoute, il y aura un moment, pas si éloigné, où nous aurons l'occasion de modifier les règles de ce jeu. Quelque chose a changé... Je suis sûr qu'ensuite on pourra éviter de revivre tout ça... Alors, Lucinda pourra enfin...

– Briser le cycle infernal ? murmura l'ancien Daniel.

– Oui.

Daniel commençait à avoir le tournis. Il était temps pour lui de partir.

– Cela n'arrivera pas tout de suite, expliqua-t-il en se retournant, mais il faut garder espoir.

Puis il se glissa entre les débris de la vitre. Ses dernières paroles résonnaient encore dans son esprit quand il prit son envol dans la nuit.

IX

SUITE DU VOYAGE

Tahiti, 11 décembre 1775

Luce se tenait en équilibre sur une poutre. Elle pencha légèrement vers la gauche. Un craquement de bois sinistre lui répondit. Elle partit alors dans l'autre sens, très lentement, dans un mouvement régulier.

Un vent chaud faisait voler ses cheveux, et soudain sa coiffe de domestique s'envola. La poutre s'inclina de plus belle, au point que Luce dérapa. Elle parvint à se rattraper, évitant la chute de justesse.

Où se trouvait-elle donc ? Devant elle, le ciel bleu infini s'étendait vers la ligne bleu plus foncée de l'horizon.

Elle baissa les yeux.

Elle se trouvait à près de cent mètres au-dessus du pont d'un navire, au sommet d'un mât d'une hauteur impressionnante, suspendue à la vigie d'un immense voilier échoué sur une île ourlée de sable noir.

La proue ayant heurté violemment des rochers volcaniques, il ne restait de l'embarcation que des débris épars et des lambeaux de voile battus par le vent, et une odeur étrange d'après tempête. Pourtant, l'épave semblait reposer là depuis des années.

Les vagues étaient encore fortes et se fracassaient contre les rochers en produisant des nuages d'écume. Luce, agrippée au mât, tanguait au rythme des déferlantes. Elle en avait le mal de mer.

Comment descendre sur la terre ferme ?

– Tiens, tiens, en voilà un bel oiseau sur son perchoir ! s'exclama Bill par-dessus le rugissement des vagues.

Il apparut à l'extrémité de la coque, les bras tendus sur les côtés, comme s'il marchait en équilibre sur une poutre.

– Où sommes-nous ? demanda Luce, qui n'osait plus bouger.

Bill inspira à pleins poumons et se rapprocha.

– Tu ne reconnais pas ce parfum ? La côte nord de Tahiti !

Il rejoignit Luce d'un bond, étira ses petites jambes grises et croisa les mains derrière la tête.

– C'est le paradis, non ?

– J'ai mal au cœur...

– Voilà ce que c'est de ne pas avoir le pied marin !

– Comment sommes-nous...

Luce chercha des yeux un Annonciateur, mais ne décela aucune ombre, rien que le bleu infini du ciel.

– Je me suis occupé de la logistique. Considère-moi comme ton agent de voyage. Tu es en vacances !

– On n'est pas en vacances, Bill !

– Aurais-je mal compris ? reprit-il.

– Où sont Lucinda et Daniel ?

– Tu veux que je te raconte une petite histoire ? répondit-il en voletant devant elle.

L'ignorant, Luce se pencha, hésitante, vers le premier barreau de l'échelle.

– Tu ne veux pas que je te donne la main, au moins ?

La jeune fille retint son souffle. Surtout, ne pas regarder en bas ! Hélas, son pied dérapa sur le bois humide. La gorge nouée, elle accepta l'aide que lui offrit Bill.

Il l'attira vers lui pour l'éloigner du mât. En sentant le vent marin lui fouetter le visage de plus belle, elle poussa un cri. Sa robe vola et remonta jusqu'à sa taille. Luce ferma les yeux. Le bois pourri du pont ne résisterait jamais !

Mais il tint bon.

Soudain, elle sentit son corps prendre son envol. Elle rouvrit les yeux. Les petites ailes de Bill avaient pris le courant. Soutenant le poids de la jeune fille d'une seule main, il l'emmena lentement vers la rive avec une agilité et une facilité incroyables. À sa grande surprise, Luce se détendit un peu. Voler lui était familier, désormais.

Hélas, cette sensation lui rappela Daniel, et elle eut de nouveau envie d'être avec lui, d'entendre sa voix, de goûter la saveur de ses baisers. Elle ne pensait plus qu'à cela. Que n'aurait-elle pas donné pour se blottir dans ses bras !

Où se trouvait-il, en cet instant ?

– Tu te sens mieux ? s'enquit Bill.

– Que faisons-nous ici ? répondit Luce tandis qu'ils filaient au-dessus de l'eau.

La mer était si limpide qu'elle distinguait des ombres foncées, sous la surface : d'énormes bancs de poissons longeant la côte.

– Tu vois ce palmier ? dit Bill en tendant sa main libre. Le plus grand, le troisième à partir de la faille, dans le sable ?

Luce plissa les yeux et opina de la tête.

– C'est là que ton père, dans cette vie, a construit sa hutte. La plus belle de la plage. Enfin, il n'y en a qu'une ! Les Anglais n'ont pas encore découvert cette partie de l'île. Alors, quand ton père part à la pêche, Daniel et toi restez tout seuls...

– Daniel et moi, nous avons vécu ici... ensemble ?

Luce et Bill se posèrent sur le sable avec l'élégance de deux danseurs exécutant un pas de deux. Alors, elle dégagea sa main de sa patte crasseuse et l'essuya sur son tablier.

Dans ce paysage d'une beauté saisissante, les eaux cristallines venaient lécher la superbe plage de sable noir, orangers et cocotiers offraient leurs fruits colorés. Au loin se dressaient des montagnes tapissées d'une forêt tropicale et parsemées de cascades. En bas, le vent était moins violent et sentait l'hibiscus. Luce n'aurait jamais imaginé pouvoir passer ses vacances dans un tel cadre, encore moins sa vie entière...

– Tu as vécu ici, expliqua Bill en marchant au bord de l'eau, laissant de petites traces de pas dans le sable. Ton père et les dix autochtones voisins t'ont baptisée... Lulu !

Luce devait hâter le pas pour rester à sa hauteur. Elle souleva le bas de sa robe et de ses jupons pour éviter qu'ils ne traînent dans le sable. Soudain, elle s'arrêta et fit la moue.

– C'est mignon, Lulu, non ? plaisanta Bill. Lulu, Lulu, Lulu !

– Arrête !

– Bref, Daniel était une sorte d'explorateur aventurier. Le bateau, là-bas... ton cher petit ami l'avait dérobé à la flotte privée du roi George III. (Il se tourna vers l'épave.) Mais le capitaine Bligh et son équipage de mutins ont mis encore quelques années à le débusquer. Ensuite...

Luce eut la gorge nouée. Elle avait compris que Daniel serait sans doute parti depuis longtemps, à ce moment-là, car Lucinda serait morte.

Ils atteignirent un passage entre les palmiers. Une rivière saumâtre coulait entre l'océan et un petit étang d'eau douce. Luce foula quelques pierres plates pour la franchir. Elle mourait de chaleur, sous ses jupons, et rêvait de se dévêtir pour plonger dans l'océan.

– Combien de temps puis-je passer avec Lulu avant qu'elle meure ? demanda-t-elle.

Bill leva les mains au ciel.

– Je croyais que tu voulais seulement obtenir une preuve que l'amour de Daniel est sincère.

– C'est vrai.

– Alors suis-moi !

Ils débouchèrent sur un petit chemin bordé d'orchidées qui menait à une autre plage immaculée. Une hutte au toit de chaume se dressait sur pilotis, au bord de l'eau claire. Derrière l'habitation, un palmier trembla.

Bill voletait au-dessus de l'épaule de Luce.

– Regarde-la, dit-il en désignant le palmier.

Impressionnée, Luce vit deux pieds émerger des frondes, au-dessus du tronc frémissant. Une jeune fille bronzée, vêtue d'un simple pagne tissé et arborant un grand collier de fleurs, jeta quatre noix de coco sur la plage, avant de redescendre en glissant le long du tronc.

Ses longs cheveux lâchés, qui lui arrivaient au-dessus de la taille, scintillaient au soleil. Des mèches qui lui chatouillaient les bras en se balançant dans son dos. Luce n'avait jamais eu le teint aussi mat, même quand elle passait tout l'été chez sa grand-mère, sur la plage de Biloxi[1]. Ses bras et son visage étaient ornés de tatouages tribaux aux formes géométriques. Lulu était à la fois méconnaissable et sa copie conforme.

– Ouah, murmura-t-elle tandis que Bill la poussait derrière un buisson couvert de fleurs pourpres.

– Aïe ! Qu'est-ce que tu fais ?

– Je t'emmène vers un poste d'observation plus sûr.

Bill la souleva de terre vers la canopée. Quand ils émergèrent des arbres, il vola vers une haute branche sur laquelle il la déposa sans ménagement. De là, elle jouissait d'une vue imprenable sur toute la plage.

---

1. Ville du Mississippi.

– Lulu !

La voix transperça la peau de Luce pour la frapper en plein cœur. C'était Daniel. Il l'appelait. Luce voulut le rejoindre. Elle n'avait même pas remarqué qu'elle s'était levée de son perchoir, comme si elle pouvait voler vers lui. Bill la rattrapa par le bras.

– C'est pour ça que j'ai dû traîner ton père jusqu'ici. Ce n'est pas à toi qu'il s'adresse, c'est à elle.

Luce se rassit lourdement. Elle était déçue.

Sur le sable noir, la jeune fille se précipitait à la rencontre de Daniel.

Torse nu, merveilleusement hâlé et musclé, il était vêtu d'un pantalon coupé dont le bas s'effilochait. La peau emperlée d'eau de mer, car il venait de se baigner, il foula le sable. Coincée sur son arbre, Luce envia la mer, le sable, tout ce qui pouvait être en contact avec Daniel et jalousa atrocement Lulu.

D'autant que Daniel semblait plus heureux et détendu que jamais... Cela lui donna envie de pleurer.

Lorsque les amoureux se rejoignirent enfin, Lulu se jeta au cou de Daniel, qui la souleva de terre et la fit tournoyer. Puis il la reposa et la couvrit de baisers, de ses doigts à ses avant-bras, puis son cou, ses lèvres...

Bill s'appuya sur l'épaule de Luce.

– Réveille-moi dès qu'ils passeront aux choses sérieuses, dit-il en bâillant.

– Idiot !

Elle l'aurait volontiers chassé.

– Je parlais du tatouage rituel, imbécile. C'est mon truc, d'accord ?

Lulu entraînait déjà Daniel vers une natte tressée posée sur le sable, près de sa cabane. Daniel sortit une machette de son ceinturon et découpa le sommet d'une noix de coco qu'il tendit à la jeune fille. Lulu en but le jus délicieux, dont un filet coula au coin de ses lèvres. Daniel l'essuya d'un baiser.

– Elle ne le tatoue pas. Ils sont simplement en train...

Luce s'interrompit en voyant Lulu disparaître dans la cabane. Elle réapparut quelques instants plus tard avec un petit paquet entouré de feuilles de palmier. Elle déballa un outil qui ressemblait à un peigne en bois. Ses dents aiguisées brillaient au soleil. Daniel s'allongea sur la natte et regarda Lulu tremper le peigne dans un coquillage contenant une poudre noire.

Lulu l'embrassa furtivement et se mit à l'œuvre.

Commençant par le sternum, elle appliqua de manière experte l'instrument sur sa peau. À chaque application, le peigne laissait une trace noire sur l'épiderme de Daniel. Luce devina un motif en damier représentant un bouclier, sur son torse. Elle ne s'était rendue qu'une seule fois chez un tatoueur, dans le New Hampshire, en compagnie de Callie, qui souhaitait un cœur rose sur sa hanche. Il lui avait fallu moins d'une minute, et Callie avait hurlé. Daniel, lui, ne bronchait pas. Il ne quittait pas Lulu des yeux. Au bout d'un moment, Luce sentit la sueur couler dans son dos.

– Alors, qu'est-ce que tu en dis ? demanda Bill en lui donnant un coup de coude. Je ne t'avais pas promis que tu verrais l'amour ?

– C'est sûr, ils ont l'air amoureux, admit Luce en haussant les épaules. Mais...

– Mais quoi ? Tu imagines combien c'est douloureux ? Regarde-le ! À le voir, se faire tatouer ne fait pas plus mal que la caresse d'une brise.

Luce s'agita sur sa branche.

– C'est la leçon à en tirer ? La souffrance est proportionnelle à l'amour ?

– À toi de me le dire, répondit Bill. Cela va peut-être t'étonner, mais les dames ne se bousculent pas devant ma porte.

– Si je me faisais tatouer le nom de Daniel sur le corps, cela signifierait-il que je l'aimerais plus que je ne l'aime déjà ?

– C'est une image, Luce, répliqua Bill avec un soupir rauque. Tu es trop terre à terre. Vois les choses sous cet angle : Daniel est le premier garçon séduisant que Lulu ait rencontré. Avant qu'il ne s'échoue sur la plage, il y a quelques mois, son monde se limitait à son père et à quelques autochtones grassouillets.

– Comme Miranda, répondit Luce, se rappelant l'histoire d'amour de *La tempête*, de Shakespeare, qu'elle avait étudiée en classe de seconde.

– Ils font en effet penser à Ferdinand et Miranda : le bel étranger échoué sur la plage..., commenta Bill d'un air approbateur.

– Ça a donc été le coup de foudre, avec Lulu, murmura Luce, qui craignait justement cet amour automatique qui l'avait tant frappée à Helston.

– Oui répondit Bill. Elle n'avait pas le choix. Elle devait tomber sous son charme. Mais ici, Daniel n'a pas eu besoin de lui enseigner l'art de tisser une voile, ni de gagner la confiance de son père en lui fournissant une saison entière de poissons à conserver dans le sel ou (et il désigna les amoureux, sur la plage) ni d'être persuadé de se faire tatouer tout le corps comme l'exigeait la coutume locale. Sa simple apparition aurait suffi à ce que Lulu l'aime.

– Il se fait tatouer parce qu'il... parce qu'il veut gagner son amour, conclut Luce, réfléchissant tout haut. Sinon il ne ferait que tirer profit de la malédiction.

– Peu importe le cycle infernal de tes incarnations, son amour pour elle est... sincère.

Alors pourquoi Luce n'en était-elle pas totalement convaincue ?

Sur la plage, Daniel s'assit. Il prit Lulu par les épaules et l'embrassa tendrement. Son torse saignait, mais il ne s'en souciait guère. Les yeux dans les yeux, ils avaient les lèvres entrouvertes.

– Je veux partir maintenant, dit soudain Luce.

– Vraiment ? fit Bill, étonné, en se levant.

– Oui, vraiment. J'ai obtenu ce que j'étais venue chercher et je suis prête à me remettre en route. Tout de suite.

Elle tenta de se lever à son tour, mais la branche plia sous son poids.

– Bon, d'accord, concéda Bill en lui saisissant le bras. Pour aller où ?

– Je n'en sais rien, mais dépêchons-nous.

Le soleil se couchait, derrière eux, étirant l'ombre des amants sur le sable.

– Je t'en prie, j'aimerais ne garder que ce bon souvenir. Je refuse de la voir mourir.

Bill était visiblement troublé, mais il ne fit aucun commentaire.

Luce ne pouvait plus attendre. Elle ferma les yeux et laissa sa volonté appeler un Annonciateur. En rouvrant les yeux, elle décela un frémissement dans l'ombre d'un arbre chargé de fruits de la Passion. Elle se concentra, l'appelant de toutes ses forces, jusqu'à ce que l'Annonciateur se mette à frémir.

– Viens, dit-elle, les dents serrées.

Enfin, l'Annonciateur se libéra de l'arbre et vint planer juste devant la jeune fille.

– Doucement, fit Bill, qui volait au-dessus de la branche, le désespoir et les déplacements en Annonciateur ne font pas bon ménage !

Luce le regarda fixement.

– Enfin, ne te laisse pas abattre au point de perdre de vue ce que tu veux.

– Je veux m'en aller d'ici, insista Luce, mais elle ne parvint pas à donner une forme stable à l'ombre, en dépit de ses efforts.

Elle sentait le ciel s'assombrir de façon inquiétante.

– Aide-moi, Bill !

Il soupira et tendit la main vers la masse sombre pour l'attirer vers lui.

– C'est ton ombre, tu t'en rends compte ? Je la manipule, mais c'est ton Annonciateur et ton passé.

Luce acquiesça.

– Ce qui signifie que tu n'as aucune idée de l'endroit où il t'emmène. En tout cas, moi, je n'y suis pour rien.

Elle hocha de nouveau la tête.

– Bon, très bien.

Il frotta une partie de l'Annonciateur jusqu'à ce qu'elle s'assombrisse, puis il s'en saisit à l'aide d'une griffe et tira dessus. Elle servit de poignée de porte. L'odeur de moisi surgit et fit tousser Luce.

– Oui, je le sens, moi aussi, dit Bill. C'est un vieux, celui-là. Les dames d'abord, claironna-t-il avec un geste de la main.

Prusse, 7 janvier 1758

Un flocon de neige vint chatouiller le nez de Luce, puis un autre, et encore un autre, et bientôt ce fut la tempête. La jeune fille souffla un nuage de buée. Elle savait qu'ils se retrouveraient là, même si elle ignorait où ils avaient débarqué. Le ciel était sombre et les éléments déchaînés. La neige qui s'infiltrait dans ses bottines de cuir noir lui glaçait les orteils.

Elle avait senti dès son entrée dans l'Annonciateur, ce froid qui s'approchait, impitoyable, telle une vague glaciale. Luce allait assister à ses propres funérailles. Elle se trouvait à la grille d'un cimetière couvert d'un épais manteau de neige. Derrière elle s'étendait une route bordée d'arbres, dont les branches dénudées semblaient griffer le ciel d'étain. Devant elle se dressait un monticule de terre couvert de neige. Tout autour, les pierres tombales et les croix ressemblaient à des dents grises et difformes.

Quelqu'un siffla.

– Tu es sûre d'être prête ?

Un peu essoufflé, Bill venait de la rejoindre.

– Oui, répondit-elle, les lèvres tremblantes.

Elle ne se retourna que lorsque Bill apparut près de son épaule.

– Tiens, dit-il, en lui tendant un manteau de vison foncé. J'ai pensé que tu aurais froid.

– Où as-tu... ?

– Je l'ai chipé à une fille qui rentrait du marché. Enfile-le !

Il drapa les épaules de la jeune fille de l'épaisse fourrure, qu'elle serra contre elle. Le vison était si doux et chaud qu'elle fut submergée d'un élan de gratitude. Elle prit sa main sans se soucier de son contact désagréable.

– Bien, dit-il en la serrant dans la sienne.

L'espace d'un instant, Luce perçut une étrange chaleur sur les phalanges de pierre, qui disparut très vite. Visiblement nerveux, Bill fit un pas en avant.

– Donc... La Prusse, au milieu du XVIIIe siècle. Tu vis dans un petit village au bord de l'Handel. C'est ravissant.

Il se racla la gorge avant de poursuivre :

– Je devrais plutôt dire « tu vivais », car tu viens en fait de... euh...

– Bill ? (Elle se tourna pour l'observer sur son épaule.) C'est bon, inutile de m'expliquer. Laisse-moi simplement... ressentir.

– C'est sans doute mieux comme ça.

Laissant Luce franchir la grille du cimetière, Bill demeura en retrait, assis en tailleur sur un mausolée couvert de mousse, à gratter la pierre de ses griffes. Luce dissimula de son mieux son visage sous son châle.

Devant elle se tenaient les personnes venues assister à l'enterrement, vêtues de noir, la mine sombre, serrées les unes contre les autres, formant une masse larmoyante. Un jeune homme blond, tout seul était en retrait derrière elles, tête baissée.

Nul ne disait mot à Daniel ou ne le regardait. Était-il contrarié d'être ainsi rejeté ou s'en réjouissait-il, au contraire ?

La cérémonie touchait à sa fin. Un nom était gravé sur la pierre : Lucinda Müller. Les joues inondées de larmes, un garçon d'une douzaine d'années, brun au teint clair, aida son père – le père de Luce, dans cette vie ? – à jeter une première pelletée de terre sur le cercueil.

Ces hommes devaient être des proches. Ils avaient dû l'aimer. Derrière eux, des femmes et des enfants pleuraient. Peut-être Lucinda Müller était-elle tout pour eux...

Mais Luce Price ne connaissait pas ces gens. Elle se sentait mal à l'aise de ne rien éprouver à leur égard, alors qu'elle lisait le chagrin sur leurs traits. Daniel était le seul qui comptait, et elle brûlait de se précipiter vers lui.

Il ne pleurait pas. Il ne fixait même pas la tombe, comme tous les autres. Les mains croisées devant lui, il regardait au loin. Ses prunelles passèrent du violet au gris.

Quand les membres de la famille eurent jeté quelques fleurs sur le cercueil, le groupe se dispersa pour regagner la route. C'était terminé.

Seul Daniel s'attarda, figé comme une statue.

Luce resta aussi, à l'abri d'un petit mausolée, pour observer ce qu'il faisait.

Le jour tombait. Ils étaient seuls dans le cimetière, désormais. Daniel se mit à genoux près de la sépulture de Lucinda. Il neigeait beaucoup. De gros flocons se posaient sur les épaules de la jeune fille, ses cils et le bout de son nez. Tendue, elle contourna le mausolée.

Allait-il céder au chagrin, griffer la terre gelée, se jeter sur son cercueil et pleurer toutes les larmes de son corps ? Il ne pouvait être aussi détaché, c'était impossible ! Il sauvait les apparences. Mais Daniel accorda à peine un regard à la tombe. Il s'allongea sur le flanc, dans la neige, et ferma les yeux.

Luce le fixa. Il était si beau... Les paupières closes, immobile, il avait trouvé la paix. À la fois amoureuse et troublée, Luce hésita quelques instants, puis, frigorifiée, elle se frotta les bras et tapa des pieds.

– Qu'est-ce qu'il fait ? demanda-t-elle enfin à voix basse.

Bill apparut derrière elle, voletant autour de ses épaules.

– On dirait qu'il dort.

– J'ignorais que les anges avaient besoin de sommeil...

– Besoin n'est pas le terme adéquat. Ils peuvent dormir s'ils le souhaitent. Après ta mort, Daniel dort toujours pendant plusieurs jours.

Bill secoua la tête, comme si un souvenir pénible lui revenait.

– Enfin, pas toujours. La plupart du temps. Ce doit être éprouvant de perdre l'objet de son amour. Comment lui en vouloir ?

– En... en quelque sorte, bredouilla Luce. C'est moi qui m'enflamme.

– Oui, et il se retrouve tout seul. C'est l'éternelle question : quelle est la pire situation ?

– Mais il n'a même pas l'air triste. Il semblait s'ennuyer durant la cérémonie. À sa place, je...

– Tu ferais quoi ?

Luce s'approcha de la tombe et s'arrêta. Un cercueil reposait sous la terre, le sien.

Elle en eut des frissons. Elle tomba à genoux et posa les doigts sur la terre glacée. Elle y enfouit les mains, mais ne se soucia pas de la morsure du froid. Cela lui faisait presque du bien. Elle aurait voulu que Daniel en fasse autant, qu'il cherche son corps sous la terre, qu'il devienne fou à force de vouloir qu'elle revienne, vivante, dans ses bras.

Or il dormait si profondément qu'il ne sentit même pas sa présence, à son côté.

Elle se mit à creuser la terre humide, jusqu'à éparpiller les fleurs, souiller le superbe manteau de vison, jusqu'à avoir le visage crotté. Elle creusa, creusa, en quête de la défunte, cherchant à établir un lien avec elle.

Enfin, ses doigts touchèrent quelque chose de dur : le couvercle en bois du cercueil. Luce ferma alors les yeux et attendit l'éclair qui l'avait surprise à Moscou, les bribes de souvenirs qui l'avaient envahie quand elle avait touché la grille de l'église dévastée et perçu la vie de Luschka.

Rien.

Rien que le vide, la solitude et le hurlement du vent.

Elle s'assit et sanglota. Elle ignorait tout de la fille qui venait de mourir et ne saurait jamais rien...

– Hé ! s'exclama Bill, posé sur son épaule. Tu n'es pas là-dedans, tu sais !

– Comment ?

– Réfléchis. Tu es réduite en cendres. Il n'y avait aucune dépouille à enterrer, Luce.

– À cause des flammes. Mais alors pourquoi...

Elle s'interrompit.

– C'est ma famille qui a voulu.

– Ce sont des protestants très pratiquants, expliqua Bill. Depuis des siècles, les Müller sont enterrés dans ce cimetière. C'est aussi le cas de cette Lucinda. Mais le cercueil est vide à l'exception de ta poupée préférée, quand tu étais petite, et de la Bible.

Luce déglutit. Il n'était pas étonnant qu'elle ressente un tel vide...

– C'est pour cela que Daniel ne regardait pas la tombe.

– Il est le seul à accepter que ton âme soit ailleurs. Il est resté parce que ce lieu est le seul endroit où il puisse s'accrocher à ton souvenir.

Bill s'approcha à tel point de Daniel que le battement de ses ailes de pierre fit voleter ses cheveux.

– Il dormira jusqu'à ce que ton âme trouve place ailleurs, jusqu'à ta prochaine incarnation.

– Cela prend combien de temps ?

– Quelques secondes, ou des années. Mais il ne dormira pas aussi longtemps, même s'il aimerait bien.

Un mouvement de Daniel sous sa couverture de neige fit sursauter la jeune fille. Un gémissement d'agonie s'échappa de ses lèvres.

– Qu'est-ce qui se passe ? s'enquit Luce en se mettant à genoux. Puis elle tendit une main vers lui.

– Ne le réveille pas ! lui ordonna Bill. Son sommeil est peuplé de cauchemars, mais c'est toujours mieux que d'être éveillé. Son existence sera un véritable calvaire, jusqu'à ce que ton âme ait choisi une nouvelle vie.

Luce était tiraillée.

– Il arrive qu'il ait une sorte d'insomnie... Mais il vaut vraiment mieux que tu ne voies pas ça !

– J'aimerais bien, pourtant, répondit-elle en se relevant.

Bill parut gêné, comme pris en faute.

– Les autres anges déchus vont venir, bredouilla-t-il sans croiser son regard et... ils essaieront de le consoler.

– Je les ai aperçus à Moscou. Mais tu ne parles pas de cela. Tu me caches quelque chose !

– Il ne faut pas que tu découvres ces autres vies, Luce. C'est un aspect de lui...

– Même s'il est sombre, mauvais ou dérangeant, j'ai besoin de connaître cet aspect de lui. Sinon je ne comprendrai pas ce qu'il endure.

Bill soupira.

– Tu me regardes comme si tu avais besoin de ma permission, mais ton passé t'appartient.

Luce se releva et scruta le cimetière jusqu'à ce qu'apparaisse une petite ombre derrière sa tombe. Voilà. C'était cet Annonciateur-là. Cette certitude l'étonna, car c'était la première fois qu'elle en faisait l'expérience.

Au premier abord, il ressemblait à tous ceux qu'elle avait appelés un peu maladroitement à Shoreline, dans les bois. Or cette fois, Luce y décelait non l'image d'une destination spécifique, mais une étrange lueur argentée suggérant que l'Annonciateur l'emmènerait où son âme devait aller.

Il l'appelait.

Elle répondit et espéra que cette lueur soulève l'ombre.

Le lambeau obscur se détacha de la neige et prit forme tout en s'approchant d'elle. Dans un courant d'air glacé, il enveloppa Luce tout entière. Les doigts engourdis par le froid, Luce façonna une forme, s'accompagnant de cette odeur fétide si caractéristique, dont la porte était large et solide.

– Tu commences à avoir le coup de main, commenta Bill d'un ton étrange.

Elle se fit la remarque que si Miles ou Shelby avaient été là, ils se seraient extasiés sur son œuvre. C'était de loin le meilleur appel qu'elle ait jamais effectué.

Elle palpa les bords humides, cherchant une poignée, une entrée, quand l'Annonciateur s'entrouvrit enfin.

Luce respira profondément et se tourna vers Bill.

– Tu viens ?

La mine grave, il sauta sur son épaule et s'accrocha au revers de son manteau. Puis, ensemble, ils entrèrent.

Lhassa, Tibet, 30 avril 1740

Luce reprit son souffle.

Elle avait surgi de l'Annonciateur dans un tourbillon de brume. Chaque inspiration lui brûlait les poumons tant l'air vif était frais. Elle ne parvenait pas à se ressaisir. Une vapeur blanche et glacée balaya ses cheveux, ses bras ouverts, humectant ses vêtements, avant de disparaître.

Luce se tenait au bord d'une très haute falaise. Elle chancela et recula, étourdie. Son pied heurta un caillou qui roula et tomba dans le vide dans une chute interminable.

Luce prit de nouveau son souffle, mais elle avait le vertige.

– Respire, coassa Bill. Ici, la plupart des gens s'évanouissent à cause de la peur d'étouffer et non par manque d'oxygène.

Luce inspira profondément et se sentit un peu mieux. En ôtant le vison tout sale de ses épaules, elle savoura la caresse du soleil sur sa peau et découvrit, ébahie, le spectacle qui s'offrait à elle.

En contrebas s'étendait une vallée parsemée de petites fermes et de rizières. De part et d'autre, deux montagnes se dressaient dans la brume.

Au loin, sculpté dans la roche, elle découvrit un imposant palais d'un blanc majestueux coiffé de toits rouges et pointus, doté de nombreux escaliers. Un vrai château de conte de fées !

– Quel est cet endroit ? Serions-nous en Chine ?

– Si nous restions assez longtemps, nous le serions, répondit Bill. Mais pour l'heure, nous sommes au Tibet, grâce au dalaï-lama. C'est là qu'il vit. La grande classe, non ?

Mais Luce avait entendu un rire, non loin de là, et en cherchait l'origine.

C'était le sien. Un rire doux et enjoué qu'elle avait depuis sa rencontre avec Daniel.

À quelques centaines de mètres, le long de la falaise, elle repéra enfin deux silhouettes. Pour s'en approcher, elle devrait franchir un terrain pierreux malaisé, mais pas impraticable. Voûtée sous son épais manteau, Luce commença à se frayer un chemin dans la neige.

– Hé ! s'exclama Bill en l'empoignant par le col, tu sais où tu vas te cacher, au moins ?

Luce balaya le paysage des yeux : des espaces ouverts, des précipices... Ils ne pouvaient même pas s'abriter du vent.

– Nous sommes au-dessus des arbres, figure-toi, et tu es petite, mais pas invisible. Il vaut mieux que tu restes ici.

– Mais je ne vois rien...

– La poche du manteau, dit Bill. Je t'en prie.

Elle fouilla la poche du manteau qu'elle portait pour ses funérailles, en Prusse, et en sortit une paire de jumelles d'opéra sophistiquées toute neuve. Sans prendre la peine de demander à Bill où et quand il l'avait obtenue, elle la porta à ses yeux et fit le point.

Là-bas.

Ils étaient face à face, séparés d'à peine un mètre : elle semblait si jeune et innocente avec ses cheveux noirs noués en un chignon enfantin, vêtue d'une robe en lin rose orchidée. Elle souriait à Daniel, se balançant un peu nerveusement d'avant en arrière, et elle observait chacun de ses mouvements d'un regard intense. Taquin, Daniel tenait un bouquet de pivoines blanches et les lui offrait une par une, ce qui la faisait rire.

Luce remarqua que leurs doigts ne se touchaient jamais, et en fut étonnée. Pourquoi gardaient-ils leurs distances ?

Dans d'autres vies, Luce avait vu tant de passion et d'appétit... Son cœur se mit à bourdonner, brûlant d'assister à un simple contact physique entre eux.

Mais les Annonciateurs restaient là, à marcher en cercle, en conservant entre eux la même distance.

De temps à autre, leurs rires parvenaient à Luce.

– Alors ?

Bill essayait de glisser son petit visage visqueux à côté de celui de la jeune fille pour regarder à son tour dans les jumelles.

– Qu'est-ce qui se passe ?

– Ils se contentent de discuter. Ils flirtent comme s'ils ne se connaissaient pas mais, en même temps, ils semblent très complices. Je n'y comprends rien...

– Ils prennent leur temps. Où est le problème ? Les jeunes, de nos jours, veulent tout précipiter ! Hop hop hop !

– Il n'y a pas de mal à prendre son temps, mais je...

Luce s'interrompit.

La jeune fille se mit à genoux et se balança d'avant en arrière, se tenant la tête, puis le cœur. Daniel était horrifié, tout raide, dans sa tunique et son pantalon blancs, tel une statue... Il secoua la tête et regarda le ciel, en répétant sans cesse : « Non, non, non... »

La jeune fille semblait possédée. Un cri strident résonna dans les montagnes. Daniel tomba à terre et se prit le visage dans les mains. Puis il tendit les bras vers elle sans parvenir à la toucher. Tremblant de tout son corps, il se recroquevilla.

Au moment crucial, Luce détourna les yeux. Elle fut la seule à voir la jeune fille se transformer presque instantanément en une colonne de flammes à une vitesse incroyable.

La fumée âcre vola jusqu'à Daniel, qui gardait les yeux fermés, le visage ruisselant de larmes. Il semblait aussi triste que toutes les autres fois où elle était morte sous ses yeux. Mais là, il était en état de choc. Quelque chose avait changé. Quelque chose clochait.

Quand Daniel lui avait parlé pour la première fois de la punition, il avait précisé que, dans certaines vies, un simple baiser l'avait tuée. Pire encore, un unique contact avait suffi à provoquer sa mort.

Luce les avait observés. Daniel avait pris grand soin de ne pas l'approcher. Pensait-il la garder plus longtemps en retenant la chaleur de son étreinte ? Pensait-il pouvoir briser la malédiction en la maintenant à distance ?

– Mais il ne l'a même pas touchée..., murmura-t-elle au désespoir.

– Balivernes, commenta Bill.

Il ne l'avait pas touchée, pas une seule fois depuis qu'ils étaient amoureux. Et il devrait attendre de nouveau, sans savoir si rien ne changerait ? Comment garder confiance face à ce genre d'épreuve ? Cela n'avait aucun sens !

– S'il ne l'a pas touchée, qu'est-ce qui a provoqué sa mort ?

Elle se tourna vers Bill, qui pencha la tête et regarda vers le ciel.

– Les montagnes, dit-il. C'est beau !

– Tu sais quelque chose ! déclara Luce.

Il haussa les épaules.

– Je ne sais rien, assura-t-il. Rien que je puisse te révéler.

Un cri atroce résonna dans la vallée. La douleur de Daniel revint en écho, se multiplia, comme s'ils étaient une centaine de personnes à hurler ensemble. Luce reprit les jumelles et le vit jeter les fleurs à terre.

– Il faut que je le rejoigne, dit-elle.

– Trop tard, répondit Bill. Ça vient.

Daniel recula du bord de la falaise. Le cœur de Luce se mit à battre à tout rompre. Alors il se mit à courir à une vitesse surhumaine et, au bord du précipice, il s'envola.

Luce s'attendait à voir ses ailes se déployer avec un doux ronflement avant de s'étirer dans toute leur splendeur. Par le passé, l'amour fou qu'elle ressentait pour lui la saisissait à ce spectacle.

Mais les ailes de Daniel ne surgirent pas de ses épaules. Quand il atteignit le bord de la falaise, il tomba dans le vide.

Et il chuta, comme tout autre l'aurait fait.

Luce se mit à hurler à son tour, jusqu'à ce que Bill plaque sa main de pierre sur sa bouche. Elle le repoussa et courut vers le précipice.

Daniel poursuivait sa chute vertigineuse.

– Il va déployer ses ailes, n'est-ce pas ? souffla-t-elle.

– Non, fit Bill.

– Mais...

– Il va s'écraser à plusieurs centaines de mètres en contrebas, expliqua Bill, et se briser les os. Mais ne t'en fais pas, il ne peut pas se tuer. Il souhaite seulement mourir. (Bill se tourna vers Luce et soupira.) Tu crois en son amour, maintenant ?

– Oui..., murmura Luce.

Si elle s'était écoutée, elle se serait jetée à sa suite. Telle était la force de son amour pour lui.

Mais à quoi cela aurait-il servi ?

– Ils ont fait attention, dit-elle d'une voix brisée. Nous avons vu tous les deux ce qui s'est passé, Bill. Elle était si innocente. Comment a-t-elle pu mourir ?

Bill émit un gloussement.

– Tu crois tout savoir sur elle parce que tu as assisté aux trois dernières minutes de sa vie depuis le sommet d'une montagne ?

– C'est toi qui m'as incitée à utiliser ces jumelles... Oh ! (Elle se figea.) Attends une minute !

Un détail la taraudait. Elle se souvint de la lueur féroce qu'elle avait aperçue dans le regard de Luce, juste à la fin... Soudain, elle comprit :

– Ce qui l'a tuée, cette fois, je n'ai pas pu en être témoin...

Bill crispa les poings, quand elle ajouta :

– Cela se passait en elle.

Il applaudit doucement.

– Je pense que tu n'es pas loin d'être prête, déclara-t-il.

– Prête pour quoi ?

– Tu te souviens de ce que je t'ai dit, à Helston ? Après que tu as parlé à Roland...

– Tu n'étais pas d'accord avec lui sur le fait que je me rapproche de mes anciennes incarnations.

– Tu ne peux toujours pas réécrire l'histoire, Luce, ni modifier quoi que ce soit. Si tu essaies...

– Je sais, cela déformera l'avenir. Mais je ne veux pas modifier le passé. J'ai simplement besoin de savoir ce qui se passe... Et pourquoi je meurs à chaque fois. Je croyais que c'était un baiser, un contact, quelque chose de physique. On dirait que c'est plus compliqué que ça.

Bill tira l'ombre ourlée d'argent qui planait derrière Luce, avec la dextérité d'un toréro maniant sa cape rouge.

– Es-tu prête à mettre ton âme en accord avec tes propos ? demanda-t-il. Es-tu prête pour la troisième dimension ?

– Je suis prête, assura Luce en ouvrant l'Annonciateur d'un coup de poing et en se préparant à affronter le vent marin qui soufflait à l'intérieur.

– Mais quelle est cette troisième dimension, exactement ?

– C'est l'avenir, petite ! répondit-il.

Luce le dévisagea longuement.

– Il existe un autre terme pour ça : la fusion. Mais pour moi, troisième dimension, ça sonne beaucoup mieux.

Bill plongea dans le tunnel sombre et lui fit signe de le suivre.

– Crois-moi, tu vas adorer ! s'exclama-t-il.

X

LES PROFONDEURS

Lhassa, Tibet, 30 avril 1740

Dès qu'il atterrit, Daniel se mit à courir.

Le vent soufflait fort et le soleil réchauffait sa peau. Il avait jailli de l'Annonciateur sans savoir où il était, et courut, courut... En apparence, tout semblait normal, mais un détail le titillait. Quelque chose n'allait pas.

Ses ailes étaient encore là, bien sûr, mais il ne ressentait pas l'envie ni le besoin de les déployer. Et au lieu de s'élever dans le ciel, il descendait.

Un souvenir surgit: il s'approchait de quelque chose de douloureux, de dangereux. Il regardait droit devant lui...

Rien.

Il se cambra et agita les bras en dévalant la roche et atterrit sur l'arrière-train. Il s'arrêta juste avant de basculer dans un gouffre insondable.

Il reprit son souffle et roula prudemment sur lui-même pour regarder en bas de la falaise.

Il découvrit un abîme familier et inquiétant. À quatre pattes, il scruta les ténèbres, en contrebas. Où se trouvait-il ? L'Annonciateur l'avait-il éjecté avant ou après l'évènement ?

Ses ailes n'étaient pas sorties. Au souvenir de la souffrance de cette vie, elles demeuraient immobiles.

Ses paroles avaient-elles suffi à tuer la jeune fille ? Dans cette vie-là, selon la coutume, Lucinda devait rester chaste. Elle refusait même de le toucher, alors qu'il mourait d'envie de sentir sa peau contre la sienne. Cependant, il avait respecté son souhait. Secrètement, il avait espéré que ce refus fût une façon d'échapper enfin à la malédiction. Mais il s'était montré stupide, une fois de plus. Certes, le contact n'avait pas déclenché la mort. La punition était bien plus terrible que cela.

Il était de retour à l'endroit exact où la mort de la jeune fille l'avait plongé dans un désespoir tel qu'il avait voulu mettre fin à sa souffrance.

Comme si cela était possible...

Dans sa chute, il savait qu'il allait échouer. Le suicide était un luxe réservé aux mortels, auquel les anges n'avaient pas droit.

À ce souvenir, son corps se mit à trembler. Non pas à cause de la douleur de la chute, non, mais de ce qui restait à venir. Il avait reposé là des semaines durant, coincé entre deux gros rochers. De temps à autre, il revenait à lui, mais, accablé de tristesse, il voyait Lucinda. Il ne pouvait penser à rien d'autre.

Mais comme pour tous les anges, son corps guérit vite, bien plus vite que son âme...

Ses os se ressoudèrent, ses plaies se refermèrent et ses cicatrices s'effacèrent totalement. Ses organes pulvérisés se reconstituèrent. Son cœur se remit à battre avec force.

Ce fut Gabbe qui le retrouva après plus d'un mois. Elle l'aida à ramper hors de la crevasse. Elle lui avait fait promettre de ne jamais recommencer, de toujours garder espoir.

Et voilà qu'il récidivait... Il se leva et, pour la seconde fois, chancela au bord du précipice.

– Non, je t'en prie, ne fais pas ça ! Si tu sautais, je ne le supporterais pas.

Ce n'était pas Gabbe qui s'adressait à lui. C'était une voix chargée de sarcasme. Daniel la reconnut sans même se retourner.

Cam était appuyé contre des roches noires. Sur la terre, il avait déroulé un immense tapis de prière orné de fils ocre et bordeaux. Il tenait une patte de yack grillée dans laquelle il mordit à pleines dents.

– Oh, après tout, à quoi bon ? fit Cam en mastiquant. Vas-y, saute ! Des dernières volontés à transmettre à Luce ?

– Où est-elle ? demanda Daniel en se dirigeant vers lui, les poings crispés.

Ce Cam appartenait-il à cette époque, ou bien était-il un Anachronisme revenu en arrière, comme lui ?

Cam jeta son os de yack dans le vide et essuya ses mains grasses sur son jean. « Anachronisme », conclut Daniel.

– Tu viens de la manquer. Une fois de plus ! Qu'est-ce qui t'a pris tant de temps ?

Cam tendit une assiette en métal garnie de viande.

– Tu veux des boulettes ? Elles sont délicieuses.

Daniel jeta l'assiette par terre.

– Pourquoi ne l'as-tu pas empêchée de faire ça ?

Il était allé à Tahiti, en Prusse et au Tibet, en moins de temps qu'il ne faudrait à un mortel pour traverser la rue. Il était sur les traces de Luce, mais elle demeurait inexplicablement hors d'atteinte. Comment pouvait-elle lui échapper sans cesse ?

– Tu as dit que tu n'avais pas besoin d'aide.

– Mais tu l'as vue ? insista Daniel.

Cam acquieça.

– Et elle t'a aperçu ?

Cam secoua la tête.

– Tant mieux, fit Daniel en scrutant le sommet nu de la montagne.

Il tenta d'imaginer Luce, observant l'endroit en quête de traces. En vain. De la terre grise, des rochers noirs, le vent violent, aucune vie. C'était le lieu le plus désolé du monde.

– Que s'est-il passé ? demanda-t-il à Cam. Qu'a-t-elle fait ?

Cam le contourna tranquillement.

– Au contraire de l'objet de son affection, elle a un sens de l'à-propos extraordinaire. Elle est arrivée juste à temps pour assister à sa propre mort, une mort sublime, cette fois, très extraordinaire, dans ce paysage aride. Même toi, tu dois l'admettre, non ?

Daniel détourna vivement les yeux.

– Bref, où en étais-je ? Humm... Sa propre mort, ça je l'ai déjà dit... Ah oui ! Elle est restée juste assez longtemps pour te regarder te jeter dans le vide en oubliant d'ouvrir tes ailes.

Daniel baissa la tête.

– C'est plutôt mal passé.

De fureur, Daniel se jeta au cou de Cam.

– Tu espères me faire croire que tu t'es contenté de regarder ? Tu ne lui as rien dit ? Tu n'as pas cherché à savoir où elle allait ensuite ? Tu n'as pas cherché à la retenir ?

Cam grogna et se dégagea de son emprise.

– Quand je suis arrivé ici, elle était déjà partie. Je te le répète : tu avais dit que tu n'avais pas besoin d'aide...

– C'est vrai. Reste en dehors de tout ça. Je m'en charge moi-même.

Cam pouffa et s'assit sur le tapis, les jambes croisées devant lui.

– Le problème, Daniel, déclara-t-il – en portant une poignée de baies séchées à la bouche, c'est que même si j'avais cru que tu pourrais te débrouiller seul, ce qui n'est apparemment pas le cas, tu n'es pas tout seul, dans cette histoire. Tout le monde recherche Luce.

– Comment ça, tout le monde ?

– Quand tu as poursuivi Luce, après notre bataille contre les Bannis, tu crois qu'on est tous restés à se tourner les pouces ? Gabbe, Roland, Molly, Arriane et même ces deux crétins de Néphilim sont en train de la rechercher.

– Tu le leur as permis ?

– Je ne suis le gardien de personne, mon frère...

– Ne m'appelle pas comme ça, rétorqua Daniel. Comment peuvent-ils faire une chose pareille ? Il est de ma responsabilité...

– Le libre arbitre ! railla Cam en haussant les épaules. C'est très tendance, en ce moment.

Les ailes de Daniel brûlaient dans son dos, inutiles. Que faire contre une demi-douzaine d'Anachronismes qui sillonnaient le passé ? Les autres anges déchus savaient à quel point ce passé était fragile, et ils seraient prudents. Mais Shelby et Miles ? Ce n'étaient que des gamins imprudents, ils ne sauraient que faire. Ils pouvaient tout anéantir pour Luce, voire même la faire mourir.

Non. Daniel ne leur permettrait pas de la trouver avant lui !

Pourtant, Cam avait réussi.

– Comment puis-je avoir l'assurance que tu n'es pas intervenu ? demanda Daniel en tentant de masquer son agacement.

Cam leva les yeux au ciel.

– Tu sais combien toute intervention peut être dangereuse. Nous avons sans aucun doute des objectifs différents, mais nous avons tous deux besoin qu'elle en sorte vivante.

– Écoute-moi, Cam. Tout est en péril.

– Ne me sous-estime pas. Je connais parfaitement les enjeux. Tu n'es pas le seul à avoir lutté trop longtemps.

– J'ai peur..., avoua Daniel. Si elle parvient à modifier le passé...

– Elle ne sera plus la même en revenant dans le présent ? fit Cam. Oui, je le crains, moi aussi.

Daniel ferma les paupières.

– Alors ses chances de se libérer de cette malédiction...

– ... seraient nulles.

Daniel observa Cam. Cela faisait une éternité qu'ils ne s'étaient pas parlé ainsi, comme deux frères.

– Elle était seule ? Tu es sûr que personne ne l'avait rejointe ?

L'espace d'un instant, Cam regarda au loin, vers le sommet nu de la montagne. Face à son hésitation, Daniel ressentit des picotements sur la nuque.

– Personne, confirma Cam.

– Tu en es certain ?

– C'est moi qui l'ai vue ici. Toi, tu arrives toujours trop tard. Et c'est ta faute si elle se promène comme ça.

– C'est faux. Je ne lui ai jamais montré comment utiliser les Annonciateurs.

Cam émit un rire amer.

– Je ne pensais pas aux Annonciateurs, imbécile. Je m'explique : elle croit que cette histoire ne concerne que vous deux, que c'est une simple querelle d'amoureux.

– Il s'agit pourtant bien de nous ! affirma Daniel, la gorge nouée.

Il mourait d'envie de soulever un rocher pour fracasser le crâne de Cam.

– Menteur ! dit Cam en se levant d'un bond. Ses yeux verts lançaient des éclairs. C'est bien plus important que cela, et tu le sais parfaitement.

Il roula les épaules et déploya ses immenses ailes marbrées et dorées qui resplendirent, masquant un instant le soleil. Lorsqu'il se tourna vers Daniel, celui-ci eut un mouvement de recul, presque de répulsion.

– Tu ferais mieux de la retrouver avant qu'elle ou quelqu'un d'autre n'intervienne et réécrive toute notre histoire et ne fasse de toi, de moi et de tout cela… (Cam claqua des doigts.) Un monde obsolète.

Daniel, déplia ses ailes ourlées d'argent, qui frémirent dès qu'elles frôlèrent celles de Cam. À présent, il se sentait capable de tout.

– Je vais me débrouiller…, déclara-t-il.

Mais Cam s'était déjà envolé, laissant de minuscules tourbillons de terre dans son sillage. Daniel se protégea les yeux du soleil pour observer ses ailes dorées qui battaient dans le ciel, et bientôt, elles auraient disparu.

XI

COUP DE FOUDRE

Versailles, 14 février 1723

En jaillissant de l'Annonciateur, Luce se retrouva dans une eau trouble et tiède qui lui piqua les yeux. Le poids de ses vêtements trempés l'entraînait vers le bas. Elle se délesta rapidement de son manteau de vison qui sombra, puis elle s'agita pour remonter à l'air libre.

Elle n'avait qu'une dizaine de centimètres à remonter.

Retenant son souffle, elle toucha le fond et se redressa. Quand elle ouvrit les yeux, elle constata qu'elle se trouvait dans une baignoire.

Certes, c'était la plus grande qu'elle eût jamais vue : une vraie piscine de porcelaine blanche en forme de haricot trônait au milieu d'une pièce immense, qui ressemblait à une galerie de musée. Au plafond étaient peints des portraits représentant les membres d'une famille majestueuse. Chaque buste était entouré d'une couronne de roses dorées, et entre volaient des chérubins potelés jouant du cor vers le ciel. Contre les murs décorés de volutes turquoise, roses et or se dressaient d'immenses armoires en bois richement sculpté.

Luce s'allongea dans l'eau. Où venait-elle donc encore de débarquer ? Elle écarta la mousse. Aussitôt, une éponge apparut à la surface. Elle n'avait pas pris un bain depuis Helston et se sentait sale. Elle se débarbouilla, puis se dévêtit complètement, posant ses effets mouillés sur le bord de la baignoire.

C'est alors que la gargouille jaillit à son tour et se mit à voleter au-dessus de la surface.

– Bill ! s'écria-t-elle. J'aurais besoin d'un peu d'intimité...

Il se cacha les yeux.

– Tu aurais pu me prévenir que j'allais faire un plongeon ! reprit Luce.

– Je t'ai prévenue !

Il se posa sur le bord de la baignoire et s'approcha du visage de la jeune fille.

– Au moment de sortir de l'Annonciateur. Tu ne m'as pas entendu parce que tu étais déjà sous l'eau. Et puis tu avais besoin de prendre un bain. Tu sais, c'est un grand soir, pour toi, petite !

– Pourquoi ? Qu'est-ce qui se passe ?

– Elle me demande ce qui se passe ! s'exclama Bill en lui touchant l'épaule. Le plus grand bal depuis la mort du Roi Soleil, rien que ça ! Et peu importe que l'évènement soit donné par son boutonneux de fils. Il aura lieu dans une immense salle de bal du château de Versailles, et toute la cour sera présente.

Luce haussa les épaules. Un bal, d'accord, mais quel rapport avec elle ?

– Je vais être plus clair, reprit Bill. Tout le monde sera là, y compris Lys Virgily. La princesse de Savoie, ça te dit quelque chose ? (Bill se posa sur son nez.) C'est toi !

– Hum..., fit Luce en appuyant la tête sur le rebord de la baignoire. Ce doit être une soirée importante pour elle, mais que suis-je censée faire pendant ce temps ?

– Tu te souviens quand je t'ai dit...

Quelqu'un actionna la poignée de la porte de la vaste pièce.

– Suite au prochain épisode, grommela Bill.

Dès que la porte s'ouvrit, il se pinça le nez et disparut sous l'eau. Luce le chassa vers l'autre extrémité de la baignoire d'un coup de pied. Revenu à la surface, il la foudroya du regard, puis il fit la planche.

Si Bill était invisible pour la jolie jeune fille aux boucles blondes qui se tenait sur le seuil, vêtue d'une robe rouge, il ne l'était pas pour Luce. En découvrant sa présence dans la baignoire, elle eut un mouvement de recul.

– Princesse Lys ! Pardonnez-moi, s'exclama-t-elle. On m'a affirmé que cette pièce était vide. J'avais préparé un bain pour la princesse Élisabeth et j'allais lui dire de monter avec ses suivantes.

– Eh bien...

Luce fouilla son esprit, cherchant désespérément à trouver une contenance altière.

– Ne la faites pas venir. Ni ses suivantes. Je suis dans ma chambre et j'ai l'intention de me baigner en toute tranquillité.

– Je vous demande pardon, bredouilla la jeune fille en s'inclinant. Mille fois pardon.

– Ce n'est rien, s'empressa d'ajouter Luce en voyant le désarroi sincère de la femme de chambre. Il doit s'agir d'un malentendu.

La jeune fille esquissa une révérence et fit mine de refermer la porte. La tête à cornes de Bill surgit de l'eau.

– Des vêtements ! murmura-t-il.

Elle le repoussa du bout du pied.

– Attendez ! lança Luce à la domestique. J'aurais besoin de votre aide pour m'habiller avant le bal de ce soir.

– Et vos caméristes, princesse Lys ? Agatha ou Éloïse...

– Non, non. Nous nous sommes un peu chamaillées, poursuivit Luce en s'efforçant d'être brève, de peur de se trahir par son langage. Elles m'ont choisi une robe... horrible, alors je les ai congédiées. Ce bal est très important, vous savez.

– Oui, princesse.

– Pourriez-vous me dénicher une toilette ? demanda Luce en désignant une armoire.

– M... Moi ? Vous aider à vous habiller ?

– Vous êtes toute seule, ici, non ?

Luce espérait trouver une toilette à sa taille et digne d'une telle soirée.

– Comment vous appelez-vous ?

– Anne-Marie, princesse.

– Parfait, répondit Luce en cherchant à imiter l'air hautain de la Lucinda d'Helston.

Pour faire bonne mesure, elle ajouta :

– Dépêchez-vous donc, Anne-Marie ! Je refuse d'être en retard à cause de votre lenteur. Allez vite me chercher une robe !

Dix minutes plus tard, Luce contemplait son reflet dans un miroir triptyque. Elle admira la coupe et le décolleté de la toilette que lui avait apportée Anne-Marie. En taffetas noir, très froncée à la taille, la robe tombait en cloche vers le sol. Ses cheveux, relevés en un chignon élaboré, avaient été glissés sous une perruque brune et bouclée. Son visage était maquillé de poudre et de rouge. Elle portait tellement de jupons et autres sous-vêtements qu'elle avait l'impression de transporter un lourd fardeau. Comment les femmes réussissaient-elles à se mouvoir ainsi ? Et à danser ?

Anne-Marie serra son corset sur son torse. Avec cette perruque, Luce semblait avoir cinq ans de plus. Jamais elle n'avait arboré un décolleté aussi plongeant. Dans aucune de ses vies...

L'espace d'un instant, Luce oublia l'angoisse de rencontrer cette princesse. Allait-elle revoir Daniel avant de gâcher leur amour ? Ce n'était pas le moment d'y songer.

Elle ressentait la même chose que toutes les autres invitées, sans doute. Et, dans une telle tenue, il était déjà miraculeux de respirer.

– Vous êtes prête, princesse, murmura Anne-Marie avec respect. Je vais prendre congé, si vous me le permettez.

Dès que la femme de chambre eut refermé la porte derrière elle, Bill sortit de l'eau, non sans éclabousser les alentours. Il voleta vers l'armoire et se posa sur un petit tabouret couvert de soie turquoise. Il désigna d'abord la robe de Luce, puis sa perruque, avant de revenir sur sa robe.

– Magnifiquement sexy !

– Tu n'as pas encore vu mes chaussures, répondit-elle en soulevant le bas de sa robe pour révéler ses souliers à talon vert émeraude ornés de fleurs en jade. Ils étaient assortis à la dentelle qui ourlait le bustier de sa robe. Jamais Luce n'avait porté d'effets aussi luxueux...

– Époustouflant ! s'exclama Bill.

– Je n'arrive pas à y croire. Je vais descendre et faire semblant...

– Non, tu ne feras pas semblant ! la coupa Bill en secouant la tête. Sois le personnage. Ce décolleté, c'est le tien, Luce. C'est ce que tu veux.

– D'accord, disons que je n'ai rien entendu, concéda-t-elle avec une moue rieuse. Je descends, je suis le personnage, mais qu'est-ce que je fais en trouvant mon incarnation antérieure ? Je ne sais rien d'elle. Dois-je...

– Prends-lui la main, dit Bill de façon un peu mystérieuse. Elle sera très touchée par ce geste, j'en suis sûr.

Bill faisait allusion à quelque chose, de toute évidence, que Luce ignorait. Puis elle se rappela ses paroles, juste avant qu'ils ne plongent dans le dernier Annonciateur.

– Parle-moi de la troisième dimension.

– Ah !

Bill fit mine de s'appuyer contre un mur invisible, battant des ailes.

– Comme tu le sais, certaines choses sont tellement irréelles qu'on ne peut les exprimer par de simples mots. Ta façon de te pâmer quand Daniel te donne un long baiser, ou bien cette chaleur qui gagne tout ton corps quand il déploie ses ailes, dans la nuit noire...

– Arrête !

Malgré elle, Luce posa une main sur son cœur. Il n'existait pas de mots pour décrire ce que Daniel provoquait en elle. Bill se moquait d'elle, alors qu'elle souffrait profondément d'être séparée depuis si longtemps de l'objet de son amour.

– C'est pareil pour la troisième dimension. Tu devras la vivre pour comprendre.

Dès que Bill ouvrit la porte, le son lointain d'un orchestre et le brouhaha des invités envahirent la pièce. Luce se dirigea vers le bal comme attirée par un aimant.

– Après vous, princesse..., lança Bill.

Elle descendit d'un côté d'un immense escalier circulaire orné de dorures. À chaque pas, la musique semblait plus forte. Luce traversa ensuite une série de galeries désertes. Un fumet de cailles rôties et d'autres mets succulents flottait dans l'air. Les parfums mêlés des convives étaient si lourds qu'elle avait peine à respirer.

Luce approcha de la galerie des Glaces. Devant elle, deux femmes et un homme se dirigeaient vers l'entrée de la salle. Avec leurs longues robes jaune et bleu, elles semblaient flotter au-dessus du sol. L'homme marchait entre elles, vêtu d'une chemise blanche à jabot sous une longue veste argentée. Ses talons étaient presque aussi hauts que ceux de Luce, mais tous trois étaient coiffés de perruques bien plus hautes que la sienne. Luce se sentit maladroite, alourdie par tous ses jupons qui se balançaient d'un côté et de l'autre, à chacun de ses pas.

Intrigués, ils se tournèrent vers elle, comme s'il sautait aux yeux qu'elle n'avait pas sa place dans un bal de la haute société.

– Ignore-les, ordonna Bill. Il y a des snobs partout.

Luce leva le menton et emboîta le pas au trio, qui franchit plusieurs portes jusqu'à la plus belle salle de bal du royaume.

Luce marqua un temps d'arrêt.

– Quelle splendeur ! souffla-t-elle.

L'immense galerie au très haut plafond était éclairée par une dizaine de lustres garnis de chandelles scintillantes. Les murs étaient couverts de miroirs et de dorures. Le parquet semblait s'étendre à l'infini. De longs buffets couverts de nappes blanches étaient dressés, décorés de milliers de jonquilles blanches, avec de la porcelaine délicate, des verres en cristal, des plats fumants somptueux.

À l'autre extrémité de la salle se tenaient une dizaine de jeunes élégantes qui bavardaient et riaient devant une grande porte dorée.

Un autre groupe était réuni autour d'un buffet, près de l'orchestre. Luce prit un verre de vin.

– Excusez-moi, dit-elle à deux femmes dont les boucles grises formaient deux tours jumelles sur leurs têtes. Qu'attendent ces jeunes filles ?

– Eh bien, de satisfaire le roi, bien sûr ! répondit l'une d'elles en riant. Ces demoiselles espèrent lui plaire au point de l'inciter au mariage.

Le mariage ? Mais elles semblaient si jeunes ! Soudain, Luce fut parcourue de frissons. Lys se tenait parmi elles !

Luce la dévisagea. Superbement vêtue d'une robe noire à peine différente de la sienne, elle portait une capeline en velours assortie. Les yeux rivés au sol, elle ne riait pas avec les autres.

– Bill..., murmura cette dernière.

Mais la gargouille vola juste devant son visage et lui fit signe de se taire en posant un index sur ses lèvres.

– Il n'y a que les fous pour discuter avec des gargouilles invisibles, souffla-t-il. Et les fous sont rarement invités au bal. Tais-toi.

– Mais...

– Chut !

Luce respira profondément. Bill lui avait recommandé de prendre Lys par la main.

Elle traversa donc la piste, croisant les laquais et leurs plateaux. Elle faillit bousculer la fille placée derrière Lys, qui tentait de lui chiper sa place en faisant mine de murmurer quelque chose à une amie.

– Excusez-moi, dit-elle à Lys.

La jeune fille écarquilla les yeux et entrouvrit les lèvres, laissant échapper un petit soupir.

Luce n'avait pas de temps à perdre. Elle prit la main de Lys, qui se nicha dans la sienne comme une pièce de puzzle.

Lorsqu'elle la serra, Luce sentit son ventre se nouer. Elle frémit et fut saisie d'un léger tournis. Elle battit des paupières, mais quelque chose lui disait de ne pas la lâcher.

Elle cligna les yeux. Lys aussi. Puis elles recommencèrent, ensemble. Luce se voyait dans le regard de Lys. Puis Lys se vit à travers ses propres yeux et... ne vit plus personne.

– Oh ! s'écria Luce.

Elle fixa ses mains, qui n'avaient pas changé, tout comme son visage et sa perruque. Mais il y avait quelque chose de différent.

Elle examina discrètement ses pieds. Elle portait des souliers magenta, avec des talons en losange et un nœud argenté élégant autour des chevilles.

Qu'avait-elle fait ?

Alors, elle comprit seulement ce que Bill appelait la troisième dimension.

Elle venait littéralement d'entrer dans le corps de Lys.

Luce scruta les alentours, terrifiée. Les autres jeunes filles étaient immobiles, le regard fixe. La fête semblait être sur « pause ».

– Tu vois ? chuchota Bill tout excité à son oreille.

– Qu'est-ce qui se passe ? lui demanda-t-elle en haussant le ton.

– Pour l'heure, pas grand-chose. J'ai dû mettre un frein à la réception, de peur que tu ne craques. Une fois que cette histoire de troisième dimension sera réglée, je ferai tout redémarrer.

– Donc... personne ne s'est rendu compte de rien, pour l'instant ? demanda la jeune fille en agitant la main près du visage de la jolie brune qui se tenait devant Lys.

Elle ne broncha pas. Son expression était figée en un rictus.

– Non, confirma Bill en agitant la langue près de l'oreille d'un homme âgé sur le point de porter une mignardise à sa bouche. Il suffit que je claque des doigts pour que la fête batte de nouveau son plein.

Luce soupira, étrangement ravie de bénéficier de son aide. Il lui fallait un peu de temps pour se faire à l'idée qu'elle était vraiment une autre...

– Où suis-je passée ? Où est mon corps ? s'enquit-elle, inquiète.

– Tu es quelque part par là, répondit Bill en lui tapotant la clavicule. Tu ressortiras quand le moment sera venu. Pour l'heure, tu es totalement dans ton passé. Comme une adorable tortue sous la carapace d'une autre. Vos deux êtres ont fusionné, ce qui implique que tu as ses souvenirs, ses passions, ses manières, une chance pour toi. Bien sûr, tu devras aussi supporter ses défauts. Lys est très maladroite, méfie-toi.

– C'est incroyable, murmura Luce. Alors si je trouve Daniel, je ressentirai exactement ce qu'elle ressent pour lui ?

– Sans doute, mais sache que quand je claquerai des doigts, Lys aura des obligations à remplir sans Daniel. Il n'est pas le bienvenu. Jamais les gardes ne laisseraient entrer un modeste garçon d'écurie.

Luce s'en moquait. Garçon d'écurie ou pas, elle le trouverait. Elle n'en pouvait plus d'attendre. Dans le corps de Lys, elle pourrait même l'enlacer, voire l'embrasser. Son impatience était insupportable.

– Bon, fit Bill en brandissant un index. Tu es prête ? Vas-y, et débrouille-toi pour sortir de là tant que tout va bien.

Luce lissa sa robe noire et releva la tête.

– OK !

– C'est parti, déclara Bill en claquant des doigts.

Pendant une fraction de seconde, la fête donna l'impression d'un disque rayé. Puis chaque conversation interrompue, chaque effluve de parfum flottant dans l'air, chaque goutte d'alcool coulant dans une gorge, chaque note de musique de l'orchestre reprit son cours en souplesse, comme si rien ne s'était passé.

Seule Luce avait changé. Mille images se bousculaient dans son esprit, mille images : *un chalet dans les Alpes, un cheval bai qui s'appelait Gauche, l'odeur du foin, une pivoine blanche posée sur un oreiller. Et Daniel, ses yeux violets. Daniel, de retour du puits, chargé de quatre seaux d'eau en équilibre sur une perche, sur ses épaules. Daniel redoublait d'attentions pour Luce, malgré le dur labeur qu'il effectuait pour son père. Daniel dans ses rêves, dans son cœur, dans ses bras.* Toute ces images affluèrent de la même façon que les bribes de souvenirs de Luschka lui étaient revenues à Moscou. Mais plus intensément, car elles faisaient partie d'elle-même, cette fois.

Daniel devrait se trouver aux écuries ou à l'office. Il était là. Il fallait qu'elle le trouve.

En sentant un bruissement près de son cou, elle sursauta.

– Ce n'est que moi, annonça Bill. Tu t'en sors à merveille.

Deux valets ouvrirent la grande porte dorée, à l'extrémité de la salle. Les jeunes filles alignées s'agitèrent soudain. Le silence se fit. Luce cherchait le moyen le plus rapide de fuir les lieux.

– Concentre-toi, Luce, dit Bill, comme s'il lisait ses pensées. Tu vas bientôt être appelée à faire ton devoir.

L'orchestre joua les premières mesures du *Ballet de la jeunesse*[1]. Puis tous les convives dirigèrent leur regard vers l'entrée. Luce retint son souffle. Elle reconnaissait l'homme qui se tenait sur le seuil, un bandeau sur l'œil.

C'était le duc de Bourbon, le cousin du roi.

Grand et mince, sec comme une plante privée d'eau, il portait un costume de velours bleu mal ajusté avec une ceinture mauve assortie à ses bas, sur des jambes maigrichonnes. Sa perruque poudrée à outrance et son visage blanc étaient d'une laideur rare.

Bien sûr, elle connaissait déjà sa figure pour l'avoir découverte dans quelque manuel d'histoire. Mais elle en

1. Œuvre baroque de Delalande, créée à Versailles en 1686.

savait bien plus sur lui. Elle savait tout. Les suivantes royales échangeaient des histoires salaces sur ses prestations au lit, sur la façon dont il avait perdu un œil (un accident de chasse, lors d'une partie destinée à s'attirer les faveurs du roi). En cet instant, il s'apprêtait à faire entrer les filles qu'il avait sélectionnées comme prétendantes éventuelles du jeune roi, seulement âgé de douze ans, qui attendait à côté.

Or Lys était une favorite de la première heure du duc. Elle ne pouvait épouser le roi, car elle était amoureuse de Daniel, d'où son sentiment d'oppression. Cela faisait des années qu'il l'aimait passionnément. Hélas, dans cette vie, il était domestique, et ils devaient garder le secret. Luce ressentit la peur panique de Lys. Si elle plaisait au souverain, ce soir, tout espoir de vivre avec Daniel s'envolerait à jamais.

Bill l'avait prévenue que cette expérience serait intense, mais rien n'aurait pu la préparer à une telle émotion. Les doutes, les craintes, les espoirs, les rêves qui avaient assailli Lys s'emparèrent de Luce. C'en était trop.

Le souffle court, elle scruta la salle de bal, évitant le duc à tout prix. Elle comprit alors qu'elle savait tout ce qu'il y avait à savoir sur cette époque et sur ce lieu, et notamment pourquoi le roi[2] cherchait une épouse alors qu'il était déjà fiancé. Elle reconnut la moitié des visages qui l'entouraient, elle connaissait leurs histoires, leurs jalousies. Elle savait se tenir avec un corset, et devinait qu'elle avait été formée à l'art de la danse depuis sa plus tendre enfance.

---

2. Louis XV, né en 1710, sacré à Reims en 1722.

Habiter le corps de Lys procurait à Luce une sensation bizarre d'être à la fois le fantôme et l'être hanté.

L'orchestre se tut. À la porte, un homme déroula un parchemin.

– Princesse Lys de Savoie.

Luce leva la tête avec plus d'élégance et d'assurance qu'elle ne s'y attendait. Elle accepta la main d'un jeune homme en gilet vert pâle qui devait l'escorter jusqu'au salon du roi.

Lorsqu'elle entra dans la pièce, Luce s'efforça de ne pas regarder fixement le souverain. Son imposante perruque grise était ridicule, perchée sur sa petite tête et son visage crispé. Ses yeux bleu clair se posèrent d'un air concupiscent sur la rangée de superbes duchesses et de princesses magnifiquement vêtues.

Tout boutonneux, Louis XV semblait à peine sorti de l'enfance.

Il assumait la couronne depuis l'âge de cinq ans. Selon le souhait de son père, il était fiancé à l'infante d'Espagne, qui marchait à peine. Le jeune roi malingre et souffreteux ne vivrait sans doute pas assez longtemps pour avoir un enfant avec cette princesse, qui elle-même ne serait jamais en âge de procréer. Le roi devait donc trouver une épouse qui lui donnerait un héritier, ce qui était la raison première de ce bal extravagant.

Luce tripotait nerveusement la dentelle de sa robe. Elle se sentait ridicule. Les autres faisaient preuve de tant de patience... Peut-être voulaient-elles vraiment épouser cet adolescent boutonneux... Comment cela était-il possible ?

D'Élisabeth, l'élégante princesse russe, dont la robe de velours saphir avait un col en fourrure, à Marie, la Polonaise, avec son petit nez mutin et ses lèvres pulpeuses si séduisantes, toutes ces jeunes filles belles et élégantes étaient pleines d'espoir.

Mais Louis n'avait d'yeux que pour Luce, affichant un air satisfait qui lui noua les entrailles.

– Celle-ci, déclara-t-il en la désignant d'un geste nonchalant. Je veux la voir de plus près.

Le duc s'approcha de Luce et la saisit par l'épaule de ses longs doigts noueux.

– Présentez-vous. C'est une chance unique dans une vie, déclara-t-il.

Luce pesta intérieurement, mais ce fut Lys qui prit le dessus. Elle s'avança avec grâce pour saluer le souverain, fit une révérence parfaite et lui tendit une main. C'était ce que sa famille attendait d'elle.

– Allez-vous engraisser ? demanda le roi en observant sa taille fine serrée dans le corset. J'aime sa silhouette actuelle, ajouta-t-il à l'adresse du duc. Je ne veux pas qu'elle engraisse.

Luce fut outrée par sa remarque, mais Lys, elle, garda sa contenance et répondit :

– Je souhaite satisfaire le roi en tous points, qu'il s'agisse de mon apparence ou de mon tempérament.

– Bien sûr, ronronna le duc en tournant autour d'elle. Je suis certain que sa majesté pourrait lui faire suivre une diète de son choix.

– Et la chasse ? s'enquit Louis.

– Votre majesté, intervint le duc, ce n'est pas convenable, pour une reine. Vous aurez de nombreux autres compagnons de chasse. À commencer par moi-même...

– Mon père était un chasseur hors pair, déclara Luce, dont l'esprit était en ébullition pour trouver une échappatoire.

– Dans ce cas, je devrais peut-être coucher avec votre père, railla le roi.

– Je sais que votre majesté a le goût des armes à feu, reprit la jeune fille en s'efforçant de conserver un ton courtois. Je vous ai donc apporté un présent, le fusil favori de mon père. Il m'a prié de vous l'offrir, ce soir, mais je ne savais pas quand j'aurais l'honneur de vous rencontrer.

Elle avait capté son attention. Il se percha au bord du trône.

– À quoi ressemble cette arme ? La crosse est-elle incrustée de joyaux ?

– La... crosse est en bois de merisier sculpté, expliqua-t-elle, répétant les paroles que lui soufflait Bill, qui se tenait à côté du trône. Le canon a été façonné par... par... par un forgeron russe parti travailler pour le tsar !

Bill se pencha vers Luce, qui ajouta :

– Je peux l'apporter à votre majesté, si vous me permettez d'aller la chercher dans mes quartiers...

– Une domestique la descendra demain, j'en suis certain, intervint le duc.

– Je veux la voir maintenant, décréta le roi en croisant les bras, d'un ton capricieux.

– Je vous en prie, insista Luce en se tournant vers le duc. Ce serait un immense plaisir pour moi de remettre moi-même ce présent à sa majesté.

– Je vous en prie, ordonna le roi en congédiant Luce d'un claquement de doigts.

Elle eut envie de tourner les talons, mais Lys ne l'entendait pas de cette oreille. Pas question de tourner le dos au Souverain. Elle s'inclina donc et sortit à reculons. Avec la retenue la plus élégante, elle s'éloigna comme si elle ne touchait plus terre jusqu'à la grande porte.

Puis elle prit ses jambes à son cou.

Elle traversa la salle de bal, bouscula quelques danseurs, et fila à travers une enfilade de pièces aux couleurs chatoyantes. Elle croisa des dames étonnées, des messieurs maussades, foulant des parquets et de rares tapis persans, jusqu'à ce qu'elle atteigne une porte à meneaux menant vers l'extérieur. Dehors, elle respira à pleins poumons. Elle se trouvait dans une immense galerie en marbre blanc qui semblait faire le tour de l'étage.

Dans la nuit étoilée, Luce ne voulait qu'une chose : se blottir dans les bras de Daniel et s'envoler dans le ciel. Si seulement il pouvait l'emmener loin d'ici...

– Qu'est-ce que tu fais là ?

Elle fit volte-face. Il était venu la chercher ! Vêtu d'une modeste tenue de domestique, il semblait troublé, inquiet, et désespérément amoureux.

– Daniel !

Elle se précipita vers lui. Il vint à sa rencontre, ses yeux violets illuminés, et ouvrit les bras, radieux. Dès qu'elle se retrouva dans ses bras, elle crut exploser de bonheur.

La tête lovée contre son torse, elle se sentait enfin à sa place. Les bras autour de sa taille, il la serrait fort contre lui. Elle l'embrassa derrière l'oreille, puis sur le menton, très doucement, trouva ses lèvres, qui s'offrirent aux siennes. Leur baiser sembla durer une éternité.

Luce regarda ensuite Daniel dans les yeux.

– Tu m'as tellement manqué...

Daniel rit.

– Toi aussi...

Elle passa les doigts dans ses cheveux blonds et soyeux.

– J'avais besoin de prendre un peu l'air et de te retrouver, dit-elle, en le serrant contre elle.

– Nous ne devrions pas être là, Lys, déclara-t-il. On t'attend, dans le salon.

– Je m'en moque. Je n'y retournerai pas. Et jamais je n'épouserai ce porc. Je n'épouserai personne d'autre que toi.

– Chut..., murmura-t-il en lui caressant la joue. Quelqu'un pourrait t'entendre. Certains se sont fait couper la tête pour moins que cela.

– L'infâme ! lança une voix depuis la porte ouverte.

Les bras croisés, le duc de Bourbon afficha un air de mépris en découvrant Lys dans les bras d'un vulgaire domestique.

– Je m'en vais de ce pas informer le roi.

Sur ces mots, il disparut à l'intérieur du château.

Le cœur de Luce s'emballa ; la peur de Lys se mêla à la sienne. Avait-elle modifié le cours de l'histoire ? Lys était-elle promise à un autre destin ?

Luce ne pouvait le savoir. Roland lui avait bien expliqué que les changements qu'elle apporterait, au fil du temps, seraient intégrés aux évènements. Or Luce était encore là, et si elle avait modifié les évènements en repoussant le roi, cela n'avait apparemment eu aucune incidence sur Lucinda Price.

Elle s'adressa à Daniel d'une voix assurée.

– Je me moque que ce vil duc me tue. Plutôt mourir que de renoncer à toi !

Elle fut submergée d'une douce chaleur qui la fit vaciller.

– Oh ! fit-elle en portant la main à sa tête.

Elle reconnut cette sensation, qu'elle avait déjà éprouvée des milliers de fois sans y prêter attention.

– Lys, murmura-t-il. Sais-tu ce qui t'attend ?

– Oui, murmura-t-elle.

– Et tu sais que je resterai avec toi jusqu'au bout ?

Daniel plongea dans son regard avec tendresse et sollicitude. Il ne lui mentait pas. Il ne lui avait jamais menti et ne le ferait jamais. Elle le savait, désormais, elle en avait la preuve. Il en révélait juste assez pour la maintenir en vie quelques instants de plus, suggérant tout ce qu'elle commençait à apprendre par elle-même.

– Oui, je le sais. Mais il y a encore tant de choses que je ne comprends pas. Comment empêcher cet évènement de se produire ? Comment briser cette malédiction ?

Daniel sourit, mais ses yeux étaient embués de larmes.

Luce n'avait pas peur. Elle se sentait plus libre que jamais.

Une prise de conscience étrange et profonde germait dans le brouillard de son esprit. Un baiser de Daniel pouvait ouvrir une porte, la libérer d'un mariage avec un roi et de la prison de ce corps. Ce corps n'était pas vraiment sa personne, ce n'était qu'une enveloppe, une partie de la punition. Sa mort n'était donc pas un drame. C'était juste la fin d'un chapitre. Une libération sublime et nécessaire.

Des pas résonnèrent dans l'escalier, derrière eux. Le duc était de retour, avec ses hommes. Daniel prit la jeune fille par les épaules.

– Lys, écoute-moi...

– Embrasse-moi ! l'implora-t-elle.

L'expression de Daniel changea, comme si c'était ce qu'il avait besoin d'entendre. Il la souleva de terre et l'étreignit intensément. Il l'embrassa avec une fougue extraordinaire. Luce se cambra et répondit avec passion à son baiser, ivre de bonheur. Puis des ombres vinrent masquer les étoiles. Au cœur de cette chorégraphie, Luce sentit filtrer la lumière.

C'était absolument sublime.

Pourtant, il fallait qu'elle s'en aille.

« Débrouille-toi pour sortir de là tant que tout va bien », l'avait prévenu Bill.

Comment pouvait-elle partir alors que tout son être savourait follement le baiser de Daniel ? Lorsqu'elle ouvrit les yeux, ses cheveux, son visage et la nuit elle-même étaient plus brillants, plus beaux, illuminés par cet amour irradiant du plus profond de son âme.

Chaque baiser la rapprochait de la lumière, le seul véritable chemin qui menait vers Daniel. Loin de la vie ordinaire et vers une autre. Luce accepterait de mourir un millier de fois du moment qu'elle le retrouvait de l'autre côté.

– Reste avec moi, gémit Daniel alors qu'elle s'embrasait.

Elle gémit. Ses joues ruisselaient de larmes. Un sourire doux apparut sur ses lèvres.

– Que se passe-t-il ? demanda Daniel sans cesser de l'embrasser. Lys ?

– C'est... tant d'amour, dit-elle en ouvrant les yeux au moment où les flammes dévoraient sa poitrine.

Une colonne de lumière s'éleva dans la nuit, projetant des flammes haut vers le ciel. Daniel tomba à la renverse, et Luce put s'extraire de Lys, et s'envoler vers les ténèbres glacées et insondables, comme saisie d'un intense vertige.

Puis il y eut une petite lueur.

Luce vit Bill planer au-dessus d'elle, l'air inquiet. Elle gisait sur une pierre plate et lisse, et elle entendait de l'eau ruisseler tout près. L'air était humide et frais. Elle se trouvait dans un Annonciateur.

– Tu m'as fait une de ces peurs ! déclara la gargouille. Quand Lys est morte, je ne savais pas comment... J'ai cru que tu allais rester coincée...

Il secoua la tête comme pour chasser cette pensée.

Luce voulut se relever, mais elle avait les jambes en coton. Et il faisait si froid... Elle s'assit en tailleur, adossée à la paroi de pierre. Elle portait encore la robe noire ourlée de vert. Dans un coin, elle aperçut ses souliers assortis. Bill avait dû les lui ôter pour l'allonger, après la mort de Lys... Luce ne parvenait toujours pas à croire qu'elle ait vécu une telle scène.

– Bill, j'ai vu des choses, que j'ignorais complètement.

– Comme quoi ?

– Elle était heureuse, en mourant. J'étais en extase. C'était tellement beau de savoir qu'il m'attendait de l'autre côté, et qu'en disparaissant j'échappais à une vie oppressante et triste. J'avais la certitude incroyable que la beauté de notre amour pourrait résister à tout.

– C'était incroyablement dangereux, oui, rétorqua Bill d'un ton sec. Ne recommençons plus, d'accord ?

– Mais tu ne saisis donc pas ? Depuis que j'ai quitté Daniel, dans le présent, c'est la meilleure chose, de loin, qui me soit arrivée !

Bill disparut alors dans l'obscurité. Elle entendit couler de l'eau. Et quelques instants plus tard, Bill réapparut avec une théière sur un fin plateau en métal. Il tendit une tasse fumante à Luce, tout étonnée.

– Ne recommençons pas, c'est compris ?

Mais Luce, perdue dans ses pensées, ne l'entendit pas. Jamais elle n'avait été aussi proche de la vérité. Elle était fermement décidée à retourner dans la troisième dimension. Elle assisterait à ses vies jusqu'au bout, l'une après l'autre, jusqu'à ce que, dans l'une d'elles, elle trouve enfin une explication.

Ensuite, elle briserait la malédiction.

XII

LE PRISONNIER

Paris, 1er décembre 1723

Daniel poussa un juron.

L'Annonciateur l'avait relâché sur une paillasse sale et humide. Il se dressa sur son séant et s'adossa à un mur de pierre gelé. Des gouttes d'un liquide huileux coulant du plafond lui tombaient sur le front.

Face à lui se trouvait une meurtrière dans la pierre, à peine assez large pour passer le poing. Elle laissait filtrer le clair de lune et un vent glacial.

Il ne voyait rien dans la cellule, mais il sentait que des rats s'agitaient dans la paille, sous ses jambes, et rongeaient le cuir de ses chaussures. Leurs déjections empestaient tant qu'il avait peine à respirer. Il donna un coup de pied, qui fut suivi d'un cri strident. Puis il s'accroupit.

– Tu es en retard, fit une voix, à côté de lui.

Il sursauta, car il se croyait seul. Cette voix éraillée lui était familière.

Un frottement métallique se fit entendre. Daniel se crispa en voyant une ombre plus foncée se détacher et se pencher vers lui. La silhouette se plaça sous la meurtrière, et les contours de son visage se dessinèrent.

Son propre visage.

Il avait oublié cette cellule, cette peine. Voilà donc où il se retrouvait !

À certains égards, cet autre lui-même lui ressemblait : même nez, même bouche, même yeux gris écartés... Pourtant, le prisonnier Daniel était différent, avec son visage pâle et émacié, son front plissé crasseux, son corps décharné, ses cheveux gras, hirsutes, et sa peau moite de sueur.

L'absence de Luce le rongeait. Et s'il portait le boulet des prisonniers enchaîné à sa cheville, son véritable geôlier était le poids de sa culpabilité.

Tout lui revint : sa visite à sa future incarnation et une entrevue frustrante et amère. Paris, la Bastille, où il avait été enfermé par les gardes du duc de Bourbon après la disparition de Lys, au château de Versailles. Dans son existence, il avait connu d'autres prisons, aux conditions plus dures, des nourritures plus abjectes, mais l'ampleur de ses regrets lors de cette année passée à la Bastille était l'une des pires épreuves qu'il ait dû traverser.

En partie parce qu'il était injustement accusé de son meurtre.

Toutefois...

Si Daniel était là, enfermé, cela signifiait que Lys était morte et par conséquent, que Luce était venue et repartie.

Encore une fois, il était trop tard.

– Attends, dit-il au prisonnier, dans le noir, en s'approchant, mais pas trop, pour ne pas le toucher. Comment connais-tu la raison de mon retour ici ?

Le raclement du boulet, sur le sol, signifiait que l'autre Daniel s'était appuyé contre le mur.

– Tu n'es pas le seul à être à sa recherche.

Les ailes de Daniel brûlaient d'une chaleur qui irradia ses épaules.

– Cam.

– Non, pas Cam, répondit l'autre. Deux gamins.

– Shelby? hasarda Daniel en martelant le sol de son poing. Et l'autre Néphilim, là... Miles. Tu plaisantes ? Ils sont venus ici ?

– Il y a environ un mois, je crois, répondit son alter ego en désignant le mur, derrière lui. J'ai tenté de noter le jour précis, mais tu sais ce que c'est. Le temps passe de façon étrange et vous échappe.

– Tu leur as parlé ? demanda Daniel en frémissant.

Il fouilla sa mémoire et des images furtives de son emprisonnement lui revinrent. Il vit une fille et un garçon. Il les avait toujours considérés comme les fantômes du chagrin, deux illusions de plus, après le départ de Luce.

– Pendant un moment, répondit le prisonnier d'un ton las et distant, ils ne s'intéressaient guère à moi.

– Tant mieux.

– Mais quand ils ont appris qu'elle était morte, ils étaient très pressés de poursuivre leur chemin. (Ses yeux gris étaient pénétrants, inquiétants.) Toi et moi pouvons le comprendre.

– Où sont-ils partis ?

– Je n'en sais rien, répondit le prisonnier. Je ne pense pas qu'ils l'aient su eux-mêmes. Si tu avais vu combien de temps ils ont mis à ouvrir un Annonciateur ! Deux incapables !

Daniel sourit.

– Ce n'est pas drôle, gronda l'autre. Ils tiennent à elle.

Mais Daniel n'avait aucune affection pour les Néphilim.

– Ils constituent un danger pour nous tous. Ils pourraient provoquer de tels dégâts... (Il ferma les yeux.) Ils n'ont aucune idée de ce qu'ils font.

– Pourquoi n'arrives-tu pas à la rattraper, Daniel ? demanda le prisonnier avec un rictus amer. Nous nous sommes déjà croisés au cours des derniers millénaires... Tu la poursuivais déjà, sans jamais la rejoindre.

– Je... Je l'ignore.

Daniel réprima un sanglot. Les mots restaient coincés dans sa gorge.

– Je ne parviens pas à l'atteindre. J'arrive toujours légèrement trop tard, comme si quelqu'un ou quelque chose s'activait en coulisses pour la maintenir à distance de moi.

– Les Annonciateurs ne t'emmènent que là où tu dois te rendre.

– C'est auprès d'elle que je dois aller.

– Peut-être savent-ils mieux que toi ce dont tu as besoin.

– Comment ?

– Peut-être vaut-il mieux ne pas arrêter Luce, hasarda le prisonnier en tirant sur sa chaîne. Le fait qu'elle soit capable de voyager révèle un changement fondamental. Tu ne pourras peut-être pas la rejoindre tant qu'elle n'aura pas réussi à modifier la malédiction d'origine.

– Mais...

Que dire ? Un sanglot l'étrangla de nouveau, noyant son cœur dans un torrent de honte et de tristesse.

– Elle a besoin de moi. Chaque seconde est une éternité de perdue. Et si elle fait un faux pas, on risque de tout perdre. Elle pourrait modifier le passé et... cesser d'exister.

– N'est-ce pas le principe du risque ? Tout jouer sur un mince espoir ?

Le prisonnier tendit la main et toucha presque le bras de Daniel. Tous deux avaient besoin d'établir un lien. Au dernier moment, Daniel s'écarta.

L'autre soupira.

– Et si c'était toi, Daniel ? Et si c'était toi qui devais modifier le passé ? Et si tu ne pouvais la rattraper avant d'avoir réécrit la malédiction en y incluant une faille ?

– Impossible, grommela Daniel. Regarde-moi. Regarde-toi. Sans elle, nous sommes perdus. Sans Lucinda, nous ne sommes rien. Il n'y a aucune raison pour que mon âme ne veuille pas la retrouver au plus vite.

Daniel avait envie de s'envoler, mais un détail le retenait encore.

– Pourquoi n'as-tu pas proposé de m'accompagner? demanda-t-il enfin. Naturellement, j'aurais refusé, mais certaines des incarnations que j'ai rencontrées, dans une autre vie, voulaient m'aider. Pourquoi pas toi?

– Je me suis évadé une fois, tu te souviens?

– Oui, au début, répondit Daniel. Et nous sommes retournés en Savoie, toi et moi.

Il leva des yeux tristes vers la lucarne.

– Pourquoi sommes-nous allés là-bas? reprit-il. Nous aurions dû savoir que nous allions droit vers un piège.

Le prisonnier s'adossa, dans un tintement de chaîne.

– Nous n'avions pas le choix. C'était le lieu le plus proche de Lucinda. (Il inspira profondément.) C'est tellement dur quand elle est entre les deux. Il me semble que je ne peux plus continuer. Finalement, j'étais content que le duc ait anticipé mon évasion en devinant où je me rendais. Il m'attendait en Savoie, à la table de mon mécène, avec ses hommes, pour me ramener ici.

Oui, Daniel se souvenait.

– La punition m'a paru méritée.

– Daniel...

Le visage si triste du prisonnier s'illumina soudain. Son regard, qui avait viré au violet, s'alluma.

– Je crois avoir compris, énonça-t-il imprudemment. Inspirons-nous du duc.

– Comment? demanda Daniel en s'humectant les lèvres.

– Tu dis pourchasser Luce depuis de nombreuses vies. Fais comme le duc. Anticipe ses mouvements! Ne te contente pas de la suivre. Arrive le premier et attends-la.

– J'ignore où ses Annonciateurs la conduiront.

– Mais si, tu le sais, insista le prisonnier. Tu dois bien avoir de vagues souvenirs des lieux où elle va se retrouver. Peut-être pas de chaque étape du parcours, mais... Quoi qu'il arrive, cette histoire finira là où tout a commencé.

Le temps d'un instant, ils furent complices, puis Daniel passa les mains sur le mur, près de la fenêtre, et appela une ombre. Elle était invisible, dans le noir, mais il la sentait s'approcher de lui. Puis il la façonna habilement. Cet Annonciateur semblait aussi déprimé que lui.

– Tu as raison, admit-il en ouvrant la porte. Il existe un endroit où elle se rendra forcément.

– Oui.

– Et toi, tu devrais suivre ton propre conseil et quitter ce lieu, ajouta Daniel, la mine sombre. Tu ne vas pas moisir ici, quand même.

– Au moins, la souffrance de ce corps me détourne de celle de mon âme, répondit-il. Non. Je te souhaite bonne chance, mais je ne quitterai pas cette cellule avant que Luce ait rencontré sa prochaine incarnation.

Les ailes de Daniel s'agitèrent. Il s'efforça de mettre de l'ordre dans ses souvenirs. Une pensée l'obnubilait.

– Elle... Elle doit être installée, maintenant. Tu ne le sens pas ?

– Oh, fit doucement l'autre Daniel en fermant les yeux. Je ne sais plus ce que je sens, au juste. La vie est un cauchemar.

Il soupira.

– Non, elle ne l'est plus. Je vais la retrouver et nous serons tous deux rachetés ! s'écria Daniel, prêt à partir et à faire un pas désespéré de plus dans le temps.

XIII

MAUDIT PAR LE DESTIN

Londres, 29 juin 1613

Le sol craquait sous les pieds de Luce.

En soulevant le bas de sa robe noire, la jeune fille découvrit une couche de coquilles de noix si épaisse que les débris bruns couvraient presque les boucles de ses pantoufles vert émeraude.

Elle se trouvait en retrait d'une foule bruyante. Les femmes portaient de longues robes sombres au bustier plissé et aux manches bouffantes terminées de larges manchettes. Les hommes arboraient pantalons rayés, grands manteaux et casquettes en laine. C'était la première fois que Luce surgissait d'un Annonciateur dans un lieu public. En l'occurrence, un amphithéâtre bondé, étincelant et assourdissant.

– Regarde ! ordonna Bill.

Il empoigna l'encolure de sa cape pour la tirer en arrière et la plaquer contre la rampe en bois d'un escalier.

Un instant plus tard, deux vauriens bousculèrent trois femmes en se courant après. Celles-ci se relevèrent en jurant à tue-tête. Les garnements leur jetèrent à peine un regard et continuèrent leur course poursuite.

– La prochaine fois, cria Bill à l'oreille de Luce, pourrais-tu t'efforcer de débarquer dans un cadre plus serein ? Comment veux-tu que je m'occupe de ton costume au milieu de cette foule ?

– Pas de problème, Bill. J'y veillerai.

Luce s'écarta pour laisser passer les enfants.

– Où sommes-nous ? demanda-t-elle.

– Tu as fait le tour du monde pour te retrouver au Globe, ma chère, répondit-il en s'inclinant.

– Le théâtre du Globe ? répéta-t-elle en se penchant pour éviter un os de poulet que la femme placée devant elle venait de lancer par-dessus son épaule. Tu veux dire, le théâtre de Shakespeare ?

– Eh bien, il affirme s'être retiré. Tu connais les artistes... Ils sont tellement changeants.

Bill descendit vers le sol et tira sur le bas de sa robe en chantonnant.

– C'est ici qu'a été joué *Othello*, déclara Luce lentement. Et *La tempête*, *Roméo et Juliette*. Nous sommes au cœur de toutes les plus grandes histoires d'amour.

– Aïe ! s'écria-t-elle tout à coup en sentant une piqûre dans le genou. Qu'est-ce que tu fais ?

– Je te désanachronise. Ces gens-là sont prêts à payer cher pour voir un spectacle de monstres de foire, mais ils s'attendent à ce que ça se passe sur scène.

Bill s'affaira à rentrer le long tissu drapé de sa robe de Versailles en formant une série de plis sur les côtés. Il lui ôta sa perruque et releva ses cheveux en un chignon lâche. Il la débarrassa de sa cape en velours, puis il transforma la cape en un haut col en vogue sous le règne de Jacques Ier[1].

– C'est bientôt fini, Bill !

– Un peu de patience, tu crois que ça m'amuse, de bricoler dans ces conditions ?

Il désigna de la tête la foule en délire.

– Par chance, la plupart d'entre eux sont trop ivres pour remarquer une fille dans l'ombre, au fond de la salle.

Bill avait raison. Nul ne les observait. Les gens se chamaillaient et se pressaient vers la scène. Ce n'était qu'une estrade à un peu plus d'un mètre du sol. De là où elle se trouvait, Luce n'avait guère de visibilité.

– Allez ! lança un jeune homme, au fond. On ne va pas attendre toute la journée !

Au-dessus de la foule se dressaient trois étages de sièges, puis plus rien : l'amphithéâtre s'ouvrait sur un ciel pâle de

---

1. 1603-1625.

mi-journée. Luce chercha des yeux son incarnation passée et Daniel.

– Nous assistons à une première, au théâtre du Globe.

Elle songea aux paroles de Daniel, sous les pêchers de Sword & Cross.

– Daniel m'a raconté que nous étions venus ici.

– Bien sûr que tu es déjà venue, répondit Bill. Il y a environ quatorze ans, tu es venue voir *Jules César* en famille. Tu étais perchée sur les épaules de ton grand frère.

Bill se mit à voleter devant elle. Son haut col improvisé semblait enfin tenir. Luce avait presque l'allure d'une dame de l'époque.

– Et Daniel ? s'enquit-elle.

– Daniel jouait...

– Pardon ?

– Il était acteur, expliqua Bill. Il débutait. Les spectateurs ne furent guère marqués par ses débuts, mais pour la petite Lucinda âgée de trois ans... (Bill haussa les épaules.) Tu as eu le feu sacré. Depuis, tu brûles de monter sur les planches. Sans jeu de mots, bien sûr ! Et ce soir, c'est ton soir !

Non. C'était son amie Callie la comédienne, pas elle. Au cours de son dernier trimestre à Dover, elle avait imploré Luce de l'accompagner à une audition pour *Our Town*[2]. Elles avaient répété pendant des semaines. Luce n'avait qu'une réplique, mais Callie avait brillé par son interprétation d'Emily Webb. Luce l'avait observée depuis

2. Pièce du dramaturge américain Thornton Wilder (1938).

les coulisses, fière de son amie et très impressionnée. Callie aurait vendu père et mère pour se trouver sur la scène du théâtre du Globe.

Mais Luce se rappela son visage livide lors de la bataille des anges contre les Bannis. Qu'était-elle devenue ? Où étaient passés les Bannis ? Comment Luce expliquerait-elle tout ce qui s'était passé à Callie, à ses parents ? Si seulement elle retrouvait un jour son jardin et cette vie-là...

Car Luce était désormais décidée à ne retourner dans sa vie présente que lorsqu'elle aurait deviné comment éviter sa fin et trouvé le moyen de ne pas revivre cette histoire d'amour maudite.

Si elle avait atterri dans ce théâtre, ce n'était pas par hasard. Quelque chose l'avait attirée, mais quoi ?

Elle se fraya un chemin dans la foule, sur un côté de l'amphithéâtre, pour mieux voir la scène. Les planches étaient couvertes d'un genre de toile figurant de l'herbe. Deux canons grandeur nature semblaient monter la garde près des coulisses. Une rangée d'orangers en pots bordait le fond du plateau. Non loin de la jeune fille, une échelle branlante menait à une sorte de loge fermée d'un rideau. Luce le savait grâce aux cours de théâtre qu'elle avait suivis avec Callie. C'était là que les acteurs enfilaient leur costume et se préparaient à monter sur scène.

– Attends ! appela Bill en la voyant monter à l'échelle.

Derrière le rideau, l'espace réduit était mal éclairé. Luce découvrit des piles de manuscrits et des armoires pleines de costumes, ainsi qu'un masque de tête de lion aux yeux écarquillés et des capes d'or et de velours. Soudain, elle se figea. Quelques acteurs étaient là : jeunes garçons en robes déboutonnées, des hommes qui laçaient leurs bottes de cuir marron... Par chance, ils étaient tous occupés à se poudrer le visage en répétant une dernière fois leur texte. Dans la salle résonnaient des répliques de la pièce.

Bill vola à la hauteur de la jeune fille et la poussa soudain dans une armoire, où elle se trouva entourée de vêtements.

– Qu'est-ce que tu fais ? s'étonna-t-elle.

– Je te rappelle qu'à l'époque, les actrices ne sont pas encore admises, gronda Bill, les sourcils froncés. En tant que femme, tu n'as pas ta place, ici. Or, têtue comme elle l'est, ton incarnation passée a pris de gros risques pour décrocher un rôle dans *All is true*.

– *All is true* ? répéta Luce.

Elle jeta un coup d'œil hors de l'armoire.

– Cette œuvre est plus connue sous le titre de *Henri VIII*, expliqua Bill en l'attirant en arrière par le col. Mais fais attention et cherche à savoir comment cette incarnation de toi-même mentirait et se travestirait pour obtenir un rôle...

– Daniel.

Il venait d'entrer dans la loge. Derrière lui, la porte donnant sur la cour était restée ouverte. Il avait le soleil dans le dos et marchait en lisant un manuscrit. Il remarqua à peine ses camarades. Il ne ressemblait pas au Daniel de ses autres vies, avec ses longs cheveux blonds ondulés noués en catogan. Il portait une barbe bien taillée, un peu plus foncée que ses cheveux.

Luce mourrait d'envie de lui sauter au cou. Daniel était magnifique dans sa chemise blanche ouverte, révélant son torse musclé et son pantalon noir et ample rentré avec style dans ses bottes.

À mesure qu'il s'approchait, elle sentit son cœur s'emballer. Le grondement de la foule, dans la salle, s'atténua. L'odeur de sueur disparut. Il n'y avait plus que le souffle de la jeune fille et les pas de Daniel qui avançait vers elle. Soudain, Luce jaillit de l'armoire.

En la découvrant, les yeux gris orage de Daniel devinrent aussitôt violets.

Incapable de se retenir plus longtemps, elle se précipita vers lui, oubliant Bill, les acteurs, son ancienne incarnation qui pouvait se trouver n'importe où, et tout le reste. Il n'existait plus qu'une chose : son besoin irrépressible de se blottir dans ses bras.

Il l'enlaça par la taille et l'entraîna vivement derrière l'imposante armoire, hors de la vue des acteurs. Elle le prit par la nuque et ferma les yeux. Les lèvres de Daniel se posèrent sur les siennes, presque trop légèrement à son goût. Elle voulait sentir son ardeur.

Luce se hissa alors sur la pointe des pieds et pencha la tête en arrière en espérant qu'il approfondirait son baiser. Elle avait besoin de se rappeler pourquoi elle se perdait dans le passé et se voyait mourir. C'était pour lui, pour eux deux, pour leur amour.

Cette scène lui rappela leur étreinte fatale à Versailles. Elle voulait le remercier de l'avoir sauvée d'un mariage avec le roi et le supplier de ne plus jamais se faire de mal, comme au Tibet. Elle avait envie de lui demander de quoi il avait rêvé quand il avait dormi pendant plusieurs jours après sa mort, en Prusse. Elle voulait entendre ce qu'il avait dit à Luschka, juste avant qu'elle ne meure, ce soir atroce, à Moscou. Elle souhaitait lui offrir tout son amour, fondre en larmes, lui faire savoir que chaque seconde de chaque vie, il lui avait terriblement manqué.

Hélas, il lui était impossible de dire ces choses, car rien ne s'était encore passé pour ce Daniel-là, qui la considérait comme la Lucinda de son époque. Or celle-ci ne savait rien de ce que Luce avait appris.

L'embrasser était, pour elle, le seul moyen de communiquer.

Or Daniel ne réagissait pas comme elle le souhaitait. Plus elle se pressait contre lui, plus il reculait. Et il finit même par la repousser franchement. Il ne tenait plus que ses mains, comme si elle le menaçait.

– Madame, fit-il en baisant le bout de ses doigts, ce qui la fit frissonner. Serais-je trop audacieux de déclarer que votre amour vous fait oublier les convenances ?

– Les convenances ? répéta-t-elle en rougissant.

Daniel la reprit dans ses bras, un peu tendu.

– Lucinda, tu ne dois pas être vêtue ainsi.

Il ne cessait d'examiner sa robe.

– Quelle est cette tenue ? s'enquit-il. Où est ton costume ?

Il se mit à fouiller l'armoire.

Très vite, il délaça ses bottes qui tombèrent lourdement à terre. Lorsqu'il ôta son pantalon et se retrouva en sous-vêtement, Luce eut toutes les peines du monde à masquer son trouble.

Quand il déboutonna sa chemise, Luce retint son souffle.

– Enfile ça, le temps que j'aille chercher ce qu'il faut, dit-il, en lui lançant ses effets. Vite, avant que quelqu'un te remarque !

Il se précipita vers une autre armoire, dans un coin, et en sortit une tunique vert et or, une culotte bouffante verte et une chemise blanche. Il se dépêcha de les revêtir. Sans doute s'agissait-il de son nouveau costume. Luce ramassa sa tenue de ville.

La femme de chambre de Versailles avait mis une demi-heure à la faire entrer dans cette robe, aux multiples cordons et lacets. Jamais elle ne parviendrait à se déshabiller en conservant sa dignité...

– Il y a eu un... changement, bredouilla la jeune fille en saisissant le tissu noir. Je me suis dit que celui-ci siérait au personnage.

Luce entendit un bruit de pas derrière elle, mais avant qu'elle ait pu se retourner, Daniel l'avait déjà entraînée dans l'armoire. C'était merveilleux de se retrouver là avec lui. Il referma au mieux la porte et se tint devant elle, tel un roi drapé dans sa tunique vert et or.

– Où as-tu trouvé cette robe ? s'enquit-il, intrigué. Notre Anne Boleyn viendrait-elle d'une autre planète ? (Il se mit à rire.) Moi qui la croyais originaire du Wiltshire.

Ainsi, elle incarnait Anne Boleyn ? Elle n'avait jamais lu cette pièce, mais à en juger par son costume, Daniel jouait Henri VIII.

– M. Shakespeare... enfin, Will... a jugé qu'elle conviendrait à merveille...

– Will, dis-tu ? railla Daniel, sans laisser paraître qu'il n'en croyait pas un mot.

C'était étrange. Daniel semblait trouver charmant tout ce qu'elle racontait.

– Serais-tu folle, Lucinda ?

– Je... eh bien...

Il effleura sa joue du dos de la main.

– Je t'adore ! dit-il.

– Moi aussi, je t'adore, répondit-elle malgré elle.

C'était si vrai, si sincère, qu'après ces quelques mensonges, elle eut l'impression de pousser un long soupir.

– J'ai beaucoup réfléchi, et je tenais à te dire que...

– Oui ?

– En vérité, ce que je ressens pour toi... est plus profond que de l'adoration, avoua-t-elle en posant les mains sur son cœur. J'ai confiance en toi, je crois en ton amour. Je sais désormais combien il est intense et beau.

Luce ne pouvait exprimer tout ce qu'elle ressentait, car elle était censée être une autre elle-même. Les fois précédentes, quand Daniel avait deviné qui elle était, d'où elle venait, il s'était aussitôt fermé et lui avait ordonné de partir. Mais si elle choisissait bien ses mots, il comprendrait.

– Je donne parfois l'impression de... d'oublier à quel point tu comptes pour moi, et ce que je représente à tes yeux, mais au plus profond de mon âme... je sais. Nous sommes faits l'un pour l'autre. Je t'aime, Daniel.

– Tu... Tu m'aimes ? répéta-t-il, abasourdi.

– Bien sûr !

C'était si évident que Luce faillit en rire. Mais soudain, elle se rappela qu'elle ignorait à quelle époque précise elle était arrivée. Peut-être n'avaient-ils encore échangé dans cette vie que quelques regards timides...

Daniel se mit à respirer profondément, les lèvres tremblantes.

– Je veux que tu viennes avec moi, dit-il vivement, d'un ton teinté de désespoir.

Luce lui aurait volontiers crié « Oui ! », mais quelque chose la retint. Pourtant, dès qu'il était près d'elle, dès qu'elle sentait la chaleur de sa peau et les battements de son cœur, elle perdait la tête. Oui, elle aurait pu tout lui avouer en cet instant : combien elle s'était sentie heureuse, dans ses bras, à Versailles, et à quel point elle mesurait désormais l'intensité de sa souffrance. La jeune fille qu'il voyait en elle, dans cette vie, ne pouvait évoquer ces évènements encore inconnus. Daniel non plus.

Elle allait parler quand Daniel posa un index sur ses lèvres.

– Attends, ne proteste pas encore. Laisse-moi te poser la question comme il faut. À plus tard, mon amour.

Il jeta un coup d'œil vers le rideau. Des acclamations s'élevèrent. Le public éclata de rire et se mit à applaudir. Luce n'avait même pas remarqué que le spectacle avait commencé.

– C'est mon entrée. À très vite !

Il l'embrassa sur le front et se précipita sur scène.

Luce allait lui courir après, quand deux silhouettes surgirent et se postèrent devant l'armoire. Alors la porte s'entrouvrit, et Bill entra.

– Tu commences à en prendre de la graine ! lança-t-il en se posant sur un sac de vieilles perruques.

– Où te cachais-tu ?

– Qui, moi ? Nulle part. De quoi devrais-je me cacher ? Ton histoire de changement de costume était un coup de génie, dit-il en lui tendant la main pour qu'elle tape dedans.

Les apparitions intempestives de Bill après ses entrevues avec Daniel commençaient à lui peser.

– Tu comptes me laisser planté là ? demanda-t-il en baissant lentement la main.

Luce l'ignora. Elle se sentait oppressée par le désespoir qu'elle avait perçu dans la voix de Daniel lorsqu'il lui avait demandé de s'enfuir avec lui. Qu'est-ce que cela signifiait ?

– Je vais encore mourir ce soir, n'est-ce pas, Bill ?

– Eh bien..., fit-il en baissant les yeux. Oui.

Luce avait la gorge nouée.

– Où est Lucinda ? Il faut que j'entre dans son corps afin de comprendre cette vie.

Elle poussa la porte de l'armoire, mais Bill la saisit par la ceinture et la retint.

– Tu ne peux pas t'amuser avec la troisième dimension, comme ça. C'est une mesure exceptionnelle. (Il pinça les lèvres.) Que penses-tu découvrir de nouveau, ici ?

– Ce à quoi elle doit échapper, bien sûr, répondit Luce. De quoi Daniel veut-il la protéger ? Est-elle engagée envers quelqu'un d'autre ? Vit-elle chez un oncle indigne, par exemple ? Ou bien est-elle *persona non grata* auprès du roi ?

– Hum, fit Bill en se grattant le sommet du crâne. J'ai dû me tromper, sur le plan pédagogique. Tu crois vraiment qu'il existe une raison à ta mort chaque fois ?

– Ce n'est pas le cas ? lâcha la jeune fille, soudain abattue.

– Enfin, tes morts ne sont pas tout à fait dénuées de sens, c'est vrai...

– Lorsque Lys s'est enflammée, j'ai tout senti. C'était pour elle une vraie libération. Elle était heureuse, car épouser le roi l'aurait plongée dans une existence de mensonge. Et Daniel, en la tuant, pouvait la sauver.

– C'est vraiment ce que tu crois ? Que tes morts sont des échappatoires à un mariage malheureux, ce genre de choses ?

Elle ferma ses yeux embués de larmes.

– Quelque chose de cet ordre, oui. À quoi bon, sinon ?

– Rien n'est inutile, assura Bill. Tu ne meurs pas sans raison, tu ne peux pas tout comprendre d'un seul coup.

De frustration, elle tapa du poing contre l'armoire.

– Je sais bien ce qui te tracasse, reprit Bill. En découvrant la troisième dimension, tu croyais avoir résolu le mystère de ton histoire. Malheureusement, ce n'est pas aussi évident. Prépare-toi au chaos et à prendre ton destin à bras-le-corps. Continue à apprendre tout ce que tu pourras de chaque visite. Peut-être que, à la fin, tu finiras par saisir quelque chose. Peut-être retrouveras-tu Daniel... Ou te diras-tu que la vie, c'est autre chose...

Un bruissement les alerta.

Un homme ventripotent d'une cinquantaine d'années, arborant un bouc poivre et sel, murmurait quelque chose à un acteur en robe qui se tenait derrière lui. Ils murmuraient. Quand celui-ci tourna la tête à la lumière, Luce découvrit avec stupeur un nez délicat, des lèvres fines, un visage poudré de rose. Sous une perruque brune s'échappaient quelques longues mèches noires.

Vêtue d'une superbe robe dorée, Lucinda, dans le rôle d'Anne Boleyn, s'apprêtait à monter sur scène.

Luce se faufila hors de l'armoire, à la fois nerveuse et étrangement exaltée. Si Bill disait vrai, il ne lui restait plus beaucoup de temps.

– Bill ? souffla-t-elle, j'ai besoin de toi. Peux-tu créer une pause afin que je... ?

– Chut !

Bill signifia ainsi à Luce qu'elle était seule. Elle devrait attendre que cet homme se retire pour s'entretenir avec Lucinda.

Sans crier gare, celle-ci s'approcha de la cachette de Luce et glissa une main dans l'armoire en quête d'une cape dorée toute proche de son épaule. Luce retint son souffle, leva la main et saisit celle de Lucinda.

Celle-ci étouffa un cri, ouvrit la porte et, plongeant dans le regard de Luce, parut à deux doigts de comprendre l'inexplicable. Le sol pencha légèrement sous leurs pieds. Luce eut le tournis. Elle ferma les yeux et eut l'impression que son âme se détachait de son corps. Elle se voyait depuis l'extérieur : avec la robe étrange que Bill avait retouchée au pied levé, le visage crispé par la terreur. La main dans la sienne était si douce qu'elle la sentait à peine.

Elle cligna des yeux, Lucinda aussi. Puis Luce ne sentit plus du tout la main de Lucinda. En baissant la tête, elle constata qu'elle ne la tenait plus. Elle était devenue elle. Alors elle saisit la cape et la posa sur ses épaules.

La seule autre personne présente dans la loge était l'homme qui murmurait à l'oreille de Lucinda. C'était William Shakespeare ! William Shakespeare ! Elle le connaissait personnellement. Daniel, Lucinda et Shakespeare étaient amis, tous les trois. Un après-midi d'été, Daniel avait emmené Lucinda à Stratford, chez le dramaturge. Au coucher du soleil, ils s'étaient installés dans la bibliothèque. Et tandis que Daniel travaillait sur ses croquis, près de la fenêtre, William lui avait posé mille questions, tout en prenant fébrilement des notes sur sa rencontre avec Daniel, sur ses sentiments pour lui, si elle espérait tomber amoureuse.

Outre Daniel, Shakespeare était le seul à savoir que Lucinda était une femme, et l'amour qui unissait les acteurs à la ville. En échange de sa discrétion, Lucinda gardait le secret de la présence de Shakespeare au Globe, ce soir-là. Tous les autres membres de la troupe le croyaient à Stratford, où il était censé être parti après avoir confié les rênes du théâtre à maître Fletcher. Il était venu incognito assister à la première de la pièce.

Lorsqu'elle retourna auprès de lui, le dramaturge la regarda droit dans les yeux.

– Vous avez changé, souffla-t-il.

– Je... Non, je suis toujours...

Elle sentit le doux brocard sur ses épaules.

– J'ai trouvé la cape.

– La cape ? demanda-t-il en lui adressant un clin d'œil. Elle vous va à merveille.

Shakespeare la prit par les épaules, comme chaque fois qu'il lui donnait des recommandations.

– Tout le monde connaît déjà votre histoire. Dans cette scène, vous ne direz ou ne ferez pas grand-chose. Anne Boleyn est une valeur montante à la cour. Chacun a un rôle à jouer dans votre destin. (Il déglutit.) Autre chose : n'oubliez pas de bien terminer votre réplique. Vous devrez vous trouver au bord de la scène pour le début de la danse.

Luce sentit son texte envahir son esprit. Elle saurait le dire face au public, elle était prête.

La foule gronda et applaudit à tout rompre. Les acteurs quittèrent le plateau et entourèrent la jeune fille. Shakespeare avait déjà filé. À l'autre extrémité de la scène, sublimement beau, Daniel dominait les autres acteurs.

L'heure était arrivée de faire son entrée pour la scène de la réception chez lord Wolsey. Le roi – Daniel – allait se livrer à une mascarade élaborée avant de prendre la main d'Anne Boleyn pour la première fois. Au cours d'une danse, ils tomberaient éperdument amoureux l'un de l'autre, ce serait le début d'une histoire d'amour fulgurante.

Surtout pour Lucinda, et le personnage qu'elle interprétait. En effet, ce fut aussitôt le coup de foudre. Dès le premier regard, Lucinda eut l'impression de n'avoir jamais rien vécu, tout comme Luce à Sword & Cross. Tout prenait soudain sens.

Luce n'en revenait pas que la salle du Globe soit aussi pleine de monde. Les spectateurs étaient presque collés aux acteurs ; une vingtaine d'entre eux avaient même les coudes appuyés sur les planches, si bien qu'elle sentait leur souffle.

Et pourtant, elle était calme, pleine d'allant et semblait prendre vie sous tous ces regards.

C'était une scène de liesse. Entourée des nombreuses suivantes d'Anne Boleyn, Luce faillit s'esclaffer en découvrant à quel point ces « dames » étaient ridicules avec leur pomme d'Adam luisant à la lueur des lanternes, leurs auréoles sous les bras et leurs robes rembourrées à la poitrine ! Tous étaient béats d'admiration, et l'amour se lisait sur le visage de Daniel. Luce joua son rôle avec brio en adressant au jeune homme des regards passionnés pour susciter son intérêt et celui du public. Elle improvisa même en écartant ses longs cheveux de son cou pâle et gracile. Voilà qui présageait le sort qui attendait la véritable Anne Boleyn.

Deux acteurs s'approchèrent alors et vinrent se placer de part et d'autre de la jeune fille. Ils incarnaient les nobles, lord Sands et lord Wolsey.

– Mesdames, vous n'êtes pas gaies. Messieurs, à qui la faute ? lança lord Wolsey.

Il était l'hôte de la soirée, et le méchant de la pièce. L'acteur avait une présence rare.

Lorsqu'il se retourna pour observer Luce, celle-ci se figea.

Lord Wolsey n'était autre que Cam.

Luce ne pouvait ni crier ni s'enfuir. Elle était actrice professionnelle et devait garder son sang-froid. Elle se tourna donc vers le compagnon de Wolsey, lord Sands, qui clama sa réplique en riant.

– Le vin rouge doit d'abord faire rosir leurs joues, monseigneur, dit-il.

Quand vint le tour de Lucinda, elle tremblait. Elle glissa un regard vers Daniel, dont les yeux violets apaisèrent sa tension. Il croyait en elle.

– Vous êtes un gai joueur, monseigneur Sands, énonça Luce d'un ton taquin très juste.

Daniel s'avança et le son d'un cor retentit, suivi d'un roulement de tambour. La danse commençait. Il prit la jeune fille par la main, puis il s'adressa à elle, non au public, comme les autres acteurs.

– La plus douce main que j'aie jamais touchée. Ô, beauté ! Je n'en avais jamais vu de telle...

Ces mots semblaient écrits pour eux.

Ils se mirent à danser. Daniel ne se déroba pas une seconde à son regard. Ses prunelles d'un violet limpide restaient rivées sur elle, faisant chavirer le cœur de Luce. Même si elle savait qu'il l'aimerait toujours, avant de danser avec lui sur scène devant tous ces gens, elle n'avait jamais vraiment réalisé ce que cela signifiait.

Lorsqu'elle le rencontrait pour la première fois, Daniel était déjà amoureux d'elle. Et chaque fois, elle tombait amoureuse de lui au premier regard.

L'amour nourri par l'éternité de Daniel était un long fil ininterrompu, la plus pure forme d'amour qui soit, fluide, continue. Alors que celui de Luce devait renaître après chacune de ses morts.

Il l'aimait, et pourtant, à chaque existence, encore et encore, il devait attendre qu'elle le retrouve.

Ils dansaient avec le reste de la troupe, entrant et sortant des coulisses, au son de la musique, avant de revenir sur scène pour effectuer des pas sophistiqués, bientôt accompagnés par toute la troupe.

À la fin de la scène, même si ce n'était pas inscrit dans le texte, même si Cam était là, à les regarder, Luce serra fort la main de Daniel pour l'attirer vers elle, contre les orangers du décor. Il la fixa comme si elle était devenue folle et tenta de l'entraîner vers la marque indiquant leur place.

– Qu'est-ce que tu fais ? souffla-t-il.

Il avait déjà douté d'elle, en coulisses, quand elle avait tenté d'exprimer librement ses sentiments. Mais elle devait absolument parvenir à le convaincre. Surtout si Lucinda devait mourir ce soir. Il fallait qu'il comprenne la profondeur de son amour pour continuer à l'aimer toujours, malgré la souffrance et les épreuves dont il serait témoin, en chemin.

Ce n'était pas écrit dans le scénario, mais elle ne put s'en empêcher : elle empoigna Daniel et l'embrassa.

Elle s'attendait à ce qu'il la repousse, or il la souleva dans ses bras et l'embrassa follement à son tour. Leur étreinte était si intense qu'elle avait l'impression de voler.

Pendant un moment, les gens ne surent que penser, puis ils se mirent à crier et à leur lancer des regards concupiscents. Quelqu'un lança une chaussure sur Daniel, qui ne réagit pas. Ses baisers disaient à Luce qu'il la croyait, qu'il mesurait la profondeur de son amour, mais elle voulait en avoir la certitude absolue.

– Je t'aimerai toujours, Daniel.

Ce n'était pas assez. Il fallait qu'il comprenne, et tant pis si elle modifiait le cours de l'histoire !

– C'est toi que je choisirai toujours. Dans chacune de mes vies, reprit-elle, c'est toi que je choisirai. Comme tu m'as toujours choisie.

Il entrouvrit les lèvres. La croyait-il ? Le savait-il déjà ? C'était un choix mûri de longue date, plus fort que tout ce dont Luce était capable et qui resterait gravé à jamais, quelque chose d'incomparablement beau...

Puis des ombres se mirent à tournoyer au-dessus d'eux. Le corps de la jeune femme fut enveloppé d'une puissante chaleur qui la fit se convulser, impatiente d'obtenir la libération ardente qui arrivait, elle le savait.

Les yeux de Daniel se voilèrent.

– Non, murmura-t-il. Ne pars pas tout de suite.

Étrangement, ils étaient chaque fois surpris.

Tandis que Lucinda s'enflammait, un coup de canon retentit et le corps de Luce fut projeté vers le haut, vers les ténèbres.

– Non ! cria-t-elle tandis que les parois de l'Annonciateur se refermaient sur elle. Je n'étais pas prête. Je sais que Lucinda devait mourir, mais je... je...

Elle avait failli comprendre en partie le choix qu'elle avait fait pour aimer Daniel. Et ces instants précieux avec lui étaient partis en fumée.

– Il n'y a déjà plus grand-chose à voir, déclara Bill. Le bâtiment a pris feu, les gens hurlent et se piétinent pour gagner la sortie, écrasant les moins chanceux. Dans quelques minutes, le Globe sera anéanti par l'incendie.

– Comment ? fit-elle, prise d'un malaise. C'est moi qui ai déclenché l'incendie du théâtre du Globe ?

Qu'elle ait été à l'origine de l'incendie du plus célèbre théâtre de l'histoire d'Angleterre aurait certainement des répercussions…

– Tu t'accordes trop d'importance. Cela se serait produit, de toute façon. Si tu ne t'étais pas embrasée, le canon qui était sur scène aurait tout détruit.

– Tout cela nous dépasse Daniel et moi. Tous ces gens…

– Écoute, personne n'est mort, ce soir, à part toi. Personne n'a même été blessé. Tu te souviens de cet ivrogne qui te reluquait, au troisième rang ? Son pantalon a pris feu. C'est l'incident le plus grave de la soirée. Tu es rassurée ?

– Pas du tout.

– Tu ne dois pas te sentir plus coupable que cela, et ton rôle n'est pas non plus de modifier le passé. Il y a un scénario ; et tu as tes entrées et tes sorties.

– Je n'étais pas prête pour ma sortie… Je voulais donner de l'espoir à Daniel. Je voulais qu'il sache que ce serait toujours lui que je choisirais, que je l'aimerais toujours. Mais Lucinda est morte avant que je puisse être certaine qu'il avait compris. (Elle ferma les yeux.) La malédiction est bien pire pour lui que pour moi…

– Bravo, Luce !

– Que veux-tu dire ? C'est horrible !

– Je parle de cette découverte selon laquelle « la malédiction est bien pire pour lui que pour toi ». Voilà ce que tu as appris, ici. Plus tu seras proche de l'origine de la malédiction, et plus tu auras de chances de trouver une issue !

– Je... Je ne sais pas.

– Moi, si. Allez, viens ! Tu as des rôles plus importants à jouer.

Le sort de Daniel était infiniment plus douloureux que le sien. Mais qu'est-ce que cela signifiait ? Elle ne se sentait pas plus avancée pour autant. Mais Bill avait raison sur un point : elle ne pouvait rien faire de plus dans cette vie-là. Il lui fallait encore poursuivre son voyage.

XIV

LA PENTE ABRUPTE

Centre du Groenland, hiver 1100

Le ciel était noir quand Daniel surgit de l'Annonciateur. Derrière lui, le portail battit au vent tel un rideau en lambeaux avant de tomber dans la neige.

Son corps fut parcouru d'un frisson glacial. Au premier abord, le lieu lui sembla désert, dans cette nuit arctique à peine percée d'une lueur de jour.

Il se rappelait, à présent : il se trouvait dans des fjords froids et ténébreux, à deux jours de marche vers le nord, depuis la colonie de mortels de Brattahlio. Mais Lucinda ne pouvait pas être là. Cette terre n'avait jamais fait partie du passé de la jeune fille. Aucun Annonciateur ne l'amènerait donc ici.

Il n'y aurait que lui... et les autres.

Il se mit alors à traverser le fjord enneigé en direction d'une lueur chaude, à l'horizon. Des anges étaient réunis autour d'un grand feu. De loin, le cercle de leurs ailes ressemblait à une auréole géante dans la neige. Daniel n'eut pas besoin de les compter pour savoir que les sept anges étaient tous là.

Aucun ne remarqua qu'il s'avançait vers eux. Ils gardaient toujours une unique flèche à portée de main, en cas de besoin, mais une visite inattendue au cœur de leur conseil était si improbable qu'elle ne représentait même pas un danger. De plus, ils étaient trop occupés à se chamailler pour détecter l'Anachronisme accroupi derrière une roche gelée, qui les écoutait.

– C'était une perte de temps, déclara une voix que Daniel identifia aussitôt comme celle de Gabbe. Nous n'arriverons nulle part.

La patience de Gabbe pouvait prendre fin à tout moment. Au début de la guerre, sa rébellion avait très peu duré comparée à celle de Daniel. Depuis, son engagement était sans faille. Elle était de retour en grâce au Paradis. L'hésitation de Daniel allait à l'encontre de tout ce à quoi elle croyait. Tandis qu'elle faisait le tour du feu, ses grandes ailes traînaient dans la neige, derrière elle.

– C'est toi qui as convoqué cette assemblée, lança une voix. Et maintenant, tu veux l'ajourner ?

Les cheveux longs et sales, Roland était assis sur une bûche, à environ un mètre du rocher qui dissimulait Daniel. Son profil sombre et ses ailes marbrées noir et or scintillaient à la lueur d'un feu.

C'était tout ce dont Daniel se souvenait.

– Cette réunion, je l'avais organisée pour eux, déclara Gabbe en arrêtant de faire les cent pas.

D'un geste, elle désigna deux anges assis côte à côte, face à Roland, près du feu.

Presque fluorescentes dans la nuit, les fines ailes irisées d'Arriane étaient immobiles, dressées bien au-dessus de ses épaules, alors que, avec ses cheveux noirs et courts, ses lèvres pâles et pincées, la jeune fille paraissait sombre.

Annabelle, l'ange voisin d'Arriane, regardait au loin. Ses ailes avaient la couleur de l'étain. Larges, puissantes, elles s'étiraient autour d'elle et d'Arriane en formant un arc protecteur.

Gabbe s'arrêta derrière elles, face aux démons: tremblants, Roland, Molly et Cam partageaient une grosse fourrure posée sur leurs ailes.

– On ne s'attendait pas à vous voir, ce soir, déclara Gabbe. Et votre présence ne nous réjouit pas vraiment.

– Nous sommes impliqués, nous aussi, répliqua Molly d'un ton sec.

– Pas de la même façon que nous, dit Arriane. Daniel ne se joindra jamais à vous.

S'il ne s'était pas rappelé où il était assis lors de cette assemblée, Daniel ne se serait peut-être même pas remarqué.

Il était seul, au milieu du groupe, de l'autre côté du rocher. Daniel se déplaça pour mieux voir la scène.

Les autres discutaient autour de lui comme s'il n'était pas là, tandis qu'il lançait machinalement des poignées de neige dans les flammes, provoquant des nuages de fumée, ses grandes ailes blanches tendues comme des voiles.

– Ah, vraiment ? fit Molly. Pourrais-tu nous expliquer s'il se rapproche de notre camp à chaque vie ? Avec sa façon de maudire Dieu quand Luce explose, je doute que son numéro passe très bien, là-haut.

– Il souffre tellement ! cria Annabelle à Molly. Tu ne peux pas comprendre, parce que tu ne sais pas aimer !

Elle s'approcha de Daniel, traînant ses ailes dans la neige, et s'adressa directement à lui :

– Ce n'est que temporaire. Nous savons tous que ton âme est pure. Si tu voulais enfin choisir ton camp, nous choisir, Daniel, si à un moment...

– Non, lâcha Daniel fermement et sans un regard pour l'assemblée.

Daniel se rappela, soudain saisi d'horreur, ce qui s'était passé durant le conseil.

– Si tu ne veux pas te rallier à eux, ajouta Roland, pourquoi ne pas te joindre à nous ? D'après ce que je constate, il n'y a pas pire enfer que ce que tu endures chaque fois que tu la perds...

– C'est trop facile, Roland ! intervint Arriane. Tu ne le penses même pas. Comment peux-tu croire... Tu cherches à me provoquer, ou quoi !

Comme pour la réconforter, Gabbe posa une main sur son épaule. Les extrémités de leurs ailes se touchèrent en produisant un éclat argenté.

– Ce qu'Arriane veut dire, c'est que l'Enfer n'est jamais une meilleure alternative. Aussi intense que soit la souffrance de Daniel, il n'existe qu'une seule place, pour lui. Et pour nous tous. Vois combien les Bannis sont pénitents.

– Épargne-nous tes sermons, tu veux? lança Molly. Il y a peut-être des enfants de chœur prêts à écouter tes salades, mais ce n'est pas mon cas. Pas plus que Daniel, d'ailleurs.

Anges et démons se tournèrent de concert vers lui comme s'ils étaient encore ensemble, sept paires d'ailes projetant un halo de lumière or et argent. Sept âmes qu'il connaissait aussi bien que lui-même.

Tapi derrière son rocher, Daniel étouffait en se rappelant ce terrible moment où ils le mettaient au pied du mur! Or il était à bout de forces, le cœur brisé. L'offensive de Gabbe pour le rallier au Paradis recommençait, tandis que Roland plaidait de son côté pour l'Enfer. Daniel eut l'impression de sentir de nouveau l'impact du « non » qu'il avait prononcé lors de cette réunion.

Saisi d'un malaise, il se souvint aussi qu'il avait été à deux doigts de dire oui.

C'était le soir où il avait presque renoncé.

À présent, ses épaules le brûlaient. L'envie soudaine d'ouvrir ses ailes faillit le faire tomber à genoux. Ses entrailles se nouèrent sous le coup de l'effroi et de la honte. La tentation qu'il réprimait à grand-peine depuis si longtemps l'envahissait.

L'ancien Daniel regarda Cam.

– Tu es étrangement peu bavard, ce soir.

Cam ne répondit pas tout de suite.

– Qu'est-ce que tu voudrais que je dise ?

– Tu as déjà été confronté à ce problème, une fois. Tu sais...

– Et alors ?

Daniel prit une profonde inspiration.

– Alors tu pourrais dire quelque chose de charmant et de convaincant.

– Ou de déplacé et de totalement méchant, railla Annabelle.

L'assemblée se tenait sur le qui-vive. Daniel eut envie d'intervenir pour éloigner cet autre lui-même. Mais il se retint. Si son Annonciateur l'avait conduit en ce lieu, c'est qu'il existait une raison. Il devait tout revivre encore une fois.

– Tu es coincé, lâcha enfin Cam. Tu crois qu'il y a un début, un milieu, et une fin. Mais notre monde n'est pas enraciné dans la téléologie. C'est le chaos !

– Notre monde n'est pas le même que le tien..., déclara Gabbe.

– Il n'y a pas d'issue à ce cycle, poursuivit Cam. Rien ni quiconque ne peut le briser. Choisis le Paradis ou l'Enfer, tout le monde s'en moque. Cela ne fera aucune différence.

– Assez ! coupa Gabbe, la voix brisée. Bien sûr que cela fera une différence. Si Daniel revient là où il a sa place, alors Lucinda... Lucinda...

Elle ne put rien dire d'autre. Si elle avait continué, elle aurait tenu des propos blasphématoires, et elle s'y refusait. Elle tomba à genoux dans la neige.

L'ancien Daniel tendit une main vers Gabbe et la souleva de terre.

À l'abri du rocher, Daniel voyait la scène se dérouler sous ses yeux, exactement telle qu'il se la rappelait.

Il scruta l'âme de Gabbe et vit combien elle était brûlante. Puis il se tourna vers les autres : Cam et Roland, Arriane et Annabelle, même Molly. Il les entraînait tous depuis si longtemps, à travers cette épopée tragique...

Et pour quoi ?

Lucinda. Ils avaient fait ce choix tous les deux, par le passé, et tant d'autres fois encore, de placer leur amour au-dessus de tout le reste.

Ce soir-là, dans les fjords, l'âme de la jeune fille se trouvait entre deux incarnations, à peine débarrassée de son dernier corps. Et s'il cessait de la chercher ? Daniel était à bout de forces, incapable de savoir s'il pouvait continuer.

En observant cette scène et en sentant l'imminence de la chute, Daniel se souvint soudain de ce qu'il devait faire. C'était dangereux. Interdit. Mais c'était absolument nécessaire – du moins c'est ce qui lui apparut avec le recul – pour retrouver des forces et rester pur. Il était tellement faible alors... Or Daniel comprit qu'il ne fallait pas laisser cette faiblesse s'amplifier au cours de l'histoire, car elle risquait de compromettre ses chances et celles de Lucinda.

Alors il répéta ce qui s'était déroulé neuf cents ans plus tôt. Il pouvait se racheter ce soir, en rejoignant, non, en dépassant son passé.

Grâce à la fusion.

C'était l'unique moyen.

Il redressa les épaules et déploya ses ailes frémissantes dans la pénombre. Il les sentit prendre le vent, dans son dos. Cent mètres au-dessus de lui, le ciel s'éclaira d'une lueur violente, qui capta l'attention des sept anges querelleurs.

De l'autre côté du rocher, des cris et des glapissements se firent entendre.

Daniel prit son envol rapidement pour pouvoir s'élever au moment où Cam arriverait. Ils se manquèrent de peu, et Daniel poursuivit son chemin le plus vite qu'il put jusqu'à l'ancien Daniel.

Celui-ci recula en tendant les bras pour le chasser.

Tout ange connaissait les dangers de la fusion. Une fois opérée, il était pratiquement impossible de se libérer de sa version antérieure, ou de séparer les deux vies soudées. Daniel savait toutefois qu'il avait déjà survécu à cette fusion par le passé. Il fallait donc qu'il la fasse.

Pour aider Luce.

Il serra ses ailes l'une contre l'autre et fondit sur l'ancien Daniel, si fort que la fusion se réalisa sur-le-champ. Frémissant, les yeux fermés, Daniel serra les dents pour supporter l'étrange malaise qui l'envahit. Il avait l'impression de sombrer dans des eaux profondes. Il ne pourrait remonter que quand il aurait touché le fond.

Tout à coup, il n'entendit plus que son souffle. Il était épuisé, mais en vie. Les autres le regardaient fixement. Avaient-ils compris ce qui venait de se passer ? Personne n'osait l'approcher ni lui parler.

Il ouvrit ses ailes en grand et, la tête levée vers le ciel, il hurla au ciel et à la terre, aux anges qui l'entouraient et à ceux qui n'étaient pas là, à celle qu'il adorait, où qu'elle se trouve :

– J'ai choisi mon amour pour Lucinda ! C'est elle. Je la choisis quoi qu'il advienne, et j'attendrai la fin.

XV

LE SACRIFICE

Chichén Itzá,
actuel Mexique, 5 Wayeb'
(vers le 20 décembre, an 555)

L'Annonciateur éjecta Luce dans la sécheresse d'une journée d'été. La terre était craquelée et l'herbe jaunie, balayée par un vent brûlant, le ciel d'un bleu limpide.

Elle se tenait au milieu d'un champ, cerné sur trois côtés par un haut mur, qui ressemblait de loin à une mosaïque de perles géantes aux formes irrégulières et aux teintes allant de l'ivoire au brun clair. Çà et là, de minuscules fissures laissaient filtrer la lumière.

Outre quelques vautours qui tournoyaient lentement en criant, les lieux étaient déserts. Le vent chaud qui soufflait dans les cheveux de la jeune fille sentait une curieuse odeur métallique ressemblant à celle de la rouille.

La lourde robe qu'elle portait depuis le bal à Versailles empestait la fumée, la cendre et la transpiration. Elle aurait bien eu besoin d'un coup de main ou même d'une petite main de pierre pour la retirer.

Où était Bill, d'ailleurs ? Parfois, Luce avait l'impression désagréable de dépendre de l'emploi du temps de la gargouille fantasque.

Elle se débattit avec sa robe, déchirant la dentelle verte autour du col, faisant craquer les crochets au passage. Par chance, il n'y avait personne en vue. Enfin, elle se libéra en faisant passer sa robe par-dessus tête, puis s'assit, en simple camisole de coton fin. Alors la fatigue s'abattit sur elle. Depuis combien de temps n'avait-elle pas dormi ? Foulant l'herbe sèche, elle gagna d'un pas incertain l'ombre du mur dans l'intention de se reposer.

Elle avait les paupières lourdes... mais elle rouvrit aussitôt les yeux.

Des têtes !

Luce comprit enfin : les murs aux couleurs ternes qui semblaient tellement quelconques, de loin, étaient constitués de têtes humaines empilées.

Luce étouffa un cri. Soudain, elle identifia l'odeur portée par le vent. C'était celle du sang versé et de la chair putréfiée.

Décolorés par le soleil, les crânes du bas étaient desséchés, blanchis et nettoyés par le vent et le soleil, tandis que ceux du haut semblaient plus frais, encore couverts d'épaisses chevelures noires et de peau. Mais les crânes du milieu, eux, ressemblaient à des têtes de monstres. La peau se détachait, laissant du sang séché sur l'os. Les visages étaient figés en une expression qui pouvait être de la terreur.

Luce tituba en arrière, cherchant de l'air.

– Ce n'est pas aussi atroce qu'il y paraît.

– Où étais-tu passé ? lança-t-elle en découvrant que c'était Bill. Où sommes-nous ?

– Contrairement à ce qu'on pourrait croire, c'est un grand honneur d'être ainsi décapité et empalé, dit-il en s'approchant de l'avant-dernier rang.

Il scruta une tête droit dans les yeux.

– Tous ces agneaux innocents vont droit au Paradis. Tel est le désir des fidèles.

– Pourquoi m'as-tu laissée ici avec ces...

– Allons ! Ils ne vont pas te mordre. Mais qu'as-tu fait de tes vêtements ?

– Il fait trop chaud, répondit Luce en haussant les épaules.

Bill poussa un long soupir, feignant une grande lassitude.

– Demande-moi où je suis allé, et, cette fois, évite de me juger.

Elle pinça les lèvres. Les disparitions occasionnelles de Bill l'angoissaient toujours un peu. Mais il était là, ses petites mains dans le dos, affichant un air innocent.

– Alors où es-tu allé ?

– Faire des courses !

En jubilant, Bill étendit ses ailes, révélant une jupe portefeuille marron clair, pendue à l'extrémité d'une aile et une courte tunique assortie sur l'autre.

– Et maintenant, le coup de grâce ! annonça-t-il en brandissant un gros collier blanc en os.

Luce prit la tunique et la jupe, mais refusa le collier d'un geste.

– Si tu veux t'intégrer dans le décor, tu dois porter ces accessoires.

La jeune fille glissa le bijou autour de son cou. Les morceaux d'os polis étaient enfilés sur une longue fibre, formant un collier long, lourd, et finalement assez joli.

– Et je crois que ceci ira avec tes cheveux, ajouta Bill en lui tendant un serre-tête en métal peint.

– Où as-tu trouvé tout ça ? s'enquit-elle.

– C'est à toi, enfin cela appartenait à la Lucinda Price de l'époque : Ix Cuat.

– Ix qui ?

– Ix Cuat. Cela signifie « petit serpent ».

Bill la vit changer d'expression.

– C'est un terme affectueux dans la culture maya.

– Tout comme se faire empaler la tête sur un piquet est un honneur ?

Bill leva les yeux au ciel.

– Ne sois pas si ethnocentrique ! Ta propre culture n'est pas supérieure aux autres.

– Je sais ce que le mot ethnocentrique signifie ! répliqua-t-elle en glissant le serre-tête dans ses cheveux sales. Mais je ne me sens pas supérieure. Je dis juste qu'avoir la tête plantée sur un piquet ne me tente pas du tout.

Un léger bourdonnement vibra dans l'air, comme un roulement de tambour, au loin.

– Voilà tout à fait le genre de propos que tiendrait Ix Cuat ! Tu as toujours été un peu à la traîne.

– C'est-à-dire ?

– Eh bien, toi, Ix Cuat, tu es née durant le Wayeb', à savoir les cinq jours de la fin de l'année maya, qui font l'objet de bien des superstitions parce qu'ils n'ont pas leur place dans le calendrier. Un peu comme nos années bissextiles. Naître durant cette période est de mauvais augure. Personne ne s'est donc étonné de te voir rester vieille fille.

– Vieille fille ? répéta Luce. Je croyais que je ne dépassais jamais vraiment l'âge de dix-sept ans...

– Dix-sept ans, à Chichén Itzá, c'est très vieux, expliqua Bill en voletant. Mais il est vrai que tu n'as jamais dépassé cet âge-là. Il est même étonnant que tu aies réussi à vivre si longtemps, Lucinda Price.

– Daniel affirme que c'est parce que je ne suis pas baptisée.

Luce était certaine d'entendre des tambours, désormais. De plus en plus proches.

– Mais quelle importance ? Après tout, cette Ix Ca..., quel que soit son nom, ne devait pas être bapt...

Bill agita la main.

– Le terme de baptême n'est qu'un mot qui désigne un sacrement ou un pacte selon lequel tu remets ton âme. Cela existe sous diverses formes dans toutes les religions comme le christianisme, le judaïsme, l'islam, et même la religion maya.

Le son des tambours était si puissant, désormais, que Luce se demanda s'ils ne devraient pas se cacher.

– Oui, toutes les religions possèdent des sacrements par lesquels on affirme sa foi en un seul Dieu, reprit-il.

– Si je suis encore vivante, à Thunderbolt, c'est parce que mes parents ne m'ont pas fait baptiser ?

– Non, dit Bill. Tu risques de disparaître parce que tes parents ne t'ont pas fait baptiser. Mais... nul ne sait pourquoi tu es encore vivante.

Il devait pourtant bien y avoir une raison. Était-ce la faille que Daniel avait évoquée à l'hôpital de Milan ? Mais même lui ne semblait pas comprendre comment Luce arrivait à voyager dans les Annonciateurs. Plus elle découvrait de nouvelles vies, plus Luce avait l'impression d'être proche de la solution, cependant, elle n'avait pas encore trouvé la clé.

– Où est le village ? demanda-t-elle. Où sont les gens ? Où est Daniel ?

Les tambours étaient si bruyants qu'elle dut hausser la voix.

– Ils sont de l'autre côté du *tzompantlis*, fit Bill.

– Du quoi ?

– Ce mur de têtes. Viens... Il faut absolument que tu voies ça.

Des éclats de lumière fusaient par les interstices. Bill entraîna alors la jeune fille à l'autre bout. Derrière le mur défilait toute une civilisation. Une longue file de personnes de tous âges dansaient et tapaient du pied sur un large chemin de terre qui serpentait dans un champ d'ossements. Le visage peint, les danseurs avaient les cheveux noirs et soyeux, la peau brun clair et tous étaient vibrants d'énergie, magnifiques, bizarres. Ils ne portaient que de simples peaux de bêtes couvrant à peine leur corps et révélant leurs nombreux tatouages. Remarquablement sophistiqués, ceux-ci figuraient des oiseaux aux plumes multicolores, le soleil ou des motifs géométriques.

Au loin se dressait un quadrillage de bâtisses en pierre blanche et un hameau de maisons plus petites au toit en chaume.

La foule défila, indifférente à Luce.

– Viens ! ordonna Bill en l'entraînant vers les danseurs en transe.

– Quoi ? cria Luce. Aller où ? Avec eux ?

– Ce sera marrant ! lui assura-t-il en volant devant elle. Tu sais danser, n'est-ce pas ?

D'abord prudents, la jeune fille et la gargouille traversèrent ce qui ressemblait à un marché. Des paniers et des récipients débordaient de victuailles : avocats noirs et dodus, épis de maïs d'un rouge foncé, bottes d'herbes séchées et bien d'autres produits que Luce ne connaissait pas. Il n'y avait plus moyen de reculer. Le flot humain l'emportait inexorablement vers l'avant.

Les Mayas longèrent la route vers une large plaine, puis se réunirent en silence. Ils étaient plusieurs centaines. Obéissant à Bill, Luce se mit à genoux, comme les autres, et leva les yeux.

Derrière le marché se dressait une haute pyramide en espaliers de pierre blanche étincelante. Chaque face visible était dotée d'un escalier au milieu, qui menait vers une structure d'un étage peint en rouge et bleu. Luce fut parcourue d'un frisson et saisie d'une peur inexplicable.

Elle avait déjà vu ce temple maya dans un manuel d'histoire, mais sur les photos, il était en ruines. Or il était resplendissant.

Quatre joueurs de tambour étaient alignés au sommet du monument. Leur visage mat était couvert de lignes rouges, jaunes et bleues rappelant un masque. Ils tapaient à l'unisson, de plus en plus vite, lorsqu'un homme très grand apparut à l'entrée.

Sous sa haute coiffe de plumes rouges et blanches, il avait le visage entièrement peint de motifs turquoise évoquant un labyrinthe. Son cou, ses poignets, ses chevilles et les lobes de ses oreilles étaient ornés de bijoux en os ressemblant à ceux que Bill avait offerts à Luce. Il tenait aussi un long bâton décoré de plumes peintes et de sortes de pierres blanches et brillantes, dont l'extrémité étincelait d'un éclat argenté.

Il fit face à la foule, qui se tut comme par magie.

– Qui est-ce ? murmura Luce à Bill. Qu'est-ce qu'il fait ?

– C'est Zotz, le chef de tribu. Il a une sale tête, hein ? Les temps sont durs pour ton peuple. Vous n'avez pas vu une goutte de pluie depuis trois cent soixante-quatre jours. Vous ne les comptez même plus sur ce calendrier de pierre, là-bas.

Et il lui montra une dalle striée de lignes noires.

Pas une goutte d'eau depuis un an ? La soif était presque palpable, parmi la foule.

– Ils sont à l'agonie, commenta Luce.

– Ils espèrent bien que non. C'est là que tu interviens, dit Bill. Toi et quelques autres infortunés. Daniel aussi, mais il joue un rôle mineur. Chaat a très faim, donc tout le monde est sur le pont.

– Chaat?

– Le dieu de la Pluie. Les Mayas croient que la nourriture favorite de ce dieu est le sang. Tu vois où je veux en venir?

– Ils vont faire des sacrifices humains..., répondit-elle.

– C'est ça. C'est le début d'une longue journée de sacrifices, et d'autres crânes ne tarderont pas à s'ajouter aux autres.

– Où est Ix Cuat?

Bill désigna le temple.

– Elle est enfermée avec d'autres, en attendant la fin du jeu de balle.

– Quel jeu de balle?

– La foule est en route pour y assister. Le chef de tribu aime organiser ce jeu avant un grand sacrifice.

Bill toussota et repoussa ses ailes en arrière.

– C'est un mélange de basket et de foot, mais il n'y a que deux joueurs par équipe et la balle pèse une tonne. Les perdants se font couper la tête et leur sang est offert à Chaat.

– Tous sur le terrain! cria Zotz depuis la marche supérieure du temple.

La langue maya était étrangement gutturale, mais Luce la comprit sans peine. Que pouvait ressentir Ix Cuat, enfermée dans cette salle, derrière Zotz?

La foule l'acclama. Comme un seul homme, les gens se levèrent et se mirent à courir vers ce qui ressemblait à un grand amphithéâtre en pierre, à l'extrémité du pré. Le terrain en terre ocre était ceint de gradins en pierre.

– Ah, le voici ! s'exclama Bill en désignant le chef de file, qui s'approchait du terrain.

Un jeune homme mince et musclé, aux cheveux bruns soyeux, avançait plus vite que les autres, le dos tourné à Luce. Ses épaules étaient ornées de lignes rouges et blanches. Lorsqu'il pencha la tête vers la gauche, Luce distingua son profil. Il n'avait rien de commun avec le Daniel qu'elle avait quitté dans le jardin de ses parents. Et pourtant...

– Daniel ! s'exclama Luce. Il est...

– Différent, tout en étant le même ? fit Bill.

– Oui.

– C'est son âme que tu reconnais. Quelle que soit votre apparence physique, vous reconnaissez toujours l'âme de l'autre.

Elle fut émue lorsqu'elle se rendit compte que c'était vrai. Oui, son âme savait toujours le retrouver.

– Daniel est un joueur impliqué dans les sacrifices ? demanda Luce en tendant le cou pour mieux scruter la foule.

Elle le vit disparaître à l'intérieur de l'amphithéâtre.

– En effet, confirma Bill, au cours d'une cérémonie, les vainqueurs guident les sacrifiés vers leur prochaine vie.

– Les vainqueurs tuent les prisonniers ? s'étonna Luce.

La foule s'éparpillait dans le théâtre, au rythme des roulements de tambours.

– Non, ils ne les tuent pas, ils les sacrifient. D'abord, ils leur coupent la tête qu'ils placent là-bas. (Il désigna le mur de crânes, derrière lui.) Quant aux corps, ils sont jetés ensuite dans un genre de puits en grès sacré, en pleine jungle.

Il renifla.

– Personnellement, je ne vois pas comment cela pourra faire revenir la pluie, mais qui suis-je, pour en juger ?

– Daniel va-t-il perdre ou gagner ? s'enquit Luce, qui connaissait déjà la réponse.

– Je conçois que la perspective d'être décapitée par lui ne t'incite pas à te pâmer, concéda Bill, mais quelle différence de mourir décapitée ou transpercée d'un coup d'épée ?

– Daniel ne ferait jamais une chose pareille.

Bill voleta devant la jeune fille.

– Tu crois ?

Une clameur s'éleva dans l'amphithéâtre. Luce aurait voulu rejoindre Daniel et le prendre dans ses bras, pour lui dire tout ce qu'elle n'avait pas eu le temps de lui déclarer avant de quitter le théâtre du Globe : elle comprenait désormais ce qu'il endurait pour être avec elle, et ses sacrifices l'incitaient à s'engager encore davantage dans leur amour.

– Je devrais le rejoindre, dit-elle.

Mais il y avait aussi Ix Cuat, enfermée dans une salle, au sommet de la pyramide, qui attendait la mort. Peut-être détenait-elle des informations précieuses pour briser la malédiction.

– Alors, quel est ton choix ? s'enquit Bill avec un sourire bien trop large.

Elle se mit à courir en direction de la pyramide, sous le regard approbateur de Bill.

Au sommet, le temple peint où Ix Cuat était enfermée, semblait aussi distant qu'une étoile. Luce était assoiffée, elle avait la gorge sèche. La terre lui brûlait la plante des pieds. C'était comme si tout s'embrasait, soudain.

– Ce temple est un lieu sacré, lui murmura Bill à l'oreille. Il est construit sur un premier temple, lui-même bâti sur un autre, etc. Tous sont orientés de façon à marquer les solstices. Ces jours-là, au coucher du soleil, on voit l'ombre d'un serpent gravir les marches de l'escalier nord. Incroyable, n'est-ce pas ?

Sans un mot, Luce entama l'ascension.

– Les Mayas étaient des génies. À ce stade de leur civilisation, ils avaient prévu la fin du monde pour 2012. Cela reste encore à prouver ! Seul le temps le dira...

Approchant du sommet, Bill fondit de nouveau vers elle.

– Cette fois, quand tu entreras dans la troisième dimension...

– Chut ! le coupa Luce.

– Tu es la seule à m'entendre.

– Justement, tais-toi !

Elle fit un pas de plus, en silence, et se tint sur le bord, le corps plaqué contre la pierre chaude du temple, à quelques centimètres de l'entrée béante. À l'intérieur, quelqu'un chantait.

– Tu devrais le faire maintenant, conseilla Bill, pendant que les gardes sont sur le terrain.

Luce jeta un coup d'œil dans l'entrée.

Au centre du temple, le soleil éclairait un grand trône, en forme de jaguar, peint en rouge avec des incrustations de jade. À sa gauche se dressait la statue imposante d'une silhouette allongée sur le flanc, une main sur le ventre. De petites lampes à huile en pierre disposées tout autour projetaient une lumière vacillante. Trois jeunes filles ligotées ensemble par les poignets étaient blotties dans un coin.

Luce retint son souffle. Aussitôt, elles levèrent la tête. Elles étaient jolies, avec leurs longues tresses noires et leurs boucles d'oreilles en jade. Celle de gauche avait le teint le plus mat. Celle de droite avait les bras décorés de tourbillons bleu foncé peints sur sa peau. Quant à celle du milieu... C'était Ix Cuat. Petite et délicate, elle avait les pieds sales, les lèvres gercées et le regard affolé.

– Qu'est-ce que tu attends ? lança Bill, posé sur la tête de la statue.

– Elles ne me verront pas ? murmura Luce, les dents serrées.

Les autres fois, Bill l'avait protégée. Les autres prisonnières assisteraient-elles au moment où elle entrerait dans le corps d'Ix Cuat ?

– Depuis qu'elles ont été sélectionnées pour le sacrifice, ces filles sont à demi-folles. Si elles se mettent à crier qu'il se passe quelque chose, qui les croira ? demanda Bill en faisant mine de compter sur ses doigts. Personne.

– Qui es-tu ? lança l'une d'elles, d'une voix terrorisée.

Luce fut incapable de lui répondre. En s'avançant, elle lut la peur dans les yeux d'Ix Cuat. Mais, à sa grande surprise, celle-ci brandit ses poignets liés vers elle pour saisir la main de Luce. Sa peau était chaude et douce.

Ix Cuat avait commencé à dire...

– Emmène-moi vers le ciel.

Luce l'entendit dans son esprit tandis que le sol, sous leurs pieds, frémit. Tout se mit à tanguer. Ix Cuat, la fille née un jour de mauvais augure, qui ignorait tout des Annonciateurs, avait parlé à Luce comme si celle-ci pouvait lui apporter la délivrance. Luce se vit de l'extérieur, affamée, en haillons, épuisée, mais dégageant une certaine force.

Puis tout redevint normal.

Bill avait disparu. Luce avait les poignets ligotés, à vif, et marqués de tatouages noirs de sacrifice, ses chevilles aussi. Mais qu'importaient ces liens, la peur entravait son âme, mieux que n'importe quelle corde. Mais à la différence des autres fois où Luce avait visité son passé, Ix Cuat savait très bien quel triste sort l'attendait.

La captive la plus mate de peau qui était à sa gauche pleurait. Ghanan, à droite, elle, priait. Toutes trois avaient peur de mourir.

– Tu es possédée ! sanglota Hanhau à travers ses larmes. Tu vas contaminer l'offrande !

Ghanan ne parvenait pas à prononcer un mot.

Luce ignora les jérémiades des deux jeunes filles, et transcenda la peur d'Ix Cuat. Une prière lui traversa l'esprit. Elle la destina à Daniel.

Le simple fait de penser à lui faisait rougir Ix Cuat et battre son cœur... Elle l'avait aimé toute sa vie, mais de loin. Il avait grandi à quelques maisons du foyer familial. Parfois, il vendait quelques avocats à sa mère, au marché. Cela faisait des années que la jeune fille cherchait à lui parler. À présent, le savoir sur le terrain de jeu la plongeait dans un tourment intolérable. Ix Cuat priait pour qu'il perde, car elle ne voulait pas périr de sa main.

– Bill ? murmura Luce.

La petite gargouille réapparut aussitôt.

– La partie est terminée ! La foule se dirige à présent vers le cénote, le gouffre où se déroulent les sacrifices. Zotz et les vainqueurs montent vous chercher pour vous emmener là-bas.

Luce tremblait, la rumeur de la foule s'atténuait. Elle entendit alors des pas sur les marches. À tout moment, Daniel allait franchir le seuil.

Trois ombres se profilèrent à l'entrée. Zotz, le chef à la coiffe de plumes rouges et blanches, entra le premier. Les jeunes filles fixaient avec effroi sa longue lance décorée. Une tête humaine était plantée dessus, les yeux exorbités, tordus par la souffrance. Du sang en dégoulinait encore.

Luce détourna le regard et découvrit qu'un autre homme, très musclé, pénétrait dans le temple à son tour. Il tenait une lance surmontée d'une tête glabre aux yeux fermés, avec un sourire au coin des lèvres.

– Les perdants..., dit Bill en examinant les trophées. L'équipe de Daniel a gagné.

Puis il disparut de nouveau.

Alors, Daniel se présenta, tête baissée, torse nu. Il avait les mains vides. Ses cheveux, sa peau étaient foncés et sa posture plus raide que celle à laquelle Luce était habituée. De la forme de ses abdominaux à ses bras ballants, tout avait changé en lui. Il était magnifique, sans doute le plus bel homme que Luce ait jamais vu, mais il était complètement différent du Daniel qu'elle connaissait.

Pourtant, lorsqu'il leva les yeux, ils étaient bien violets.

Luce tira sur ses liens. Elle voulait sortir de cette histoire, oublier les crânes, la sécheresse, les sacrifices, et s'accrocher à lui pour l'éternité.

Daniel secoua la tête, le regard brillant. La jeune fille en fut apaisée. Il semblait lui dire de ne pas s'inquiéter.

Zotz ordonna aux trois filles de se lever, puis esquissa un signe de tête en direction de la porte nord du temple. Hanhau partit en tête, Zotz à son côté, suivis de Luce et Ghanan, qui fermaient la marche. La corde était juste assez longue pour que les jeunes filles puissent baisser les bras. Daniel vint se placer près de Luce, et l'autre vainqueur près de Ghanan.

Pendant une fraction de seconde, Ix Cuat frémit au contact de Daniel effleurant ses poignets du bout des doigts.

Devant la porte du temple, les quatre percussionnistes attendaient. Ils emboîtèrent le pas au petit groupe, qui descendit les marches de la pyramide, jouant au même rythme qu'au moment de l'arrivée de Luce. La jeune fille se concentra sur ses pas, elle avait l'impression d'être portée par la marée humaine. Ils descendirent alors les marches, jusqu'au pied de la pyramide, puis s'engagèrent sur le long chemin de terre qui menait à leur mort.

Les tambours lui vrillaient les tympans.

– Je vais te sauver, lui murmura soudain Daniel.

Ix Cuat exulta. C'était la première fois qu'il lui adressait la parole.

– Comment ? répondit-elle en se penchant vers lui.

Ce serait tellement beau qu'il la libère et l'emmène vers le ciel...

– Ne t'inquiète pas, dit-il en la frôlant de nouveau. Je te promets de m'occuper de toi.

Les yeux de la jeune fille s'embuèrent de larmes. Le sol lui brûlait la plante des pieds tandis qu'approchait le lieu du sacrifice. Pourtant, pour la première fois depuis son arrivée dans cette vie, Luce n'avait pas peur.

Le chemin plongea vers un bosquet, avant de s'enfoncer dans la jungle. Les tambours se turent. Un chant envahit alors la forêt, une mélopée qu'Ix Cuat avait apprise au cours de son enfance : c'était la prière de la pluie. Les deux autres jeunes filles se mirent aussi à chantonner, d'une voix basse et tremblante.

Luce songea aux paroles d'Ix Cuat au moment où elle avait investi son corps : « Emmène-moi vers le ciel ! » avait-elle crié dans sa tête. « Emmène-moi vers le ciel ! »

Tout à coup, ils s'arrêtèrent.

Dans la jungle vibrante, le chemin s'ouvrit sur un vaste cratère rempli d'eau, une centaine de mètres devant Luce. Tout autour étaient réunis des centaines de Mayas tendus par l'impatience. Ils s'étaient tus. Le moment qu'ils attendaient était venu.

Le cénote était une fosse en grès tapissée de mousse et remplie d'eau verdâtre. Ix Cuat avait déjà assisté à douze sacrifices humains. Sous cette eau reposaient les restes en décomposition d'une centaine d'autres sacrifiés, dont les âmes avaient dû monter au Paradis. À cet instant, Ix Cuat n'en était plus si certaine.

Sa famille était groupée au bord du cénote : sa mère, son père, ses deux jeunes sœurs qui tenaient chacune un nourrisson dans les bras. Ce rituel emmènerait leur fille au loin et leur briserait le cœur. Ils l'aimaient, mais comme elle n'avait pas eu de chance, le meilleur moyen pour elle de se racheter était cette mort.

Un homme aux dents écartées, portant de longues boucles d'oreilles en or conduisit Ix Cuat et les deux autres jeunes filles face à Zotz, qui avait pris place au bord de la fosse. Il scruta les eaux profondes, ferma les yeux, puis se mit à chanter. L'assemblée et les percussionnistes se joignirent à lui.

Ensuite, il se tint entre Luce et Ghanan, et brandit une hache pour couper la corde qui les liait. Luce sentit une secousse. Elle avait toujours les poignets attachés, mais désormais elle n'était reliée qu'à Hanhau. Ghanan fut alors conduite devant Zotz.

La jeune fille se balançait d'avant en arrière en chantonnant. La sueur lui inondait le dos.

Zotz entama sa prière de la pluie.

– Ne regarde pas, murmura Daniel à Luce.

Luce et Daniel restèrent à se regarder fixement. Tout autour du cénote, la foule retint son souffle. La jeune fille eut soudain la tête tranchée d'un coup de hache bien net. Elle tomba à terre dans un bruit sourd.

La clameur de la foule s'éleva, nourrie des cris de gratitude envers Ghanan, des prières pour son âme au Paradis, des appels à la pluie.

Comment ces gens pouvaient-ils croire que tuer une innocente résoudrait leurs problèmes ?

Luce refusait de regarder ce spectacle. En entendant un son d'éclaboussures, elle comprit que le corps de Ghanan venait de rejoindre sa dernière demeure.

L'homme aux dents écartées s'approcha. Cette fois, il détacha Ix Cuat de Hanhau. Tremblante, Luce se laissa entraîner vers le chef de la tribu. Elle se pencha pour observer le cénote et eut un haut-le-cœur. Heureusement, Daniel apparut à son côté, et elle se sentit mieux. Il lui fit signe de regarder Zotz.

Le chef lui sourit, révélant deux topazes incrustées dans ses incisives. Il entonna une prière pour que Chaat l'accepte et accorde à la communauté une pluie bienfaisante.

« Emmène-moi vers le ciel ! » cria-t-elle en pensée à Daniel. Celui-ci se tourna vers elle, comme s'il avait entendu.

L'homme aux dents écartées nettoya sa hache maculée du sang de Ghanan à l'aide d'une peau de bête. Il la tendit ensuite avec cérémonie à Daniel, qui fit face à Luce. Accablé, comme écrasé par le poids de la hache, les lèvres pincées, il dardait ses yeux violets sur elle.

La foule, silencieuse, retenait son souffle. Le vent chaud bruissait dans les arbres tandis que la lame de la hache scintillait au soleil. La fin était proche... Pourquoi son âme l'avait-elle entraînée là ? Que pourrait-elle apprendre sur son passé ou la malédiction en se faisant couper la tête ?

Daniel posa l'arme à terre.

Luce le regarda, stupéfaite.

Il roula alors les épaules en arrière et leva le visage vers le ciel en tendant les bras. Zotz voulut intervenir mais, en touchant l'épaule de Daniel, il poussa un cri et recula, comme s'il s'était brûlé.

Les ailes blanches immenses de Daniel se déployèrent, dans le paysage bruni par la sécheresse, leur blancheur n'en parut que plus éclatante. Les Mayas les plus proches de lui furent projetés en arrière.

Des cris s'élevèrent autour du cénote.

– Qui est-ce ?

– Il a des ailes !

– C'est un dieu que Chaat nous envoie !

Luce tira sur ses liens. Elle voulait courir vers Daniel, mais une force étrange la retenait.

Les ailes de Daniel étaient si lumineuses qu'elles l'éblouirent, et son corps irradiait, comme s'il avait bu le soleil.

Un son retentit, non pas de la musique, mais un accord assourdissant, sans fin, superbe et effrayant.

Luce l'avait déjà entendu quelque part... Oui, c'était au cimetière de Sword & Cross, le dernier soir, quand Daniel avait affronté Cam. La nuit où Mlle Sophia l'avait emmenée et où Penn était morte, mais Luce n'avait pas eu le droit de regarder. Cela avait commencé par ce même accord bourdonnant.

Luce chancela, incapable de détourner son regard. Une vague de chaleur intense lui caressa la peau.

Derrière elle, quelqu'un se mit à crier. Puis un autre hurlement s'éleva, suivi de nombreux autres, et bientôt ce fut toute la foule qui hurlait.

Une odeur âcre noua les entrailles de Luce. Du coin de l'œil, elle vit une explosion à l'endroit précis où se tenait Zotz. La détonation la fit reculer, et elle se mit à tousser dans la fumée noire et les cendres.

Hanhau avait disparu, ne laissant qu'une trace noire sur le sol. L'homme aux dents écartées se cachait le visage pour ne pas voir Daniel, dont la luminosité était insupportable, quand il se transforma en une torche vivante.

Tout autour du cénote, les Mayas qui observaient Daniel s'enflammèrent l'un après l'autre, formant un cercle de lumière qui illumina la jungle. Il ne restait plus que Luce.

– Ix Cuat ! lança Daniel en tendant la main vers elle.

Éblouie, au bord de l'asphyxie, Luce souffla :

– Tu es sublime !

– Ne me regarde pas, l'implora-t-il. Un mortel ne doit jamais voir la véritable essence d'un ange... Mais je ne veux pas que tu me quittes si vite. C'est toujours trop tôt...

– Je suis encore là, persista Luce.

Il pleurait.

– Tu vois mon véritable moi ?

– Oui, je le vois.

Pendant une fraction de seconde, elle l'aperçut en effet. La lumière était toujours éclatante, mais moins aveuglante, et elle laissait transparaître son âme incandescente, immaculée, qui ressemblait à Daniel. Il n'y avait pas d'autre façon de l'exprimer. Une vague de bonheur envahit Luce. Tout au fond de son esprit, elle se rappela l'avoir déjà découvert dans cet état.

Elle s'efforça de fouiller son passé à la recherche de ce souvenir enfoui. La lumière de Daniel s'insinua en elle.

– Non ! s'écria-t-elle en sentant les flammes s'emparer de son cœur. Puis son corps sembla se libérer de quelque chose.

– Alors ? fit la voix éraillée de Bill.

Luce était appuyée contre une dalle de pierre froide, dans une grotte de l'Annonciateur, enfermée dans un lieu intermédiaire glacial où il lui était difficile de reprendre conscience. Elle tenta désespérément d'imaginer à quoi Daniel ressemblait, la splendeur de son âme mise à nu... Rien. Tout lui échappait... Cela était-il vraiment arrivé ?

Elle ferma les yeux pour se rappeler la scène. Il n'existait pas de mots pour décrire Daniel. C'était incroyable, fulgurant.

– Je l'ai vu.

– Qui, Daniel ? Moi aussi. Il n'aurait jamais dû lâcher la hache avec laquelle il devait te décapiter. C'était une énorme erreur.

– Mais je l'ai vraiment vu, tel qu'il est vraiment, dit-elle d'une voix tremblante. Il était si beau...

Bill secoua la tête, agacé.

– Je l'ai reconnu ! Je crois même l'avoir déjà vu ainsi.

– J'en doute, répondit Bill en toussotant. C'est la première et la dernière fois que cela t'arrivera. Un éclair... et la mort. Voilà ce qui se passe quand une pauvre mortelle admire la splendeur insensée d'un ange : la mort instantanée, consumée par la beauté.

– Non, ce n'est pas comme ça que ça s'est passé.

– C'est ce qui est arrivé à tous les autres... Pouf, disparus !

Bill descendit vers elle et lui tapota le genou.

– D'après toi, pourquoi les Mayas ont-ils commencé les sacrifices par le feu, par la suite ?

– Oui, les autres se sont enflammés instantanément, mais je suis restée plus longtemps...

– Quelques secondes de plus ? Alors que tu t'étais détournée ? Bravo !

– Tu te trompes. Je sais que j'ai déjà vu l'essence de Daniel.

– Ses ailes, peut-être, mais Daniel dépouillé de son apparence humaine montrant son aura d'ange ? Cela te tue à chaque fois.

– Non, persista Luce en secouant la tête. Tu crois qu'il ne peut jamais me montrer qui il est vraiment ?

Bill haussa les épaules.

– Pas sans que tu t'enflammes, ainsi que tous ceux qui t'entourent. D'après toi, pourquoi est-il si prudent avant de t'embrasser ? Parce que sa gloire rayonne au-delà de l'imaginable lorsque le désir s'empare de vous.

– C'est pourquoi il m'arrive de mourir quand nous nous embrassons ? tenta Luce, hésitante.

– On l'applaudit bien fort ! railla Bill.

– Mais les autres fois, quand je suis morte avant le baiser, avant...

– Avant d'avoir eu la chance de constater combien votre relation pouvait devenir toxique ?

– Ça suffit !

– Combien de fois devras-tu assister à la même scène pour comprendre que rien n'évoluera jamais !

– Quelque chose a changé, affirma Luce. C'est la raison pour laquelle je fais ce voyage. C'est pour cela que je suis toujours en vie. Si je pouvais le revoir, tout entier, je sais que je me débrouillerais.

– Tu ne saisis pas, dit Bill en haussant le ton. Tu juges tout cela du point de vue d'une mortelle. C'est le grand moment et, de toute évidence, tu ne comprends rien du tout ! s'écria-t-il, agité.

– Pourquoi es-tu si en colère, soudain ?

– Parce que ! Parce que.

Il arpenta la corniche, les dents serrées.

– Écoute : Daniel est venu une fois, il s'est dévoilé, certes, mais il n'a jamais recommencé. Jamais ! Il a appris la leçon : une mortelle ne peut regarder un ange sous sa forme véritable sans mourir.

Luce se détourna de lui, très fâchée. Daniel avait peut-être changé après cette vie à Chichén Itzá, et cherché à être plus prudent ensuite. Mais qu'en était-il du passé ?

Elle s'approcha du bord de la corniche pour observer l'immensité des ténèbres, qui semblaient étouffer en leur sein le mystère de son destin.

Bill tournait autour de sa tête comme s'il cherchait à y entrer.

– Je sais ce que tu penses, et je suis sûr que tu seras déçue... ou pire, ajouta-t-il à son oreille.

Il ne pouvait rien faire pour la retenir. S'il existait, dans le passé, un Daniel qui baissait encore sa garde, Luce le trouverait.

XVI

LE TÉMOIN

Jérusalem, 27 nissan 2760
(env. 1er avril, an 1000 av. J.C.)

Daniel n'était pas totalement lui-même.

Toujours lié au corps qu'il avait investi dans les fjords sombres du Groenland, il tenta de ralentir en quittant l'Annonciateur, mais son élan l'en empêcha. Déséquilibré, il tournoya hors de l'ombre et roula sur le sol rocailleux jusqu'à ce que sa tête heurte un obstacle.

Investir cet autre lui-même avait été une grossière erreur.

La façon la plus simple de séparer deux incarnations imbriquées était de libérer l'âme en tuant le corps. Une fois débarrassée de sa cage de chair, l'âme se débrouillait. Mais Daniel n'envisageait pas de se tuer. À moins que...

La flèche.

Au Groenland, il l'avait ramassée dans la neige, près du feu autour duquel se trouvaient les anges. Gabbe l'avait apportée comme protection symbolique, mais elle ne s'attendait pas à ce que Daniel fusionne et dérobe la flèche.

Était-il vraiment possible qu'il se plante la pointe argentée dans le torse et qu'il se sépare de son âme pour projeter sa version passée dans le temps ?

C'était stupide.

Non, le risque était qu'il se rate, alors, au lieu de détacher son âme, il la tuerait. Et sans âme, l'apparence terrestre de Daniel, ce corps terne, serait condamnée à errer sur terre pour l'éternité, à la recherche de ce qu'il y avait de mieux, en dehors de son âme : Luce. Elle le hanterait jusqu'à ce qu'elle meure, et peut-être même longtemps après.

Ce dont Daniel avait besoin, c'était d'un partenaire, ce qui était impossible.

Il grommela et roula sur le dos, plissant les yeux sous le soleil au zénith.

– Tu vois ? fit une voix féminine au-dessus de lui. Je t'avais bien dit qu'on se trouvait au bon endroit.

– En quoi ça prouve qu'on a bien agi ? intervint une autre voix, celle d'un garçon, cette fois.

– Miles, il ne faut pas que ton différend avec Daniel nous empêche de trouver Luce. De toute évidence, il sait où elle est.

Les voix se rapprochèrent. En entrouvrant les yeux, Daniel aperçut un bras fendre la lumière du soleil et se tendre vers lui.

– Hé, tu as besoin d'un coup de main ?

C'était Shelby. L'amie néphilim de Luce, à Shoreline.

Et Miles, celui qu'elle avait embrassé.

– Qu'est-ce que vous faites là ? fit Daniel en se redressant.

Il repoussa la main de Shelby et se massa le front.

– D'après toi ? On cherche Luce !

Shelby l'observa, le nez plissé.

– Qu'est-ce qui ne va pas ? reprit-elle.

– Rien.

Daniel voulut se lever, mais il était tellement étourdi qu'il se rallongea aussitôt. Le fait de traîner son corps du passé dans une autre vie l'avait anéanti. Son passé luttait à l'intérieur de lui-même, et son âme s'écorchait en cherchant une issue. Les Néphilim sentaient que quelque chose de terrible lui était arrivé.

– Rentrez chez vous ! Quel Annonciateur avez-vous utilisé pour venir ici ? Vous vous rendez compte de ce que vous risquez ?

Soudain, un éclat argenté apparut sous son nez.

– Emmène-nous auprès de Luce, dit Miles en pointant une flèche vers le cou de Daniel.

La visière de sa casquette de baseball dissimulait ses yeux, mais sa bouche était tordue par un vilain rictus.

– Une flèche..., souffla Daniel, abasourdi.

– Miles ! murmura Shelby. Qu'est-ce que tu fais avec ça ?

La pointe arrondie de la flèche se mit à trembler. Miles était manifestement nerveux.

– Tu l'as abandonnée dans le jardin, après le départ des Bannis, expliqua-t-il à Daniel. Cam en a ramassé une aussi, et dans le chaos, personne ne m'a vu prendre celle-ci. Puis tu as suivi Luce, et on est partis peu après. (Il se tourna vers Shelby.) Je me suis dit qu'on en aurait peut-être besoin, en autodéfense.

– Quel crétin ! N'imagine même pas le tuer ! dit Shelby à Miles.

Daniel se dressa lentement sur son séant.

Son esprit était en ébullition. Quelles étaient ses chances ? Ce n'était arrivé qu'une seule fois. Il n'avait aucune expertise de la fusion. Mais le passé remuait en lui, cela ne pouvait pas continuer ainsi... Il n'existait donc qu'une solution, et Miles la tenait entre ses mains.

Comment pourrait-il inciter le jeune homme à l'agresser sans tout lui expliquer ? Pouvait-il seulement faire confiance au Néphilim ?

Daniel recula légèrement jusqu'à s'appuyer contre le tronc de l'olivier qu'il avait percuté, puis, lentement, il se releva, les mains écartées, pour montrer à Miles qu'il n'avait rien à craindre.

– Tu as fait de l'escrime ?

– Quoi ? fit Miles, surpris.

– À Shoreline. Tu as fait de l'escrime ?

– Tout le monde en a fait. Cela ne servait pas à grand-chose et je n'étais pas très doué, mais...

Daniel n'avait pas besoin d'en entendre davantage.

– En garde ! cria-t-il en sortant sa flèche cachée en guise d'épée.

Les yeux écarquillés, Miles brandit aussitôt la sienne.

– Non ! s'exclama Shelby en s'écartant. Arrêtez, vous n'êtes pas sérieux !

Les flèches étaient plus courtes que de vraies épées, mais plus longues que des flèches ordinaires, légères comme des plumes et dures comme le diamant. À moins de faire extrêmement attention, Daniel et Miles ne s'en sortiraient pas vivants. Grâce à Miles, Daniel avait une chance de se libérer de son passé.

Il fendit l'air en s'avançant vers le Néphilim.

Miles riposta et repoussa son attaque, pointant sa flèche vers la droite. Quand les armes se heurtèrent, elles produisirent un bruit profond qui résonna sur les montagnes et fit trembler le sol sous leurs pieds.

– Tes leçons d'escrime n'ont pas été inutiles, commenta Daniel en croisant le fer. Elles t'ont préparé à ce moment.

– Quel moment ? lança Miles en avançant avec un grognement pour glisser sa flèche contre celle de son adversaire.

Ils crispèrent les bras. Les flèches formaient un X.

– Il faut que tu libères mon âme d'une incarnation antérieure, expliqua Daniel.

– Qu'est-ce..., murmura Shelby.

Troublé, Miles faiblit. Sa flèche tomba à terre. Il retint son souffle, puis tenta de la ramasser en posant sur Daniel un regard terrifié.

– Je ne vais pas te frapper, dit Daniel. Mais j'ai besoin que tu me frappes, ajouta-t-il avec un sourire provoquant. Allez, viens. Tu en as envie depuis longtemps, tu le sais !

Miles chargea, tenant sa flèche à pleine main. Daniel était prêt. Il plongea sur le côté juste à temps et fit volte-face pour croiser le fer avec Miles.

Leurs corps s'emmêlèrent. Daniel pointait sa flèche sur l'épaule de Miles, repoussant le Néphilim de toutes ses forces, tandis que la flèche de celui-ci frôlait son cœur.

– Tu veux bien m'aider ? demanda Daniel.

– Qu'avons-nous à y gagner ?

– Le bonheur de Luce, répondit Daniel après quelques secondes.

Miles ne dit pas oui, mais ne refusa pas non plus.

Daniel donna ses instructions d'une voix brisée :

– Passe ta pointe avec précaution, bien droit, au milieu de mon torse, sans percer la peau.

Miles était en nage. Livide, il se tourna vers Shelby.

– Fais-le, Miles, l'implora-t-elle.

La pointe de la flèche toucha en tremblant la peau de Daniel et glissa vers le bas.

– Mon Dieu ! souffla Shelby, saisie d'effroi. Il mue...

Daniel sentit que sa peau se détachait, se séparant doucement de son corps. Le venin de la séparation se propagea en lui, jusque dans les fibres de ses ailes. La douleur fut d'une intensité si intolérable que sa vision se troubla, ses oreilles se mirent à bourdonner. Il lâcha sa flèche qui tomba à terre. Et soudain, il sentit un grand coup et un souffle d'air froid. Un long grognement se fit entendre, deux coups secs, puis...

Sa vision s'éclaircit, le bourdonnement cessa, et il se retrouva léger.

Il était libre.

Miles gisait à terre, sous lui, le souffle court. Daniel se tourna et découvrit le spectre de sa version passée derrière lui, la peau grise, le corps fragile, les yeux et les dents noircis, il serrait la flèche dans une main. Son profil vibrait dans le vent chaud, comme une onde.

– Je regrette, déclara Daniel en saisissant à la base des ailes son spectre, qu'il trouva très léger.

Ses doigts ouvrirent la porte de l'Annonciateur par lequel les deux Daniel avaient cheminé juste avant l'expulsion.

– Ton jour viendra, dit-il, et il lança son corps dedans.

Celui-ci émit un sifflement en basculant dans le temps, comme s'il tombait d'une falaise. Ensuite, l'Annonciateur se brisa en mille morceaux minuscules, puis disparut.

– Qu'est-ce qui s'est passé ? s'enquit Shelby en aidant Miles à se relever.

Le Néphilim était d'une pâleur de mort. Il observait ses mains, les retournant comme s'il ne les avait jamais vues.

– Merci, déclara Daniel en se tournant vers Miles.

Les yeux bleus du Néphilim débordaient de candeur et de terreur. Shelby se tenait coite, ce qui était sans précédent.

Jusqu'alors, Daniel méprisait Miles, et Shelby aussi, qui avait pratiquement mené les Bannis vers Luce. Mais à cet instant, sous l'olivier, il comprit pourquoi Luce s'était liée d'amitié avec ces deux-là. Et il s'en réjouissait.

Au loin retentit le son d'un cor. Miles et Shelby sursautèrent.

Il s'agissait d'un chofar, une corne de bélier sacré produisant un son nasillard qui servait à annoncer les offices religieux et les fêtes. Daniel ne savait pas encore où ils se trouvaient. Il regarda autour de lui.

Tous trois se tenaient au sommet d'une petite colline. La pente descendait vers une vallée tapissée d'une végétation qui n'avait jamais été atteinte par l'homme, une bande de verdure parsemée de fleurs des champs, au bord d'une rivière.

À l'est du lit de la rivière, des tentes avaient été montées face à un temple carré en pierre blanche, avec un toit en bois.

Des femmes aux robes colorées, qui leur arrivaient aux chevilles, entraient et sortaient du temple, portant des pichets en argile et des plateaux en bronze chargés de victuailles, comme si elles préparaient une fête.

– Oh..., fit Daniel à voix haute, submergé d'une soudaine mélancolie.

– Quoi ? demanda Shelby.

– Si tu cherches Luce ici, tu ne la trouveras pas. Elle est morte, il y a un mois, déclara Daniel.

Miles faillit s'étouffer.

– Tu parles de la Luce de cette vie, dit Shelby. Pas de notre Luce, n'est-ce pas ?

– Notre Luce, ma Luce n'est pas là, non. Elle n'a jamais connu l'existence de ce lieu, ses Annonciateurs ne l'amèneront pas ici. Les vôtres non plus, d'ailleurs.

Shelby et Miles échangèrent un regard.

– Si tu recherches Luce, déclara Shelby, tout en sachant pertinemment qu'elle n'est pas là, pourquoi restes-tu ?

Daniel regarda au loin, vers la vallée.

– J'ai une affaire à régler.

Une femme vêtue d'une longue robe blanche passa.

– Qui est-ce ? demanda Miles en la désignant.

Grande et mince, elle avait des cheveux roux qui scintillaient au soleil. Sa robe était décolletée, révélant une peau dorée. Elle chantonnait doucement, de sorte qu'ils l'entendaient à peine.

– C'est Lilith, répondit Daniel. Elle doit se marier aujourd'hui.

Miles fit quelques pas sur le chemin qui descendait, comme pour mieux voir.

– Miles, attends ! lança Shelby en se précipitant à sa poursuite. On n'est pas à Las Vegas ! On est dans... une autre époque, quoi ! Tu ne peux pas voir une belle femme et t'approcher d'elle comme tu le ferais d'habitude.

Elle se tourna vers Daniel pour implorer son aide.

– Baissez-vous ! leur ordonna Daniel. Restez plaqués dans l'herbe et arrêtez-vous quand je vous le dirai.

Ils descendirent le chemin avec précaution et s'arrêtèrent au bord de la rivière, en aval du temple. Toutes les tentes de la petite communauté étaient ornées de guirlandes et de fleurs. Ils entendirent la voix de Lilith et des jeunes filles qui participaient aux préparatifs du mariage. Elles riaient et chantaient avec Lilith dont elles tressaient les longs cheveux roux, qu'elles disposèrent en couronne autour de sa tête.

Shelby se tourna vers Miles.

– Tu ne trouves pas qu'elle ressemble à Lilith, qui était en classe avec nous, à Shoreline ?

– Non, répondit aussitôt Miles en observant la mariée. Peut-être un peu, tu as raison. C'est bizarre.

– Luce ne t'en a sans doute jamais parlé, expliqua Shelby à Daniel. C'était une vraie garce.

– C'est plausible, répondit Daniel. Elle appartient sans doute à une longue lignée de femmes malfaisantes, qui descendent toutes de la Lilith d'origine, la première femme d'Adam.

– Adam a eu plusieurs femmes ? souffla Shelby. Et Ève ?

– C'était avant Ève.

– Avant Ève ? C'est impossible.

Daniel opina :

– Ils n'étaient pas mariés depuis très longtemps quand Lilith l'a quitté. Il en a eu le cœur brisé. Il l'a attendue longtemps. Puis, il a rencontré Ève. Lilith ne lui a jamais pardonné de l'avoir oubliée, et elle a passé le reste de sa vie à errer sur la terre en maudissant la famille qu'Adam avait fondée avec Ève. Ses descendants commencent parfois dans le droit chemin, mais les chiens ne font pas des chats, comme on dit.

– Oh là là..., commenta Miles, fasciné par la beauté de Lilith.

– Tu es en train de dire que Lilith Clout, la fille qui a mis le feu à mes cheveux, en troisième, pourrait vraiment être une garce surgie de l'Enfer ? Que ma rancœur contre elle était justifiée ?

– Vraisemblablement, fit Daniel en haussant les épaules.

– Jamais je ne me suis sentie aussi bien vengée ! lança Shelby en riant. Pourquoi cette histoire ne figure-t-elle dans aucun manuel d'angéologie à Shoreline ?

– Chut ! souffla Miles en désignant le temple.

Lilith avait laissé ses compagnes terminer les préparatifs : parsemer l'entrée du temple de pétales de fleurs, nouer des rubans et des breloques argentées sur les branches d'un chêne. Elle se dirigea alors vers la rivière, au bord de laquelle se cachaient Daniel, Shelby et Miles.

Elle tenait un bouquet de lys blancs. En atteignant la rive, elle détacha quelques pétales qu'elle jeta dans l'eau en fredonnant. Puis elle se retourna et marcha vers le nord, vers un grand caroubier dont les branches plongeaient dans la rivière.

Un jeune homme était assis dessous, à fixer le courant. Il avait les jambes repliées contre sa poitrine, un bras enroulé autour. De l'autre, il jetait des pierres dans la rivière. Son teint mat faisait ressortir ses yeux verts. Ses cheveux noir de jais étaient ébouriffés et humides, après sa baignade.

– Mon Dieu, c'est...

La main de Daniel se posa sur sa bouche.

C'était le moment qu'il redoutait.

– Oui, c'est Cam, mais pas le Cam que vous connaissez. Une version antérieure. Nous sommes plusieurs milliers d'années en arrière, je vous le rappelle.

– Mais c'est toujours un diable, déclara Miles, méfiant.

– Non, répondit Daniel.

– À une époque, nous formions une seule et même famille. Cam était mon frère. Il n'était pas mauvais. Pas encore. Peut-être ne l'est-il pas davantage aujourd'hui.

Sur le plan physique, la seule différence entre ce Cam et celui que Shelby et Miles connaissaient était l'absence du soleil tatoué dans son cou. Celui qu'il avait reçu de Satan quand il avait choisi l'Enfer. En dehors de ce détail, il était le même.

Toutefois, ce Cam-ci paraissait terriblement tourmenté. Une expression que Daniel n'avait pas vue depuis des millénaires. Depuis ce moment précis, sans doute.

Lilith s'arrêta derrière Cam et posa les mains sur son cœur, les bras autour de son cou. Sans dire un mot, Cam posa les mains sur les siennes et heureux, ils fermèrent les yeux.

– C'est très intime, commenta Shelby. On ne devrait pas... Enfin, je me sens bizarre.

– Alors pars, lui dit Daniel. Et ne fais pas...

Daniel s'interrompit. Quelqu'un s'approchait de Cam et Lilith.

C'était un jeune homme blond, grand et bronzé, vêtu d'une longue tunique blanche, qui portait un parchemin roulé. Il avait la tête baissée, mais il était évident qu'il s'agissait de Daniel.

– Moi je reste, déclara Miles, le regard rivé sur lui.

– Tu n'y comprends rien, je croyais qu'on venait de le renvoyer dans l'Annonciateur, dit Shelby, stupéfaite.

– C'était une version plus récente, expliqua Daniel.

– *Une version plus récente!* railla Shelby. Il y en a combien, au juste, de Daniel?

– Celui que nous avons renvoyé avait deux mille ans de plus que ce Daniel-ci, or nous sommes en –1000. Il n'avait aucune raison d'être là.

– Tu veux dire que nous sommes trois mille ans en arrière ? s'étonna Miles.

– Oui, et vous n'avez rien à faire ici, dit Daniel en le toisant. Mais cette ancienne version de moi...

Il désigna le jeune homme qui s'était arrêté près de Cam et Lilith.

– Est à sa place, reprit-il.

Sur l'autre rive, Lilith sourit.

– Comment vas-tu, Dani ?

Le jeune homme s'agenouilla près du couple et déroula son parchemin. Daniel se souvint : c'était leur contrat de mariage. Il l'avait lui-même rédigé en araméen et il devait se charger de la cérémonie. Cam l'en avait prié des mois plus tôt.

Lilith et Cam parcoururent le document. Ils allaient bien ensemble. Elle composait des chansons pour lui et passait des heures à cueillir des fleurs des champs pour en orner ses vêtements. Il lui était totalement dévoué. Il écoutait ses rêves et la faisait rire quand elle était triste. Bien sûr, il leur arrivait aussi de se disputer, alors toute la tribu était au courant. Mais aucun des deux n'avait cette part sombre qui les hanterait après leur séparation.

– Ce passage-là, fit Lilith en désignant un paragraphe du texte, dit que nous nous marierons au bord de la rivière. Mais tu sais que je veux me marier au temple, Cam.

Cam et Daniel échangèrent un regard. Cam chercha la main de Lilith.

– Mon amour... Je t'ai déjà dit que je ne le pouvais pas.

– Tu refuses de m'épouser sous le regard de Dieu ? s'emporta la jeune fille. Dans l'unique lieu où ma famille approuvera notre union ? Mais pourquoi ?

– Je comprends ! souffla Shelby. Cam ne peut pas se marier au temple... Il ne peut même pas y mettre les pieds parce qu...

– Si un ange déchu pénètre dans le sanctuaire de Dieu..., murmura Miles.

– L'édifice s'embrase aussitôt, termina Shelby.

Les Néphilim avaient raison, bien sûr, et Daniel s'étonnait de sa propre frustration. Cam aimait Lilith, qui le lui rendait. Ils avaient une chance que leur amour perdure. C'était tout ce qui comptait, aux yeux de Daniel. Pourquoi diable Lilith tenait-elle tant à se marier au temple ? Pourquoi Cam ne pouvait-il pas lui expliquer son refus ?

– Je n'y mettrai pas les pieds, déclara Cam en désignant le temple.

Lilith était au bord des larmes.

– Tu ne m'aimes pas...

– Je t'aime plus que tout, mais cela n'y changera rien.

Le corps frêle de Lilith parut enfler de colère. Sentait-elle qu'il y avait autre chose, dans le refus de Cam, qu'un désir de la renier ? Daniel en doutait. Elle crispa les poings et poussa un cri strident qui sembla secouer la terre entière. Lilith saisit Cam par les poignets et le plaqua contre l'arbre. Il ne se débattit même pas.

– Ma grand-mère ne t'a jamais apprécié, dit-elle, les bras tremblant sous l'effort. Elle a toujours parlé de toi dans les pires termes et je t'ai toujours défendu. Maintenant, je comprends. Je le vois dans ton âme et dans tes yeux. Dis-le !

– Te dire quoi ? demanda Cam, horrifié.

– Que tu es un homme du mal. Que tu es... Ce que tu es.

Il était évident que Lilith ne savait rien. Elle évoquait des rumeurs qui circulaient dans la communauté. On le disait diabolique, sorcier, membre d'une secte. Elle voulait entendre la vérité de sa bouche.

Cam pouvait parler à Lilith, mais il n'en ferait rien. Il avait trop peur.

– Je ne suis rien de ce que les gens affirment, Lilith.

C'était la vérité, et Daniel en était convaincu. Mais cela sonnait comme un mensonge. Cam était sur le point de prendre la pire décision. Voilà, le moment où le cœur de Cam allait se briser était venu, le plongeant à tout jamais dans les affres du tourment.

– Lilith, implora Dani en ôtant ses mains de la gorge de Cam. Il n'est pas...

– Dani, prévint Cam, rien de ce que tu pourras dire n'arrangera les choses.

– C'est vrai. C'est fini, dit Lilith en le lâchant.

Cam tomba à la renverse, dans la poussière. Lilith ramassa le contrat de mariage et le jeta dans la rivière. Il tournoya dans le courant avant de sombrer.

– J'espère vivre un millier d'années et avoir un millier de filles afin qu'il y ait toujours une femme pour maudire ton nom !

Elle lui cracha au visage, tourna les talons, puis courut vers le temple, sa robe blanche flottant dans son sillage.

Cam était blême. Il tendit une main à Dani pour qu'il l'aide à se relever.

– As-tu une flèche, Dani ?

– Non, répondit-il d'une voix tremblante. Ne parle pas de la sorte. Tu la retrouveras, sinon...

– J'ai été naïf d'espérer m'en tirer en aimant une femme mortelle.

– Si seulement tu le lui avais dit...

– Lui dire ? Ce qui m'est arrivé... Ce qui nous est arrivé à tous ? La Chute... et tout le reste ?

Cam se pencha vers Dani.

– Elle a peut-être raison, à mon propos, reprit-il. Tu l'as entendue : tous les villageois me considèrent comme un démon, même s'ils n'osent pas prononcer ce mot.

– Ils ne savent rien.

Cam se détourna.

– Je l'ai nié trop longtemps, mais cet amour est impossible, Dani.

– C'est faux.

– Mais non. Pas pour les âmes telles que les nôtres. Tu verras. Tu tiendras peut-être plus longtemps que moi, mais tu verras : nous devrons faire un choix, un jour ou l'autre.

– Non.

– Comme tu protestes, mon frère ! dit Cam en serrant l'épaule de Dani. J'en viens à m'interroger. Tu ne penses jamais à... passer de l'autre côté ?

Dani se dégagea.

– Je pense à elle, et à elle seulement. Je compte les secondes qui me séparent de nos retrouvailles. Je la choisis et elle me choisit.

– Quelle solitude !

– Je ne suis pas seul ! s'écria Dani. C'est de l'amour. Le même amour que tu veux recevoir, toi aussi...

– Je voulais dire que je suis solitaire. Et j'ai moins de noblesse que toi. Je redoute un changement pour bientôt.

– Non, déclara Dani en se dirigeant vers Cam. Tu ne ferais pas ça.

Cam recula et cracha.

– Tout le monde n'a pas la chance d'être lié à l'être aimé grâce à une malédiction !

Daniel se rappela cette insulte qui l'avait mis hors de lui. Mais il n'aurait pas dû prononcer les paroles suivantes :

– Alors pars ! Tu ne manqueras à personne.

Il le regretta aussitôt, mais c'était trop tard.

Cam redressa les épaules et tendit les bras. Ses ailes se déployèrent, créant un courant chaud qui balaya l'herbe, là où Daniel, Miles et Shelby se cachaient. Ses ailes immenses et brillantes...

– Ça alors ! murmura Shelby, elles ne sont pas dorées !

– Comment est-ce possible ? s'enquit Miles, abasourdi.

Le trouble des Néphilim était légitime. La répartition des couleurs d'ailes était claire : l'or pour les démons et l'argent ou le blanc pour les autres. Le Cam qu'ils connaissaient était un démon. Daniel n'était pas d'humeur à expliquer pourquoi les ailes de Cam étaient pures, d'un blanc étincelant, brillantes comme le diamant et chatoyantes comme la neige au soleil.

Le Cam d'autrefois n'était pas encore passé de l'autre côté. Il n'était qu'à la frontière.

Ce jour-là, Lilith avait perdu son amour, Daniel un frère. Depuis lors, ils étaient ennemis. Daniel aurait-il pu le retenir ? Et s'il ne s'était pas écarté de Cam pour déployer ses propres ailes tels des boucliers, comme Dani le faisait sous ses yeux ?

Il aurait dû. Il brûlait de surgir de sa cachette pour retenir Cam. Comme tout serait différent !

Les ailes de Cam et de Dani n'étaient pas encore attirées les unes vers les autres comme des aimants. En cet instant, elles se repoussaient à cause d'un différend, d'une rivalité fraternelle.

Les deux anges s'envolèrent en même temps, dans une direction opposée. Dani partit vers l'est et Cam vers l'ouest. Les trois Anachronismes cachés dans l'herbe furent les seuls témoins de l'éclat doré qui illumina les ailes de Cam, comme un éclair.

XVII

GRAVÉ DANS L'OS

Yin, Chine, Qing Ming (env. 4 avril, 1046 av. J.C.)

À l'extrémité de l'Annonciateur brillait une lumière éclatante qui caressa la peau de la jeune fille comme le soleil d'été, chez ses parents, en Géorgie.

Luce plongea dans sa direction.

Une splendeur débridée, voilà comment Bill avait décrit la lueur de la véritable âme de Daniel. Il avait suffi d'un regard à l'être angélique pur qu'était Daniel pour qu'une communauté entière prenne feu spontanément lors du sacrifice maya, Ix Cuat y comprise.

Mais il y avait eu un moment intense d'émerveillement, juste avant qu'elle ne meure, où Luce s'était sentie plus proche que jamais de Daniel. Oui, elle avait reconnu l'essence de son âme. Il fallait qu'elle la revoie. Il existait peut-être un moyen d'y survivre. Elle se devait au moins d'essayer.

Lorsqu'elle sortit de l'Annonciateur, elle se retrouva dans une chambre immense.

La pièce était au moins dix fois plus vaste qu'une chambre normale, et d'une grande splendeur. Le sol était en marbre lisse, couvert de tapis en peaux de bêtes, dont une affublée d'une tête de tigre. Quatre poteaux de bois soutenaient un plafond finement sculpté, les murs étaient en bambou tressé. Et près de la fenêtre ouverte trônait un imposant lit à baldaquin aux draps de soie mordorée.

Un minuscule télescope était posé sur le bord de la fenêtre. Luce le prit et écarta le rideau en soie pour regarder au dehors. En plaçant le télescope devant son œil, elle le trouva lourd et froid.

Elle se tenait au centre d'une vaste ville fortifiée, au premier étage d'une maison. Un labyrinthe de ruelles reliait des bâtisses anciennes en torchis. L'air chaud embaumait la fleur de cerisier. Deux loriots traversèrent le ciel bleu.

Luce se tourna vers Bill.

– Où sommes-nous ?

Ce lieu lui semblait aussi étranger que l'univers des Mayas, et tout aussi éloigné dans le temps.

Il haussa les épaules et ouvrit la bouche.

– Chut ! murmura Luce.

Un reniflement.

Quelqu'un sanglotait doucement. Luce se tourna vers une arcade, à l'autre extrémité de la pièce, et s'avança, foulant le sol en pierre de ses pieds nus, attirée par l'écho des sanglots. Un étroit passage donnait dans une autre salle, sans fenêtres, au plafond bas, et éclairée par une dizaine de petites lampes en bronze.

Elle distingua un bassin en pierre et une petite table laquée garnie de fioles en terre noires. Il flottait un parfum chaud et épicé d'huiles essentielles. Une énorme armoire en jade sculpté était posée dans un coin. De fins dragons verts ornant ses battants semblaient se moquer de Luce, comme s'ils savaient tout ce qu'elle ignorait.

Au centre de la salle, un homme mort gisait à terre.

Soudain, elle fut aveuglée par une lumière vive qui se mouvait vers elle, le même éclat qu'elle avait aperçu de l'autre côté de l'Annonciateur.

– Quelle est cette lumière ? demanda-t-elle à Bill.

– Tu... Tu la vois ? répondit Bill, étonné. C'est ton âme. Encore un moyen pour toi de reconnaître tes vies passées quand elles sont physiquement différentes de toi. (Il marqua une pause.) Tu ne l'avais jamais remarquée ?

– C'est la première fois, je crois.

– C'est bon signe, commenta Bill. Tu fais des progrès.

Luce se sentit soudain accablée.

– Je croyais que ce serait Daniel...

Bill se racla la gorge, mais il se tut. La lumière rayonna pendant une fraction de seconde, puis s'éteignit si vite que Luce ne vit plus rien, le temps que ses yeux se réadaptent.

– Qu'est-ce que tu fais là ? demanda une voix brusque.

Au centre de la pièce se tenait désormais une jeune Chinoise jolie et menue, d'environ dix-sept ans. Elle était trop jeune et trop élégante pour se trouver au côté d'un cadavre d'homme.

Ses cheveux bruns lui arrivaient à la taille, contrastant avec sa tunique en soie blanche. Malgré son allure délicate, elle semblait du genre à ne pas reculer lors d'une bagarre.

– Te voilà, fit la voix de Bill à l'oreille de Luce. Tu te nommes Lu Xin et tu vivais en dehors de la ville de Yin. Nous sommes à la fin de la dynastie Shang, plus de mille ans avant notre ère.

Lu Xin devait avoir l'impression que Luce sortait tout droit d'un cauchemar, vêtue d'une peau de bête brûlée et d'un collier en os, avec ses cheveux hirsutes et emmêlés. Quand avait-elle pris un bain pour la dernière fois ? Et que faisait-elle à s'adresser ainsi à une gargouille invisible ?

Cependant, à monter la garde à côté d'un mort avec ce regard perçant, Lu Xin ressemblait à une folle, elle aussi.

Luce n'avait pas encore remarqué le couteau en jade au manche incrusté de turquoises, ni la flaque de sang, qui s'étirait sur le sol.

– Qu'est-ce que j..., dit-elle à l'adresse de Bill.

– Toi, gronda la voix de Lu Xin. Aide-moi à cacher ce cadavre !

Le mort avait les cheveux blancs. Sous ses tuniques et ses capes sophistiquées, il était mince et musclé.

– Je... Je ne...

– Dès qu'ils sauront que le roi est mort, nous mourrons.

– Comment ? demanda Luce. Moi ?

– Toi, moi et la plupart des gens qui se trouvent dans cette enceinte. Où parviendraient-ils à trouver le millier de corps qui doivent être enterrés comme sacrifice avec le despote ?

La jeune fille s'essuya les joues de ses doigts minces ornés de bagues en jade.

– Alors, tu m'aides ? reprit-elle.

Luce souleva donc les pieds du souverain, tandis que Lu Xin le prenait sous les aisselles.

– Le roi, dit Luce comme si elle parlait la langue Shang depuis toujours. Était-il...

– Ce n'est pas ce que tu crois, grommela Lu Xin sous le poids du cadavre. Je ne l'ai pas tué. Enfin, pas... physiquement. Il était déjà mort quand je suis entrée dans cette pièce. (Elle renifla.) Il s'est planté un poignard dans le cœur. Moi qui disais qu'il en était dépourvu, il a prouvé le contraire.

Luce examina le visage du défunt. Il avait un œil ouvert, la bouche tordue, comme s'il avait quitté ce monde dans d'atroces souffrances.

– C'était ton père ?

Elles avaient atteint l'énorme armoire en jade. Lu Xin entrouvrit la porte de sa hanche et fit un pas en arrière, avant de lâcher le haut du cadavre à l'intérieur.

– Je devais me marier avec lui, répondit-elle froidement. J'aurais eu un mari immonde. Les anciens approuvaient notre union, mais pas moi. Les hommes âgés riches et puissants ne sont pas recommandés aux âmes romantiques.

Elle observa Luce, qui disposa tant bien que mal les jambes du roi au fond de l'armoire.

– De quelle région reculée viens-tu pour n'être pas informée des fiançailles du roi ?

Lu Xin détaillait la tenue maya de Luce. Elle souleva le bas de sa courte jupe marron.

– Ils t'ont engagée pour faire un spectacle lors de notre mariage ? Serais-tu quelque danseuse ? Un clown ?

– Pas tout à fait, répondit Luce en rougissant.

Elle tira sur sa jupe.

– On ne peut pas laisser le cadavre ici, reprit Lu Xin. On va le chercher et le trouver. C'est tout de même le roi, non ? Et il y a du sang partout.

Lu Xin sortit de l'armoire aux dragons une tunique en soie écarlate. Elle se mit à genoux et en déchira une large bande. C'était un tissu magnifique orné de petits bourgeons noirs autour du col. Mais Lu Xin n'hésita pas à s'en servir pour éponger le sang qui maculait le sol. Elle déchira une seconde robe, bleue, cette fois, et jeta le reste du tissu à Luce pour qu'elle l'aide à nettoyer.

– Bon, dit Luce, il reste l'arme.

Elle désigna le poignard en bronze souillé jusqu'à la garde.

En un éclair, Lu Xin le glissa dans un pli de sa robe. Elle regarda Luce comme pour lui demander : « Quoi d'autre ? »

– Quelle est cette chose, là-bas ? demanda Luce en désignant ce qui ressemblait à une petite carapace de tortue.

Elle l'avait vue tomber de la main du roi quand elles avaient déplacé le corps.

Lu Xin était à genoux. Elle repoussa le linge imbibé de sang et prit le coquillage entre ses mains.

– L'os d'oracle, dit-elle doucement. Plus important que tout.

– Qu'est-ce que c'est ?

– Il détient les réponses de la divinité supérieure.

Luce s'approcha et s'agenouilla pour regarder l'objet. Pour elle, ce n'était rien de plus qu'une petite carapace de tortue polie. En se penchant, elle constata que quelqu'un avait écrit un message au pinceau à l'intérieur.

Lu Xin est-elle sincère ou en aime-t-elle un autre ?

Les yeux de Lu Xin s'embuèrent de larmes ; une faille dans la détermination dont elle avait fait preuve jusqu'alors.

– Il a interrogé les anciens, murmura-t-elle en fermant les yeux. Ils ont dû lui parler de ma tromperie. Je... Je n'ai pas pu m'en empêcher.

Daniel. Elle ne pouvait parler que de Daniel. Cet amour secret qu'elle avait caché au roi.

Luce eut de la compassion pour Lu Xin. Elle comprenait de toute son âme ce qu'elle pouvait ressentir. Ils partageaient un amour qu'aucun roi ne pouvait leur enlever, que nul ne pouvait éteindre. Un amour plus fort que la nature.

Dans un élan incontrôlé, elle étreignit fougueusement Lu Xin.

Le sol se déroba sous elles.

Elle avait déjà l'estomac noué. Sa vision changea de façon incontrôlable. Elle se vit de l'extérieur, étrangère et sauvage, accrochée à sa vie passée. Quand la pièce cessa de tourner autour d'elle, Luce était seule, l'os d'oracle au creux d'une main. C'était terminé. Elle était devenue Lu Xin.

– Je disparais trois minutes et tu te précipites dans la troisième dimension ? demanda Bill, de retour. Une gargouille ne peut donc pas savourer une tasse de thé au jasmin sans que la jeune fille dont elle a la charge profite de son absence pour creuser sa propre tombe ? As-tu au moins songé à ce qui va se passer quand les gardes viendront ?

Un coup retentit soudain à la porte en bambou de la chambre principale.

Luce sursauta.

– Quand on parle du loup, souffla Bill, avant de s'écrier d'une voix haut perché : « oh, Bill ! Aide-moi ! Qu'est-ce que je dois faire, maintenant ? Je n'ai pas pensé à t'interroger avant de me mettre dans ce pétrin ! »

Mais Luce n'avait aucune question à poser à Bill. Elle savait que cette journée serait marquée non par le suicide du roi, mais par quelque chose de bien plus important, de plus sombre et de plus sanguinaire : un affrontement entre armées. Ce coup frappé à la porte ? C'était le conseil du roi venu escorter le souverain jusqu'à la guerre. Il devait mener ses troupes à la bataille.

Or, le roi était mort et enfermé dans une armoire.

Luce habitait quant à elle le corps de Lu Xin, coincée dans ses appartements privés. S'ils la trouvaient seule...

– Roi Shang !

Les hommes martelaient la porte, de plus en plus fort.

– Nous attendons vos ordres !

Lu Xin demeurait immobile, pétrifiée dans sa robe en soie. Le roi Shang n'était plus. Il laissait sa dynastie sans roi, les temples sans grand prêtre, et une armée sans général, juste avant une bataille visant à sauvegarder sa dynastie.

– Ce régicide ne saurait plus mal tomber, dit Bill.

– Que faire ? demanda Luce en se tournant vers l'armoire aux dragons.

Elle grimaça en posant les yeux sur le roi. Il avait la tête penchée de façon étrange. Sur son torse, le sang séché ressemblait à de la rouille. Lu Xin détestait le roi de son vivant. Luce savait désormais que les larmes qu'elle avait versées n'étaient pas des larmes de tristesse, mais de peur. Elle redoutait ce qu'il adviendrait de De, son amour.

Jusqu'à trois semaines plus tôt, Lu Xin vivait à la ferme de ses parents, qui cultivaient le millet, au bord du fleuve Huan. Un après-midi, de passage dans la vallée sur son char étincelant, le souverain avait aperçu Lu Xin dans un champ. Elle lui avait plu. Le lendemain, deux miliciens avaient frappé à sa porte. Elle avait dû quitter sa famille, sa maison, et De, le séduisant pêcheur du village voisin.

Avant la convocation du roi, De avait appris à Lu Xin à pêcher à l'aide de deux cormorans dressés qui avaient une corde autour du cou. Ainsi, ils pouvaient attraper plusieurs poissons dans leur bec sans les avaler. En voyant De extraire délicatement les poissons du bec de ces drôles d'oiseaux, Lu Xin était tombée amoureuse de lui. Le lendemain matin, elle avait dû lui dire adieu.

Du moins le pensait-elle.

Cela faisait dix-neuf couchers de soleil que Lu Xin n'avait pas vu De, sept couchers de soleil qu'elle avait reçu un message de chez elle, porteur d'une mauvaise nouvelle : De et d'autres garçons des fermes voisines s'étaient enfuis pour rejoindre l'armée rebelle. À peine étaient-ils partis que les hommes du roi avaient saccagé le village en quête des déserteurs.

Quand ils découvriraient la mort du roi, les hommes de Shang seraient sans pitié envers Lu Xin et elle ne retrouverait jamais De.

À moins que le conseil n'apprenne pas que Shang était mort.

L'armoire était remplie de vêtements exotiques et colorés, mais aussi d'un grand casque arrondi. Il était lourd, avec des lanières de cuir cousues très serrées, et une plaque en bronze lisse gravée d'un dragon crachant le feu sur l'avant. Le roi était né l'année du dragon.

Bill voleta vers elle.

– Que vas-tu faire de ce casque ? s'enquit-il.

Luce le coiffa et glissa ses cheveux noirs à l'intérieur. Puis elle ouvrit l'autre porte de l'armoire, inquiète de ce qu'elle allait y trouver.

– La même chose qu'avec son armure, répondit-elle en prenant une brassée d'effets.

Elle enfila un large pantalon, une épaisse tunique en cuir en guise d'armure et une paire de gants en cotte de mailles. Les chausses étaient trop grandes, mais elle s'en accommoderait. Elle prit également un plastron en bronze, à l'effigie du même dragon noir cracheur de feu que le casque. Luce se demanda comment on pouvait faire la guerre dans cette tenue pesante. Mais Lu Xin savait que le roi ne combattait pas vraiment. Il livrait bataille depuis le siège de son char.

– Ce n'est pas le moment de te déguiser ! lança Bill. Tu ne peux pas sortir comme ça.

– Pourquoi pas ?

Elle replia le haut de son pantalon pour mieux serrer sa ceinture.

Près de la cuvette, elle trouva un miroir poli rudimentaire encadré de bambou. Le visage de Lu Xin était dissimulé par la plaque de bronze du casque. Son corps semblait fort sous sa tunique de cuir.

Luce quitta l'antichambre pour regagner la chambre principale.

– Attends ! cria Bill. Que vas-tu leur dire à propos du roi ?

Luce souleva le casque pour montrer ses yeux.

– Désormais, je suis le roi.

Luce fut envahie d'un élan d'énergie. Se faire passer pour la tête de l'armée était exactement ce que Lu Xin aurait fait. En tant que simple soldat, bien sûr, De serait en première ligne, lors de la bataille. Et elle le trouverait.

On frappa de nouveau à la porte.

– Roi Shang ! l'armée Zhou avance. Nous requérons votre présence !

– Je crois que quelqu'un te parle, roi Shang, railla Bill d'une voix grave, éraillée, qui résonna dans la pièce avec une telle force que Luce tiqua. Pourtant, sans se retourner, elle actionna le loquet en bronze de la lourde porte de bambou.

Trois hommes en tenue martiale flamboyante, rouge et jaune, la saluèrent avec empressement. Luce reconnut les trois plus proches conseillers du roi: Hu, aux dents minuscules et aux petits yeux jaunis, Cui, le plus grand, avec ses larges épaules et ses yeux écartés, et Huang, le cadet, le plus aimable.

– Le roi était déjà habillé pour la guerre, déclara Huang en balayant la chambre d'un air intrigué. Le roi semble... différent.

Luce se figea. Que dire? Elle n'avait jamais entendu la voix du roi décédé. De toute façon, elle était piètre imitatrice.

– Oui, admit Hu. Bien habillé.

Après un long soupir de soulagement, Luce opina du chef en prenant soin de ne pas perdre son casque.

Les trois hommes lui firent signe de passer dans le vestibule en marbre. Huang et Hu se placèrent de part et d'autre de Luce, et murmurèrent quelques paroles sur le moral des soldats, qui était au plus bas. Cui marchait juste derrière elle, ce qui la mettait mal à l'aise.

Le palais était immense: hauts plafonds pointus, d'un blanc étincelant, statues de jade et d'onyx dans tous les coins, miroirs encadrés de bambou. Enfin, ils franchirent le dernier seuil pour sortir dans le matin gris. Luce repéra le char en bois rouge, au loin. Ses jambes faillirent se dérober.

Il fallait qu'elle trouve De, et cette bataille la terrifiait.

Près du char, les membres du conseil s'inclinèrent et baisèrent son gant. Elle se réjouit d'avoir pensé à en mettre, mais retira vite sa main de peur qu'ils se rendent compte qu'elle n'avait pas la même poigne que le roi. Huang lui tendit une longue lance munie d'un manche en bois avec une pointe arrondie.

– Votre hallebarde, Majesté.

Elle faillit faire tomber le lourd objet.

– Ils vont vous conduire sur le promontoire, au-dessus des premières lignes, expliqua-t-il. Nous vous suivrons et vous rejoindrons avec la cavalerie.

Luce se tourna vers le char, une simple plateforme en bois sur un essieu et deux grandes roues, tiré par deux imposants chevaux noirs. Le véhicule était en bois laqué brillant et pouvait transporter trois personnes assises ou debout. Le dais et des rideaux en cuir pouvaient s'enlever ; pour l'heure, ils étaient installés.

Luce monta à bord en écartant les rideaux et s'assit. Le siège était rembourré de peaux de tigre. Un cocher portant une fine moustache prit les rênes. Un autre soldat aux yeux tombants, armé d'une hache de combat, se plaça debout à son côté. D'un claquement de fouet, les chevaux partirent au galop, et les roues s'ébranlèrent.

Ils franchirent les hautes grilles austères du palais. Le soleil filtrait à travers les nappes de brouillard qui enveloppaient la vaste plaine, à l'ouest. C'était un paysage magnifique, mais Luce était trop anxieuse pour l'apprécier.

– Bill, murmura-t-elle. À l'aide !

Pas de réponse.

Elle jeta un coup d'œil au dehors, ce qui ne fit qu'attirer l'attention du soldat aux yeux tombants censé lui servir de garde du corps.

– Votre majesté, je vous en prie, pour votre sécurité, j'insiste...

Il lui fit signe de reculer.

Les rues pavées de la ville étaient loin et le trajet devint chaotique. Luce grommela et s'adossa sur son siège, agrippée à la fourrure, pour ne pas sauter à chaque nid-de-poule.

Ses genoux s'entrechoquaient au gré des bosses de la route. Comment allait-elle trouver De ? Elle n'en avait aucune idée. Si les gardes du roi ne lui permettaient même pas d'écarter un rideau, la laisseraient-ils s'approcher des premières lignes du front ?

Autrefois, des milliers d'années plus tôt, sa version antérieure s'était trouvée seule sur ce char, déguisée en roi. Luce était persuadée que Lu Xin aurait été à cette place.

Même sans l'aide d'une gargouille entêtée, et surtout sans les informations que Luce avait amassées au fil de sa quête.

Elle avait vu la splendeur débridée de Daniel à Chichén Itzá, elle avait été témoin de sa malédiction à Londres et en avait compris les profondeurs. Suicidaire au Tibet, il lui avait épargné une vie de tristesse à Versailles. Elle l'avait vu dormir pour fuir sa souffrance après sa mort en Prusse, comme s'il avait été ensorcelé. Elle l'avait vu tomber amoureux même quand elle se montrait hautaine et immature à Helston. Elle avait touché les cicatrices de ses ailes à Milan, et pris conscience qu'il avait renoncé au Paradis rien que pour elle. Elle avait lu la douleur dans ses yeux quand il l'avait perdue à Moscou, la même souffrance, encore et encore...

Luce devait à tout prix trouver un moyen de briser cette malédiction.

Le char s'arrêta si brutalement que Luce faillit tomber de son siège. Dehors, elle entendit un grondement de sabots qui lui parut bizarre, puisque le char n'avançait pas.

Il y avait quelqu'un d'autre.

Luce entendit un tintement de métal et un long gémissement de douleur. Un objet lourd heurta le sol.

Il y eut d'autres chocs, d'autres grognements, un cri rauque et une nouvelle chute. Les mains tremblantes, Luce écarta très légèrement les rideaux. Le soldat aux yeux tombants gisait à terre dans une mare de sang.

Une embuscade !

Un insurgé écarta vivement les rideaux et brandit son épée.

Luce ne put s'empêcher de pousser un cri.

L'épée s'arrêta net. Luce alors fut submergée d'une onde de chaleur, qui gagna chacune de ses veines, calmant aussitôt son angoisse, les battements fous de son cœur.

L'attaquant n'était autre que De.

Son casque en cuir couvrait ses longs cheveux noirs, mais son visage superbe était découvert, et son teint mat faisait ressortir l'éclat de ses yeux violets. Il semblait à la fois abasourdi et plein d'espoir. Son épée était sortie, mais il ne savait plus qu'en faire. Luce ôta vivement son casque et le jeta sur le siège. Ses cheveux bruns cascadèrent alors jusqu'au bas de son plastron en bronze.

– Lu Xin ? fit De en la prenant dans ses bras avec un grand sourire.

Les yeux de Luce s'embuèrent de larmes.

Elle posa la joue sur la sienne, rassurée, puis leva la tête et l'embrassa sur les lèvres. Il répondit à son baiser avec ardeur. Luce savoura chaque instant, serrée contre son corps, regrettant la présence de leurs armures.

– Je n'aurais jamais imaginé te trouver là, avoua doucement De.

– Moi non plus..., répondit-elle.

– Quand j'ai rejoint les rebelles Zhou, j'ai juré de tuer le roi et de te récupérer.

– Le roi est... Oh, tout cela n'a pas d'importance, maintenant, murmura Luce couvrant ses joues et ses paupières de baisers, les bras enroulés autour de son cou.

– Rien n'a d'importance, répondit De. Je suis avec toi !

Luce songea à son éclat sublime, à Chichén Itzá. Le découvrir dans toutes ces autres vies, dans des lieux, à des époques si différentes n'avait fait que lui confirmer combien elle l'aimait. Le lien qui les unissait était indestructible. Leurs regards le disaient. Chacun lisait les pensées de l'autre et lui donnait l'impression d'être entier.

Mais Luce ne devait pas oublier pour autant la malédiction qu'ils enduraient depuis l'éternité. Il restait des obstacles à franchir avant qu'elle puisse être vraiment avec Daniel.

Chacune de ses visites lui avait appris quelque chose. Celle-ci devait aussi lui fournir une clé, à elle de la trouver...

– Nous avons appris que Shang viendrait ici pour mener ses troupes, en contrebas, expliqua De. Les rebelles avaient prévu de prendre la cavalerie en embuscade.

– Elle arrive, répondit Luce, se rappelant les instructions de Huang. Elle sera là d'un moment à l'autre.

– Les rebelles s'attendront à ce que je me batte, dit De.

Luce grimaça. Par deux fois, elle avait vu Daniel se lancer dans une bataille, et elle s'était juré qu'elle n'assisterait plus jamais à un tel spectacle.

– Que dois-je faire pendant que tu...

– Je ne lutterai pas, Lu Xin.

– Comment ?

– Ce n'est pas notre guerre. Cela ne l'a jamais été. Nous pouvons rester et mener les batailles d'autres hommes ou bien faire ce que nous avons toujours fait : se choisir l'un l'autre en dépit de tout le reste. Tu comprends ?

– Oui, murmura-t-elle.

Lu Xin ignorait le sens profond des paroles de De, mais Luce était pratiquement sûre d'avoir saisi : Daniel l'aimait, elle l'aimait et ils choisissaient d'être ensemble.

– Ils ne nous laisseront pas partir facilement. Les rebelles me tueront pour avoir déserté. (Il coiffa son casque.) Tu devras te battre pour t'en sortir, toi aussi.

– Comment ? murmura Luce. C'est impossible ! J'arrive à peine à soulever cette chose. (Elle désigna la hallebarde.) Je ne peux pas...

– Si, dit-il de tout son cœur. Tu peux.

Le char fut soudain baigné de lumière. L'espace d'un instant, Luce crut que c'était terminé. Son univers allait s'embraser, Lu Xin allait mourir et son âme serait reléguée dans l'ombre.

Or, soudain, une lueur naquit dans la poitrine de De. Celle de l'âme de Daniel. Moins puissante et radieuse que lors du sacrifice maya, mais tout aussi époustouflante. Luce pensa à la lueur de sa propre âme lorsqu'elle avait aperçu Lu Xin. Peut-être apprenait-elle à voir le monde tel qu'il était, sans se faire d'illusions.

– D'accord, dit-elle en glissant ses longs cheveux sous son casque. Allons-y !

Ils écartèrent les rideaux et s'avancèrent sur la plateforme du char. Devant eux, une vingtaine de cavaliers rebelles attendait au sommet d'une colline, à une quinzaine de mètres du char. Ils portaient des vêtements de paysans : un pantalon marron et une chemise en toile épaisse et crasseuse. Leurs boucliers portaient le symbole du rat, celui de l'armée Zhou. Ils attendaient tous les ordres de De.

Dans la vallée, en contrebas, résonnaient les sabots de centaines de chevaux. Toute l'armée Shang était mobilisée, assoiffée de sang. Luce entendit un chant de guerre très ancien que Lu Xin connaissait depuis sa plus tendre enfance.

Derrière eux, Huang et les autres soldats du roi étaient en route pour ce qu'ils croyaient être une réunion stratégique. Ils se dirigeaient droit vers un bain de sang, une embuscade. Luce et Daniel devaient absolument partir avant leur arrivée.

– Suis-moi, murmura De. Partons vers les collines, à l'ouest, aussi loin que nous le pourrons.

Il détacha un cheval de l'attelage et le mena vers Luce. C'était une monture impressionnante, d'un noir intense, avec un losange blanc sur le poitrail. De aida Luce à monter en selle et brandit la hallebarde du roi dans une main et une arbalète dans l'autre. Luce n'avait jamais touché une telle arme de sa vie. Lu Xin ne s'en était servie qu'une seule fois, pour effrayer un lynx qui s'approchait du berceau de sa petite sœur. Luce trouva l'arme légère et comprit que, au besoin, elle saurait s'en servir.

De lui sourit et appela son cheval d'un sifflement. Une superbe jument trotta vers lui. Il sauta en selle.

– De ! Qu'est-ce que tu fais ? lança une voix alarmée, parmi les cavaliers. Tu devais tuer le roi ! Pas le faire monter sur un de nos chevaux !

– Oui, tuer le roi ! reprirent les autres en chœur.

– Le roi est mort ! cria Luce, les faisant taire.

Cette voix féminine, sous le casque, les laissa pantois. Ils se demandaient s'ils devaient brandir leurs armes.

De s'approcha de Luce et prit ses mains dans les siennes. Jamais Luce ne s'était sentie aussi rassurée et protégée.

– Quoi qu'il arrive, sache que je t'aime. À mes yeux, notre amour est au-dessus de tout.

– Moi aussi, murmura Luce.

De lança son cri de guerre. Les chevaux s'élancèrent. Luce faillit lâcher son arbalète tandis qu'elle empoignait les rênes.

– Traîtres ! s'écrièrent soudain les soldats rebelles.

– Lu Xin ! lança De au-dessus du bruit des sabots. Va-t'en !

Il désigna les collines avec son arme.

Sa monture galopait à une telle allure que Luce n'y voyait plus très clair. Le paysage n'était plus qu'un tourbillon flou.

Un groupe de rebelles se lança à leurs trousses, produisant un vacarme digne d'un tremblement de terre.

Un homme attaqua Daniel avec sa hallebarde. Luce sortit son arbalète, qu'elle brandit sans effort. Elle se sentait capable de tuer quiconque s'en prendrait à Daniel.

Elle décocha une première flèche. À son grand étonnement, elle tua le rebelle sur le coup, qui tomba de cheval et s'écroula dans un nuage de poussière. Elle découvrit avec stupeur que le trait s'était planté dans sa poitrine.

– Continue ! lança De.

La gorge nouée, elle se laissa emporter par son cheval. Quelque chose était en train de se passer. Elle commençait à se sentir plus légère en selle, comme si la foi de De en elle lui donnait de l'élan. Elle pouvait s'échapper avec lui. Elle y arriverait. Elle plaça une autre flèche sur son arbalète et tira, puis tira encore, s'efforçant juste de se couvrir. Mais il y avait tant de soldats à ses trousses qu'elle se trouva vite à cours de munitions. Il ne lui restait que deux flèches...

– De !

À moitié glissé de sa selle, il frappait un soldat Shang d'un coup de hache. Ses ailes n'étaient pas déployées, mais elles auraient pu l'être tant il semblait léger et d'une adresse meurtrière. Daniel éliminait ses ennemis sans bavure, en leur donnant un coup fatal qui les tuait sur-le-champ.

– De ! cria-t-elle de nouveau, plus fort.

Quand il leva la tête. Luce se pencha en avant pour lui montrer son carquois presque vide, et il lui lança une épée arrondie.

Elle l'attrapa par le manche avec un naturel étonnant. Puis elle se rappela la leçon d'escrime à Shoreline. Lors de sa première rencontre, elle avait anéanti la hautaine et méchante Lilith qui était une véritable experte.

Luce pouvait certainement renouveler cet exploit.

Un guerrier sauta de son cheval sur celui de la jeune fille. Sous son poids, la monture trébucha. Luce poussa un cri, mais elle réussit à lui trancher la gorge, puis elle jeta son corps à terre.

Elle sentit une chaleur se propager dans sa poitrine. Tout son corps vibrait. Elle fonça, talonnant son cheval pour qu'il aille de plus en plus vite.

Tout devint blanc.

Puis ce fut le noir complet.

Enfin, elle vit un éclat multicolore.

Elle leva une main pour se protéger de la lumière, mais elle ne venait pas de l'extérieur. Son cheval galopait toujours et elle tenait encore son arme à la main, qu'elle agitait en tous sens pour trancher des gorges et défoncer les torses ennemis, qui tombaient un à un à ses pieds.

Pourtant, Luce n'était plus tout à fait là. Mille visions assaillirent son esprit, des visions qui devaient être celles de Lu Xin.

Elle vit Daniel voler au-dessus d'elle, vêtu comme un paysan... Un instant plus tard, il était torse nu, avec ses longs cheveux blonds... Il arborait une armure de chevalier, dont il soulevait la visière pour embrasser la jeune fille sur les lèvres... Juste avant, il avait l'apparence du Daniel qu'elle avait quitté dans le jardin de ses parents, à

Thunderbolt, au moment où elle avait entamé son voyage à travers le temps.

C'était ce Daniel qu'elle cherchait depuis le départ. Elle tendit la main vers lui, cria son nom. Il se transforma de nouveau, encore, et encore. Luce vit défiler plus de Daniel qu'elle ne le croyait possible, tous plus beaux les uns que les autres. Chacun cédait sa place au suivant comme dans un jeu où les dominos s'abattaient en chaîne, son image s'altérant dans la lumière du ciel. La ligne de son nez, de sa mâchoire, le teint de sa peau, la forme de ses lèvres, ne cessaient de se transformer au fil des incarnations. Tout, à part ses yeux.

Ses prunelles violettes restaient les mêmes et leur intensité hantait la jeune fille. Elles cachaient un terrible secret qu'elle ne comprenait pas. Qu'elle ne voulait pas comprendre.

Était-ce de la peur ?

Dans ces visions, la terreur que reflétaient les yeux de Daniel était si intense que Luce fut tentée de se détourner. Que pouvait redouter un être aussi puissant que Daniel ?

Une seule chose sans doute : la mort de Luce.

À travers ces images successives de Daniel, elle découvrait tous ses visages lorsqu'elle mourait en flammes, dans ses bras. Chacun signifiait que leurs retrouvailles étaient déjà révolues. Mais il y avait autre chose encore :

Il n'avait pas peur pour elle, parce qu'elle entrait dans les ténèbres d'une autre mort ou qu'elle souffrait. Non.

Daniel avait peur d'elle.

– Lu Xin ! cria sa voix depuis le champ de bataille.

Elle le vit dans une sorte de brouillard. Il était l'unique élément net, car tout le reste était d'un blanc aveuglant.

Son amour pour Daniel était-il en train de la consumer ? Était-ce sa propre passion, et non celle de Daniel, qui la détruisait à chaque fois ?

– Non ! hurla-t-il en tendant une main vers elle.

Mais il était trop tard.

La jeune fille avait mal à la tête. Elle ne voulait pas ouvrir les yeux.

Bill était là, le sol était frais, et Luce se trouvait dans une poche sombre bienvenue. Une chute d'eau par-derrière arrosait ses joues brûlantes.

– Tu t'en es bien sortie, finalement, commenta-t-il.

– Tu sembles déçu, répondit Luce. Où étais-tu passé ?

– Je ne peux pas te le dire, assura Bill en pinçant ses grosses lèvres.

– Pourquoi ?

– C'est personnel.

– C'est à cause de Daniel ? demanda Luce. Parce qu'il pourrait te voir ? Il doit y avoir une raison pour que tu refuses qu'il sache que tu m'aides.

Bill grommela.

– Il ne s'agit pas toujours de toi, Luce. J'ai d'autres chats à fouetter. De plus, tu te montres très autonome, ces derniers temps. Il est peut-être temps de mettre fin à notre arrangement, d'enlever les petites roues du vélo. En quoi aurais-tu encore besoin de moi ?

Luce était trop épuisée et traumatisée par le spectacle auquel elle venait d'assister pour le quereller.

– C'est sans espoir, dit-elle.

Toute la colère de Bill s'évanouit d'un coup.

– Que veux-tu dire ?

– Quand je meurs, ce n'est pas le fait de Daniel. C'est à cause d'un phénomène qui se produit en moi, que son amour doit faire ressortir... Je suis persuadée que tout est ma faute. C'est une partie de la malédiction, et j'ignore toujours en quoi elle consiste. Cependant, j'ai vu son regard, juste avant que je meure. C'est toujours le même...

– Jusqu'à présent, dit-il en penchant la tête.

– Je lui apporte plus de tristesse que de bonheur, déclara Luce. Il devrait renoncer à moi. Il ne faut plus que je lui inflige ça.

Elle se prit la tête dans les mains.

– Luce ? dit Bill en s'asseyant sur ses genoux avec la tendresse étrange dont il avait fait preuve lors de leur rencontre. Tu veux mettre un terme à cet amour dans l'intérêt de Daniel ?

Luce releva la tête et s'essuya les yeux.

– Que puis-je faire pour que nous n'ayons plus à endurer cette malédiction ?

– Eh bien, quand tu fusionnes, il y a un moment, juste avant ta mort, où ton âme et tes deux corps – passé et présent – se séparent. Cela ne dure qu'une fraction de seconde...

– Juste avant que je me rende compte que je vais mourir, c'est ça ?

– Exactement. Durant cet instant, il existe un moyen d'extraire ton âme maudite de ton corps présent. De creuser ton âme, en quelque sorte. Cela permettrait de mettre fin au problème de tes réincarnations, qui pèse dans votre malédiction.

– Mais je croyais que j'étais déjà au bout de mon cycle de réincarnations... Je ne devais plus revenir à cause de cette histoire de baptême.

– Tu iras quand même jusqu'au bout du cycle. Mais de retour dans le présent, tu risqueras de mourir à tout moment à cause...

– De mon amour pour Daniel.

– Oui, à moins que tu ne rompes le lien avec ton passé.

– Mais je mourrais toujours...

– Sauf que tu laisserais ton âme derrière toi, et qu'elle mourrait, à son tour. En revanche, le corps dans lequel tu reviendrais serait libre de vivre sans cette malédiction qui dure depuis la nuit des temps.

– Alors, j'arrêterais enfin de mourir ?

– À moins que tu ne sautes du haut d'un immeuble ou que tu ne montes en voiture avec un chauffard ou que tu ne prennes une dose massive de médicaments ou...

– J'ai compris ! le coupa-t-elle. Mais alors si Daniel m'embrassait, je...

– Daniel ne ferait rien, répondit Bill avec un regard appuyé. Tu ne serais plus attirée par lui. Tu continuerais ton chemin et tu épouserais sans doute un homme simple et vous auriez plein d'enfants.

– Non.

– Daniel et toi seriez libérés de cette malédiction infernale. Libérés, tu m'entends ? Il pourrait être heureux, lui aussi. Tu ne veux pas qu'il le soit ?

– Mais Daniel et moi...

– Fini, Daniel et toi ! Certes, la réalité est un peu dure, cependant tu ne lui feras plus de mal. Grandis un peu, Luce. Oublie cette passion de jeunesse.

Une vie sans Daniel était inimaginable. Mais la perspective de retourner à son existence actuelle pour tenter d'être avec Daniel au risque de mourir pour de bon la glaçait aussi... Elle avait cherché en vain un moyen de briser cette malédiction, et la solution lui échappait encore. La proposition de Bill était peut-être la bonne. Cela semblait inenvisageable, de prime abord, mais si elle retournait à sa vie sans même connaître Daniel, il ne lui manquerait pas. Et elle ne lui manquerait pas non plus. Cela valait sans doute mieux pour tous les deux.

Non, ils étaient une âme sœur l'un pour l'autre ! Daniel lui apportait plus que de l'amour. Arriane, Roland, Gabbe, même Cam, c'était grâce à eux tous qu'elle en avait autant appris sur elle-même : ce qu'elle voulait, ce qu'elle ne voulait pas, comment se défendre... Elle avait mûri et elle était devenue une personne meilleure. Sans Daniel, elle ne serait jamais allée à Shoreline, elle n'aurait pas rencontré ses amis fidèles qu'étaient Shelby et Miles. Serait-elle même allée à Sword & Cross ? Où diable serait-elle ? Qui seraitelle donc ?

Pouvait-elle être heureuse sans lui ou tomber amoureuse d'un autre ? Cette idée lui était insupportable. Tout serait si terne, si horriblement triste...

Cependant, qu'elle ait le pouvoir de ne plus jamais le faire souffrir la travaillait.

– Je veux y réfléchir d'abord, murmura Luce. Comment ça marche ?

Bill sortit un objet long et argenté d'une petite lanière, dans son dos. C'était une flèche argentée à pointe plate qu'elle reconnut immédiatement.

– As-tu déjà vu une flèche d'argent ? demanda-t-il avec un sourire.

XVIII

MAUVAISE DIRECTION

Jérusalem, 27 nissan 2750

– Tu n'es donc pas un si mauvais garçon ? dit Shelby à Daniel.

Ils étaient assis sur la rive luxuriante du fleuve, à Jérusalem, fixant l'horizon où les deux anges déchus venaient de partir chacun de leur côté. Un halo de lumière dorée flottait dans le ciel, à l'endroit où Cam s'était trouvé. L'atmosphère commençait à empester.

– Bien sûr que non, répondit Daniel en trempant une main dans l'eau fraîche.

Ses ailes et son âme étaient toujours brûlantes d'avoir assisté au choix de Cam, qui était apparu si simple ! Il avait pris sa décision tellement rapidement...

– En découvrant que Cam et toi aviez conclu une trêve, Luce était dévastée. Aucun d'entre nous ne comprenait, dit Shelby.

Shelby chercha confirmation auprès de Miles.

– N'est-ce pas, Miles ?

– On pensait que tu lui cachais quelque chose, dit-il en ôtant sa casquette pour se gratter la tête. Tout ce qu'on savait de Cam, c'était qu'il était une pure incarnation du mal.

– Que ce soit au Paradis, en Enfer ou sur terre, les âmes pures sont rares, déclara Daniel.

Il se tourna vers l'est en quête d'un soupçon de poussière argentée que Dani aurait laissée en s'envolant. Mais il n'y en avait pas.

– C'est tellement bizarre d'imaginer que vous avez été frères, fit Shelby.

– Pourtant, à une époque, nous formions une seule famille...

– Oui, mais c'était il y a longtemps !

– Tu as l'air de penser que, parce qu'elles ont duré plusieurs milliers d'années, les choses sont immuables, affirma Daniel en secouant la tête. Or tout évolue. À l'aube du monde, j'étais avec Cam. Et je le côtoierai jusqu'à la fin des temps.

Shelby parut incrédule.

– Tu crois que Cam va revenir dans le droit chemin, du côté de la lumière ?

Daniel fit mine de se lever.

– Rien ne reste figé à jamais, répondit-il.

– Et ton amour pour Luce ? s'enquit Miles.

Daniel se figea.

– Il évolue, lui aussi. Au terme de cette expérience, Luce sera différente. J'espère seulement...

Il baissa les yeux vers Miles, toujours assis au bord de l'eau, et se rendit compte que, en fin de compte, il ne le détestait pas. À leur façon imprudente et idiote, les Néphilim avaient tenté de l'aider.

Pour la première fois, Daniel pouvait affirmer sincèrement qu'il n'avait plus besoin d'aide. Tout au long du chemin, il avait reçu le soutien nécessaire de ses incarnations antérieures. À présent, il était prêt à rattraper Luce.

– Il est temps pour vous deux de rentrer, annonça-t-il en aidant Shelby et Miles à se lever.

– Non, répondit Shelby, la main de Miles dans la sienne. Nous avons conclu un pacte. Nous ne rentrerons pas tant que nous ne serons pas sûrs qu'elle...

– Cela ne va pas tarder, affirma Daniel. Je pense savoir où la trouver, et vous ne pouvez pas me suivre.

– Viens, Shelby, lança Miles en détachant une ombre de l'olivier.

Celle-ci tournoya entre ses mains et parut lourde un instant, comme de l'argile sur un tour de potier. Mais Miles la façonna jusqu'à obtenir une grande porte noire très impressionnante. Il entrouvrit l'Annonciateur et fit signe à Shelby de passer la première.

– Tu te débrouilles bien, commenta Daniel, qui avait convoqué son Annonciateur en utilisant l'ombre de son propre corps.

Celui-ci se mit à trembler devant lui.

Les Néphilim, qui ne voyageaient pas grâce à leurs expériences passées, devraient sauter d'un Annonciateur à l'autre pour revenir dans leur époque. Ce serait difficile, et Daniel ne leur enviait pas leur périple. Il aurait aimé pouvoir rentrer à la maison, lui aussi.

– Daniel, appela Shelby en passant la tête hors de l'Annonciateur. Bonne chance !

Elle lui adressa un signe de la main, Miles également, et ils disparurent. L'ombre se referma sur elle-même, puis se transforma en un simple point avant de s'évanouir.

Daniel, lui, était déjà parti.

Un vent froid lui mordait la peau.

Il fila plus vite que jamais pour revenir à un endroit et à une époque où il pensait ne plus jamais se rendre.

– Hé ! lança une voix rauque, juste à côté de lui. Ralentis, tu veux !

Daniel s'écarta et cria :

– Qui es-tu, toi ? Fais-toi connaître !

Il ne voyait rien. Daniel déploya ses ailes blanches, autant pour défier l'intrus qui se trouvait dans l'Annonciateur que pour ralentir. Leur lueur éclaira l'Annonciateur, et il sentit sa tension baisser d'un cran.

Ses ailes occupaient toute la largeur du tunnel. En frôlant les parois humides de l'Annonciateur, Daniel eut un sentiment de malaise, d'oppression.

Dans la pénombre, devant lui, une silhouette se profila.

L'intrus avait des ailes diaphanes. C'était un petit ange pâle. Daniel ne le connaissait pas. Il avait les traits doux et innocents d'un bébé. Dans ce tunnel exigu, ses cheveux blonds et fins balayaient ses yeux d'argent à cause du courant d'air provoqué par les battements d'ailes de Daniel.

– Qui es-tu ? répéta Daniel. Comment es-tu entré ? Fais-tu partie de l'Échelle ?

– Oui.

En dépit de son apparente jeunesse, l'ange avait la voix grave. Lorsqu'il tendit une main en arrière, Daniel crut qu'il cachait quelque chose dans son dos ou préparait un piège, mais l'ange se contenta de se retourner pour révéler la cicatrice qu'il avait sur la nuque : l'insigne doré à sept pointes de l'Échelle.

– Ainsi tu en es sûr, confirma-t-il. J'aimerais te parler.

Daniel serra les dents. L'Échelle devait savoir qu'il n'avait aucun respect pour les siens ou leurs méthodes tatillonnes. Mais peu importait son mépris pour leur tendance à vouloir rallier les anges déchus à leur cause. Il devait répondre à leurs requêtes. Or cet ange-ci semblait bizarre. Mais qui, à part un membre de l'Échelle, aurait pu s'introduire dans un Annonciateur ?

– Je suis pressé.

L'ange hocha la tête comme s'il était au courant.

– Tu cherches Lucinda ?

– Oui, bredouilla Daniel. Et je n'ai pas besoin d'aide.

– Si, répondit l'ange. Tu as manqué ta sortie.

Il désigna l'endroit du tunnel vertical d'où venait Daniel.

– Non...

– Si, insista l'ange avec un sourire, révélant une rangée de minuscules dents pointues. Tu sais que l'on surveille les allées et venues des visiteurs dans les Annonciateurs.

– J'ignorais que leur surveillance entrait dans les attributions de l'Échelle.

– Il y a un tas de choses que tu ne sais pas ! Sache que notre moniteur a trouvé une trace du passage de Luce. Elle doit être bien avancée, à l'heure qu'il est. Lance-toi à ses trousses !

Daniel se crispa. Les membres de l'Échelle étaient les seuls anges dotés de vision entre les Annonciateurs. Il était donc possible que l'un d'entre eux ait assisté aux déplacements de Luce.

– Pourquoi m'aiderais-tu à la trouver ?

– Oh, Daniel ! s'exclama l'ange en fronçant les sourcils. Lucinda fait partie de notre destinée. Nous voulons que tu la trouves, que tu restes fidèle à ta nature...

– Pour prendre le parti du Paradis, ensuite, grommela Daniel.

– Chaque chose en son temps...

L'ange serra ses ailes sur ses flancs et fonça dans le tunnel.

– Si tu veux la rattraper, gronda-t-il, je suis là pour te montrer le chemin. Je sais où se trouvent les points de connexion et je peux ouvrir une porte entre les époques passées.

Il ajouta doucement :

– C'est sans contraintes.

Daniel était perdu. L'Échelle le tourmentait depuis la guerre au Paradis, mais ses motivations, au moins, étaient transparentes : elle tenait à ce qu'il se rallie au Paradis, ce qui l'inciterait à le conduire jusqu'à Luce.

L'ange avait peut-être raison. Chaque chose en son temps ! Et pour l'heure, Luce était sa priorité.

Il replia ses ailes et sentit son corps se déplacer dans le noir. En arrivant à la hauteur de l'ange, il s'arrêta.

– Lucinda est passée par là, dit-il en pointant le doigt.

Il s'agissait d'une allée perpendiculaire, qui ne semblait ni meilleure ni pire que celle qu'avait empruntée Daniel juste avant.

– Si cela fonctionne, je te serai redevable. Sinon, je te traquerai, le prévint-il.

L'ange se tut.

Daniel fonça alors sans regarder, sentant comme un courant qui le portait plus vite. Derrière lui, il entendit un rire diffus.

XIX

LE TOURBILLON MORTEL

Memphis, Égypte, Peret,
saison des semailles
(automne, vers 3100 av. J.C.)

– Toi, là-bas ! cria une voix, tandis que Luce surgissait de l'Annonciateur. Je veux du vin, sur un plateau. Et amène-moi mes chiens, non, mes lions. Non, les deux !

La jeune fille venait d'entrer dans une vaste pièce blanche aux murs d'albâtre, haute de plafond, avec de nombreuses colonnes. Il flottait des effluves de viande rôtie.

La salle était vide, à l'exception d'une estrade couverte d'une peau d'antilope, au fond.

Un trône colossal, taillé dans le marbre et rembourré de coussins vert émeraude s'y dressait. Son dossier était orné de deux défenses croisées.

L'homme qui y était assis avait le regard souligné d'un trait de khôl, le torse nu et musclé, des dents en or, des bagues aux doigts et des cheveux d'ébène. C'était à elle qu'il s'adressait. Il s'était détourné d'un scribe en robe bleue, aux lèvres minces, qui tenait un papyrus. Les deux hommes dévisagèrent Luce.

Elle se racla la gorge.

– Oui, pharaon, lui souffla Bill à l'oreille. Dis simplement « Oui, pharaon ».

– Oui, pharaon ! cria Luce dans la salle immense.

– Bien, fit Bill. Maintenant, file !

Luce recula vers une porte plongée dans l'ombre et se retrouva dans une cour entourant un bassin. Le soleil dardait ses rayons sur les fleurs de lotus bordant l'allée. Luce et Bill étaient seuls.

– Cet endroit est bizarre, non ? dit Luce en restant près du mur. Le pharaon n'avait même pas l'air surpris de me voir surgir de nulle part.

– Il ne fait pas attention aux gens. Il a perçu un mouvement dans un coin et en a déduit que tu étais une esclave, voilà tout. C'est aussi la raison pour laquelle il n'a pas tiqué face à tes vêtements chinois.

Bill claqua des doigts et désigna une niche, dans un coin de la cour.

– Reste là. Je vais revenir avec une tenue plus appropriée.

Bill fut presque aussitôt de retour avec une simple tunique blanche. Il aida la jeune fille à se débarrasser de la lourde armure du roi Shang et lui enfila la robe égyptienne, resserrée à la taille, et qui lui drapait une épaule. Le bas était plissé et tombait un peu au-dessus des chevilles.

Luce glissa soudain la main dans l'armure du roi Shang et en sortit la flèche d'argent. Elle semblait bizarrement bien plus lourde.

– Ne touche pas la pointe ! le prévint Bill en l'enveloppant dans une pièce de tissu. Enfin, pas encore.

– Je croyais que seuls les anges étaient vulnérables, dit Luce.

Elle se souvint de la bataille contre les Bannis. Une flèche avait rebondi sur le bras de Callie sans laisser la moindre égratignure, alors que Daniel lui avait dit de rester hors de portée de la flèche.

– Ce n'est qu'une partie de la vérité, expliqua Bill. Elle ne touche que les êtres immortels. Or tu l'es en partie à cause de ton âme. C'est cet aspect maudit de toi que tu dois tuer pour que ton être mortel, Lucinda Price, puisse mener enfin une vie normale.

– Si je tue mon âme, ajouta laconiquement Luce en glissant sa flèche sous sa tunique. Je n'ai toujours pas décidé...

– Je pensais que nous étions d'accord, fit Bill, la gorge nouée. Les flèches d'argent sont précieuses. Je n'en aurais jamais vu si...

– Allons trouver mon ancienne incarnation.

Le silence inquiétant qui régnait dans la cour n'était pas la seule chose troublante. Depuis qu'il lui avait remis la flèche d'argent, il régnait une certaine tension entre Luce et Bill.

La gargouille parut nerveuse.

– Nous sommes en Égypte ancienne, dans la capitale de Memphis, au cours de la première dynastie. Environ cinq mille ans avant que Lucinda Price ne gratifie le monde de sa présence sublime.

Luce leva les yeux au ciel.

– Où est mon incarnation ?

– Pourquoi prendre la peine de te donner des leçons d'histoire, quand la seule chose qui t'intéresse, c'est de savoir où se trouve ton ancienne incarnation ? Tu es tellement égocentrique...

Luce croisa les bras.

– Si tu devais tuer ton âme, tu voudrais certainement en finir vite, de peur de changer d'avis.

– Tu as donc pris ta décision ? demanda Bill, à bout de souffle. Allez, Luce ! C'est notre dernier spectacle ensemble, et je me suis dit que tu voudrais connaître tous les détails. Quelle vie romantique tu as eue !

Il se posa sur son épaule et lui raconta :

– Tu es une esclave du nom de Layla. Solitaire, protégée, tu n'as jamais franchi les limites du palais. Un jour, un jeune commandant de l'armée arrive. Devine qui !

Luce se promena au bord de l'eau.

– Toi et le séduisant Donkor – appelons-le Don – vous tombez amoureux. Tout va pour le mieux, à un détail près, mais il est terrible : Don est fiancé à Auset, la fille du pharaon, une vraie garce. N'est-ce pas cruel ?

Luce soupira. Il y avait toujours une complication. Raison de plus pour mettre un terme à tout cela. Daniel ne méritait pas d'être enchaîné à un corps terrestre sans cesse menacé de mort. C'était injuste, il souffrait depuis trop longtemps. Ou peut-être allait-elle vraiment parvenir à mettre un point final à cet amour maudit? Elle n'avait qu'à trouver Layla et à se fondre dans son corps. Ensuite, Bill lui expliquerait comment tuer son âme, et elle rendrait sa liberté à Daniel.

D'humeur morose, elle arpentait la cour ovale. En tournant dans l'allée, près du bassin, elle sentit des doigts se refermer sur son poignet.

– Je te tiens !

La jeune fille qui venait de l'attraper était mince et musclée. Son visage aux jolis traits était lourdement maquillé. Ses oreilles étaient percées de plus d'une dizaine d'anneaux en or et elle avait un pendentif incrusté de pierres précieuses autour du cou.

La fille du pharaon.

– Je,.., bredouilla Luce.

– Ne t'avise pas de prononcer un mot ! aboya Auset. Le son de ta voix pathétique me meurtrit les tympans. Garde !

Un homme impressionnant apparut. Il avait une longue queue de cheval et les bras plus épais que des cuisses. Il portait une lourde lance surmontée d'une lame acérée en cuivre.

– Arrête-la ! ordonna Auset.

– Pour quel motif, altesse ? lança le garde.

À cette question, les yeux de la fille du pharaon se mirent à lancer des éclairs.

– Vol dans ma propriété.

– Je vais l'incarcérer jusqu'à ce que le conseil statue sur son sort.

– Nous l'avons déjà fait, déclara Auset. Et la voilà, comme un serpent, libre de circuler sans entraves. Il faut l'enfermer dans un endroit d'où elle ne risquera pas de s'évader.

– Je la ferai surveiller en permanence...

– Non, cela ne suffira pas ! coupa Auset d'un air sombre. Je ne veux plus jamais revoir cette fille. Qu'on la jette dans le tombeau de mon grand-père !

– Mais, altesse, seul le grand prêtre est autorisé...

– Précisément, Kafele, dit Auset avec un sourire. Pousse-la dans l'escalier et ferme la porte à double tour. Quand le grand prêtre se livrera à la cérémonie de clôture du tombeau, il découvrira cette pilleuse et la punira en conséquence.

Elle s'approcha de Luce en persiflant :

– Tu vas découvrir ce qui arrive à ceux qui volent la famille royale.

Don. Elle voulait dire que Layla tentait de dépouiller Don.

Luce n'avait qu'une idée en tête : fusionner avec Layla. Sinon elle ne pourrait pas libérer Daniel.

Bill allait et venait en réfléchissant à un plan.

Le garde sortit des fers de sa besace et entrava les poignets de la jeune fille.

– J'y veillerai en personne, promit Kafele en l'entraînant au bout d'une chaîne.

– Bill ! Il faut que tu m'aides ! murmura Luce.

– On va trouver quelque chose, lui souffla-t-il pour la rassurer.

Ils tournèrent et s'engagèrent dans un couloir sombre, où se dressait une statue de pierre grandeur nature d'Auset, superbe et grave.

Kafele fit volte-face pour observer Luce qui parlait toute seule. Et les longs cheveux noirs du garde donnèrent une idée à la jeune fille.

Celui-ci ne vit rien venir. Luce brandit ses mains liées, le frappa sur la tête, tira sa queue de cheval, et lui planta les ongles dans le crâne. Il cria et bascula en avant. Il saignait. Luce lui assena ensuite un violent coup de coude dans le ventre.

Il se plia en deux en gémissant de douleur, et sa lance lui échappa.

– Peux-tu m'enlever ces menottes ? murmura-t-elle à Bill.

La gargouille haussa les sourcils et fit disparaître en un éclair les fers qui l'entravaient. Luce était libre !

Alors, sans attendre, elle ramassa la lance pour la planter dans le cou de Kafele.

– Une longueur d'avance sur toi, Luce ! cria Bill.

Kafele gisait sur le dos, menotté à la statue d'Auset.

– Beau travail d'équipe ! commenta Bill en s'essuyant les mains. Mais vite, dépêchons-nous, avant qu'il recouvre ses esprits. Suis-moi !

Bill entraîna Luce dans le couloir. Ils gravirent une volée de marches en grès, puis traversèrent un autre couloir jalonné de statues de faucons et d'hippopotames. Deux gardes surgirent, mais, avant qu'ils les aient aperçus, Bill poussa la jeune fille derrière un paravent en roseaux.

Ils se trouvèrent dans une chambre, avec des colonnes sculptées de motifs de papyrus. Un siège en bois incrusté d'ébène était placé près d'une fenêtre ouverte, face au lit étroit en bois doré.

– Et maintenant ? s'inquiéta Luce en se plaquant contre le mur pour ne pas être vue.

– Chut ! Nous sommes dans la chambre du commandant.

Une femme entra dans la pièce.

C'était Layla, et elle portait une robe blanche semblable à la sienne. Elle avait d'épais cheveux raides et soyeux, ainsi qu'une pivoine blanche glissée derrière l'oreille.

Submergée de tristesse, Luce regarda Layla verser de l'huile dans un flacon. C'était la dernière vie à laquelle assisterait Luce. Layla serait celle qui lui permettrait de se séparer de son âme pour mettre fin à la malédiction.

Layla ne découvrit Luce qu'au moment où elle remplit la lampe posée près du lit.

– Bonjour, lui dit-elle d'une voix douce. Tu cherches quelqu'un ?

Ses yeux soulignés d'un simple trait de khôl étaient magnifiques.

– Oui, lui répondit Luce.

Au moment où elle allait saisir le poignet de la jeune fille, Layla regarda vers la porte d'un air apeuré.

– Qui est-ce ?

En se retournant, Luce ne vit que Bill, les yeux écarquillés.

– Tu... Tu le vois ? demanda-t-elle à Layla, abasourdie.

– Non ! s'exclama Bill. Elle parle des pas qu'elle entend dans le couloir. Dépêche-toi !

Alors Luce attrapa le poignet de Layla, renversant le flacon d'huile. Layla retint son souffle et voulut se libérer, quand survint la sensation étrange d'être prise dans un tourbillon.

La pièce tourna. Seule Layla était nette, avec ses cheveux d'un noir intense, ses yeux mordorés, ses joues rosies par l'amour. Luce cligna les yeux, Layla aussi, et aussitôt, le sol s'immobilisa.

Luce regarda ses mains, celles de Layla. Elles tremblaient.

Bill avait disparu, mais il avait dit vrai : des pas résonnaient dans le couloir.

Elle ramassa le flacon d'huile et entreprit de remplir la lampe. Mieux valait faire illusion quand la personne entrerait.

Derrière elle, les pas s'arrêtèrent. Des doigts chauds remontèrent le long de ses bras tandis qu'un torse ferme se plaquait dans son dos. Daniel. Elle percevait son éclat sans même avoir à se retourner. Elle ferma les yeux. Il enroula les bras autour de sa taille et l'embrassa dans le cou.

– Je t'ai trouvée, murmura-t-il.

Elle pivota lentement dans ses bras, le souffle coupé par ce spectacle. C'était toujours son Daniel, bien sûr, mais sa peau avait la couleur du chocolat chaud et ses cheveux noirs étaient coupés très courts. Il ne portait qu'un pagne en lin, des sandales en cuir et un collier en argent. Heureux, il la scruta de ses yeux violets. Layla et lui étaient éperdument amoureux.

Elle posa la joue sur son torse et écouta les battements de son cœur. Était-ce la dernière fois qu'il la serrait ainsi contre lui ? Elle voulait absolument agir dans l'intérêt de Daniel, mais elle était peinée d'y penser. Elle l'aimait tant ! Si ce périple lui avait enseigné une chose, c'était la profondeur de son amour pour lui, et prendre cette décision de tuer son âme lui parut une injustice profonde.

Pourtant, elle était là. Dans l'Égypte ancienne. Avec Daniel.

Pour la toute dernière fois.

Et elle avait décidé de le libérer.

Ses yeux s'embuèrent de larmes tandis qu'il embrassait ses cheveux.

– Je n'étais pas sûr que nous aurions une chance de nous dire au revoir, déclara-t-il. Je pars cet après-midi faire la guerre en Nubie.

Luce leva la tête. Daniel prit ses joues humides dans ses mains.

– Layla, je reviendrai avant l'automne. Je t'en prie, ne pleure pas. Dans très peu de temps, tu pourras à nouveau te glisser dans ma chambre, en pleine nuit, avec une assiette de grenades, comme toujours. C'est promis.

Luce prit une profonde inspiration.

– Au revoir, souffla-t-elle d'une voix tremblante.

– Au revoir et à bientôt, fit-il gravement. Dis-moi : au revoir et à bientôt, je t'en supplie...

Elle secoua la tête.

– Au revoir, mon amour. Au revoir.

Le paravent s'ouvrit. Layla et Don se séparèrent quand un groupe de soldats armés de lances surgit dans la chambre, Kafele en tête.

– Prenez la fille ! ordonna-t-il.

– Que se passe-t-il ? lança Daniel en voyant les gardes menotter Luce. Arrêtez ! Lâchez-la !

– Désolé, commandant, répondit Kafele. Ce sont les ordres du pharaon. Vous devriez le savoir : il déteste voir sa fille mécontente.

Ils s'éloignèrent.

– Je viendrai te chercher, Layla ! Je te retrouverai !

Luce savait que c'était vrai. N'en était-il pas toujours ainsi ? Ils se rencontraient, elle avait des ennuis et il arrivait toujours pour la sauver au dernier moment.

Cette fois, pourtant, une flèche d'argent attendrait Daniel. Elle sentit ses entrailles se nouer à cette perspective. Au moins, elle avait pu lui dire au revoir.

Les gardes l'entraînèrent dans une série de couloirs, puis sortirent et la conduisirent dans les rues aux dalles irrégulières, sous un soleil de plomb. Ils franchirent une arcade monumentale et passèrent devant de petites maisons en pierre, puis près de champs fertiles, à la sortie de la ville. Ils l'emmenaient vers une colline dorée.

Luce comprit alors que la colline était en fait la nécropole. L'esprit de Layla fut submergé par la peur. Tout Égyptien savait qu'il s'agissait du tombeau de Meni, le dernier pharaon. Seuls les prêtres les plus pieux et les défunts osaient s'aventurer à proximité des sépultures royales, chargées de sorts et d'incantations. Certaines avaient pour vocation de guider les morts vers leur prochaine vie et d'autres de repousser tout être vivant qui osait s'approcher. Même les gardes semblaient nerveux.

Ils pénétrèrent bientôt dans un tombeau pyramidal fabriqué en briques de terre cuite. Les deux gardes les plus imposants restèrent postés à l'entrée. Kafele poussa Luce vers un escalier sombre. L'autre leur emboîta le pas, muni d'une torche.

La lumière vacillante éclaira les murs de pierre, couverts de hiéroglyphes. Layla put lire au passage des extraits de prières à Tayet, déesse des Étoffes, lui demandant de maintenir l'âme du pharaon en une seule pièce au cours de son voyage dans l'au-delà.

Ils franchissaient de fausses portes, des niches creusées dans les murs ; certaines menaient aux sépultures des membres de la famille royale, désormais scellées pour qu'aucun mortel ne puisse entrer.

Il faisait plus frais et les lieux s'assombrissaient. L'atmosphère était chargée d'une odeur de mort. Et lorsqu'ils arrivèrent à proximité d'une porte ouverte, au bout d'un long couloir, le garde qui tenait la torche refusa d'aller plus loin.

– Je ne serai pas maudit par les dieux à cause de l'insolence de cette fille.

Kafele s'en chargea lui-même. Une odeur âcre emplit la pièce.

– Tu penses avoir une chance de t'échapper, maintenant ? demanda-t-il en la libérant de ses entraves.

– Oui, murmura Luce pour elle-même. Une seule.

Puis la lourde porte se referma derrière elle, et le loquet fut mis en place.

Elle se retrouva dans le noir absolu. Le froid lui donna la chair de poule.

Soudain, elle entendit un grattement sur la pierre très reconnaissable. Une lueur dorée apparut au centre de la pièce, entre les mains de Bill.

– Coucou ! fit-il en volant vers l'autre extrémité de la salle pour verser la boule de feu dans une lampe richement peinte en pourpre et vert. Comme on se retrouve !

À mesure que Luce s'accoutumait à la lumière, elle découvrit des inscriptions sur les murs : les mêmes hiéroglyphes que dans le couloir, mais les prières étaient cette fois adressées au pharaon : *Ne te décompose pas, ne pars pas en poussière. Pars vers les étoiles impérissables.* Il y avait là des malles débordant de pièces d'or et de joyaux orange étincelants, une imposante collection d'obélisques et une dizaine de chiens et de chats embaumés.

La salle était immense. Luce aperçut une coiffeuse chargée de produits de beauté, dont la tablette votive ciselée était ornée d'un serpent à deux têtes, formant un réceptacle dans la pierre noire qui contenait un cercle d'ombre à paupières d'un bleu vif.

– Il faut être à son avantage, dans l'au-delà, dit Luce.

Bill était perché sur la tête d'une sculpture étonnamment réaliste de l'ancien pharaon. Luce comprit que cette statue représentait le ka du pharaon, son âme, et qu'elle veillait sur le tombeau. Sa momie reposait juste derrière. Dans le sarcophage de pierre calcaire étaient installés les cercueils en bois, et dans le plus petit, le pharaon embaumé.

Luce n'avait pas remarqué qu'elle avait posé les mains sur un coffre en bois.

– Attention, la prévint Bill. Il renferme les entrailles du pharaon.

Luce se détourna vivement et sortit la flèche magique de sous sa tunique.

– Cela va vraiment fonctionner ?

– Si tu prends soin de faire ce que je te dis, répondit Bill. Ton âme réside au centre de ton être. Pour l'atteindre, il faut placer la lame juste au milieu de la poitrine, au moment propice, quand Daniel t'embrassera et que tu seras près de t'enflammer. Alors, tu seras arrachée à ta personne passée, comme toujours, mais ton âme maudite sera emprisonnée dans le corps de Layla, avec lequel elle se consumera et disparaîtra.

– J'ai peur.

– Aie confiance. Don ne devrait plus tarder.

Luce plaça la pointe de la flèche d'argent vers sa poitrine. Les motifs décoratifs picotaient sous ses doigts. Ses mains tremblaient.

Elle s'efforçait d'être attentive, mais le sang pulsait à ses oreilles. Il fallait qu'elle le fasse. Il le fallait. Pour Daniel. Pour le libérer d'un châtiment qu'il supportait à cause d'elle.

– Tu devras agir bien plus vite quand le moment sera venu, sinon Daniel t'en empêchera. Une petite encoche dans ton âme. Tu sentiras quelque chose se détacher, un souffle froid et ensuite... ce sera fait !

– Layla !

Don apparut. Luce se demanda comment il avait fait pour entrer.

La flèche magique lui tomba des mains. Elle la ramassa et la glissa sous sa tunique.

– Que fais-tu là ? lança-t-elle d'une voix brisée, car elle devait feindre l'étonnement.

Il ne parut rien entendre. Il se précipita vers elle et la prit dans ses bras.

– Je viens te sauver la vie.

– Comment es-tu entré ?

– Ne t'en soucie pas. Rien ne saurait empêcher un amour aussi sincère que le nôtre. Je te retrouverai toujours.

Dans ses bras nus, Luce se sentit réconfortée, mais son cœur était glacé. Ce bonheur intense, ce sentiment de confiance absolue, toutes ces merveilleuses émotions que Daniel lui avait fait découvrir, dans chaque vie, étaient désormais une torture.

– N'aie crainte, murmura-t-il. Après cette vie, mon amour, tu reviendras, tu te relèveras. Ta renaissance sera superbe. Tu reviendras vers moi, encore et encore...

La lumière de la lampe vacilla. Ses yeux violets scintillèrent. Son corps était si chaud contre le sien...

– Mais je ne cesse de mourir...

– Comment ? répondit-il en penchant la tête.

Elle ne connaissait que trop bien ses expressions. Cet air d'adoration ébahi, quand elle disait quelque chose qui l'étonnait.

– Comment... Peu importe. Ce qui compte, c'est que nous soyons de nouveau ensemble. Nous nous retrouverons toujours et nous aimerons, quoi qu'il arrive. Je ne te quitterai jamais.

Luce tomba à genoux sur les marches de pierre. Elle se prit le visage dans les mains.

– Je ne sais pas comment tu supportes d'éprouver à chaque fois la même tristesse.

Il l'aida à se relever.

– La même extase...

– Le même feu qui emporte tout...

– La même passion qui embrase tout de nouveau. Tu ne sais pas. Tu ne peux pas te rappeler comme c'est merveilleux...

– Si, je sais. J'ai tout vu.

Soudain, il sembla se demander s'il devait la croire ou non.

– Et s'il n'y avait aucun espoir du moindre changement ? fit-elle, au désespoir.

– Il n'y a que de l'espoir. Un jour, tu vivras tout cela. Cette certitude est la seule chose qui me fasse avancer. Jamais je ne renoncerai à toi. Même si cela me prend l'éternité.

Il essuya les larmes de la jeune fille à l'aide de son pouce.

– Je t'aimerai de toute mon âme, dans chaque vie, dans chaque mort. Mon amour pour toi sera mon unique engagement.

– Mais c'est tellement dur, pour toi ! Tu n'as jamais cherché à savoir si...

– Un jour, notre amour vaincra ce cycle infernal. J'en suis certain.

En levant les yeux, Luce lut l'amour qui brillait dans ses yeux. Il se moquait de souffrir encore et encore à chacune de ses morts, car il gardait l'espoir que tout cela cesserait, un jour. Même condamné, il essayait encore.

Son engagement sans faille toucha immensément Luce qui avait en partie renoncé.

Néanmoins, ce Daniel ne connaissait pas les défis qui les attendaient, les larmes qu'ils verseraient à travers le temps. Il ignorait que Luce l'avait vu dans ses moments de désespoir les plus profonds, après ses différentes morts.

Si la jeune fille avait été terrassée par le chagrin de Daniel, les choses avaient changé. Car désormais, elle savait comment le protéger. Ayant découvert tous les visages de leur amour, elle le comprenait mieux. Si Daniel trébuchait, elle saurait le relever.

Elle avait appris à la meilleure école qui soit : avec lui. Aussi était-elle sur le point de tuer sa propre âme, d'effacer définitivement leur amour, et ces cinq minutes seule avec lui l'avaient ranimée.

Certains passaient leur vie entière à chercher un tel amour, quand Luce l'avait depuis le départ.

L'avenir ne lui réservait aucune flèche magique. Que Daniel. Son Daniel, celui qu'elle avait laissé dans le jardin de ses parents, à Thunderbolt.

Il fallait qu'elle parte.

– Embrasse-moi, murmura-t-elle.

Il était assis sur les marches, les jambes écartées pour qu'elle puisse se glisser entre elles. Elle s'agenouilla face à lui. Leurs fronts se touchèrent, puis leurs nez.

Daniel prit ses mains dans les siennes. Il semblait vouloir lui dire quelque chose, mais il ne trouvait pas ses mots.

– Je t'en prie, l'implora-t-elle en cherchant ses lèvres. Embrasse-moi et libère-moi.

Daniel la souleva de terre et l'assit sur ses genoux pour la serrer dans ses bras. Ses lèvres trouvèrent celles de la jeune fille, douces comme du velours. Elle gémit de plaisir, submergée par une onde de bonheur qui parcourut tout son corps. Layla allait bientôt mourir, elle le savait, mais jamais elle ne s'était sentie aussi rassurée et vivante que dans les bras de Daniel.

Elle caressa ses épaules pour sentir les minuscules marques qui protégeaient ses ailes, tandis qu'il passait les mains dans ses longs cheveux soyeux. Chaque contact était une extase, chaque baiser si pur et merveilleux qu'elle en perdait la tête.

– Reste avec moi, souffla-t-il.

Il avait les traits tendus et ses baisers se firent plus fébriles, plus désespérés.

Il devait sentir l'avertissement qu'envoyait le corps de Luce, de plus en plus brûlant, à tel point que ses joues s'empourprèrent. Ses yeux s'embuèrent de larmes. Elle l'embrassa plus fort. Elle était passée par là bien des fois, mais, étrangement, c'était différent.

Daniel déploya ses ailes dans un bruissement de plumes, puis les enroula autour de la jeune fille, les maintenant tous deux enlacés dans un doux cocon blanc.

– Tu crois vraiment qu'un jour je vivrai ça? murmura-t-elle.

– Oui, je le souhaite de tout mon cœur et de toute mon âme, répondit-il en prenant son visage entre ses mains.

Il resserra ses ailes.

– Je t'attendrai le temps qu'il faudra. Et je t'aimerai à chaque instant.

Luce était bouillante. Elle cria de douleur, s'agitant dans les bras de Daniel à mesure que la chaleur s'emparait d'elle. Sa peau brûlait Daniel, mais il ne la lâcha pas.

Le moment était venu. La flèche glissée sous sa tunique aurait dû sortir. Mais elle était incapable de renoncer à Daniel, surtout maintenant qu'elle avait la certitude qu'il ne renoncerait jamais à elle.

La peau de Luce se craquelait sous l'effet de l'intense chaleur.

Layla cria en se consumant. À mesure que les flammes dévoraient son corps, Luce sentit son propre corps et l'âme qu'elles partageaient se détacher, cherchant à fuir au plus vite la fournaise. La colonne de feu s'étira, grossit, jusqu'à ce qu'il ne reste plus rien de Layla.

Luce s'attendait aux ténèbres, elle trouva la lumière.

Où était l'Annonciateur ? Pouvait-il se trouver encore à l'intérieur de Layla ?

Les flammes crépitaient, sans s'éteindre. Elles se propagèrent, dévorèrent peu à peu les ténèbres, s'élevant vers le ciel, comme si la nuit elle-même était inflammable, en emplissant l'espace d'un rougeoiement doré et brûlant.

Toutes les autres fois qu'elle avait péri, sa sortie des flammes et son entrée dans l'Annonciateur avaient été simultanées. Mais là, elle découvrit une scène qui lui parut totalement irréelle.

– Daniel ! cria-t-elle.

Ses ailes s'étaient enflammées d'un coup, formant une parure de feu.

– Daniel ?

Alors le feu se propagea dans le noir telle une vague géante sur l'océan. Il s'écrasa sur une côte invisible et submergea Luce, remontant le long de son corps, par-dessus sa tête, et loin derrière elle.

Puis, comme si quelqu'un avait soufflé une chandelle, il y eut un léger sifflement et le noir se fit.

Un vent froid se mit à rugir. Elle replia les jambes contre son torse et se rendit compte qu'elle ne reposait plus sur le sol. Elle ne volait pas vraiment, mais elle planait. Ces ténèbres n'étaient pas un Annonciateur. Elle n'avait pas utilisé la flèche magique. Était-elle... morte ?

Elle avait peur. Où se trouvait-elle ?

Il y avait quelqu'un d'autre. Elle perçut un grattement, une infime lueur grise.

Luce fut si soulagée que ce soit lui qu'elle éclata de rire.

– Dieu soit loué ! Je me croyais perdue. J'ai cru...

Elle respira profondément.

– Je n'ai pas pu le faire ! avoua-t-elle. Je n'ai pas pu tuer mon âme. Je trouverai un autre moyen de briser la malédiction. Daniel et moi... nous refusons de renoncer l'un à l'autre.

Bill voleta vers elle en faisant des pirouettes. Plus il s'approchait, plus il semblait grand. Bientôt, il lui apparut dix fois plus grand que la petite gargouille en pierre avec qui Luce avait voyagé... Puis commença la véritable métamorphose :

Derrière ses épaules, une paire d'ailes plus épaisses et fournies, noir de jais, se déployèrent, brisant ses anciennes petites ailes en pierre en mille morceaux. Les plis de son front se creusèrent et lui couvrirent le corps de rides. Ses griffes poussèrent, acérées et jaunies. Son torse enfla, des poils sombres et bouclés en surgirent.

Luce eut toutes les peines du monde à réprimer le cri d'effroi qui montait dans sa gorge. Elle y parvint, jusqu'au moment où les yeux gris aux iris voilés de Bill se mirent à rougeoyer comme des braises.

Alors seulement, elle hurla.

– Tu as toujours fait le mauvais choix, ricana Bill d'une voix rocailleuse, terrifiante qui la toucha au plus profond de son âme.

Un souffle fétide se dégageait de lui.

– Tu es...

Luce ne put terminer sa phrase. Il n'y avait qu'un mot pour qualifier cette créature immonde, mais la jeune fille était tellement pétrifiée qu'elle ne put dire ce mot.

– Le méchant ? gloussa Bill. Quelle surprise !

– Mais tu m'as appris tant de choses ! Tu m'as aidée à comprendre... Pourquoi tu... Comment... Et pendant tout ce temps !

– Je te trompais. C'est mon boulot, Lucinda !

Luce s'était attachée à Bill, en dépit de son côté canaille et répugnant. Elle s'était confiée à lui, avait écouté ses conseils et avait failli tuer son âme uniquement parce qu'il le lui avait ordonné. Cette pensée lui fit l'effet d'un électrochoc. À cause de Bill, elle aurait pu perdre Daniel ! Elle n'était toujours pas à l'abri d'un tel drame.

Cette créature n'était pas un simple démon, comme Steven ou même Cam dans ses pires moments.

Non, c'était le mal incarné.

Elle voulut se détourner, mais tout n'était plus que ténèbres. Elle semblait flotter dans un ciel nocturne infini, zébré de nappes d'une noirceur plus profonde, d'abîmes tourbillonnants. Çà et là, un rai de lumière surgissait puis s'évanouissait.

– Où sommes-nous ? s'enquit Luce.

Satan, car c'était lui, ricana.

– Nulle part, répondit-il d'une voix totalement étrangère. Dans le cœur sombre du néant. Ni le Paradis, ni la terre, ni le ciel. Le lieu des passages les plus sombres. Rien que ton esprit puisse déchiffrer, à ce stade.

Ses yeux rouges s'exorbitèrent.

– Et ces éclats lumineux ? demanda Luce en essayant de ne pas trahir sa terreur.

Elle avait déjà vu quatre éclairs, quatre conflagrations brillantes surgies de nulle part qui avaient ensuite disparu du ciel.

– Ah, ça..., fit-il. Un voyage angélique. Un voyage démoniaque. La nuit est agitée. Tout le monde semble se rendre quelque part.

Luce attendait avec impatience un nouvel éclat dans le ciel. Quand il se produisit, il projeta une ombre sur la jeune fille, qu'elle saisit aussitôt pour façonner un Annonciateur.

– Moi y compris, dit-elle.

L'Annonciateur s'étira rapidement entre ses mains, si lourd, frénétique et souple que, l'espace d'un instant, elle crut y parvenir quand elle sentit une emprise scabreuse sur sa taille : Satan la retenait.

– Je ne suis pas prêt à te dire au revoir, murmura-t-il d'une voix qui la fit frissonner d'effroi. Vois-tu, je me suis tellement attaché à toi... J'ai toujours... eu un faible pour toi.

Luce laissa l'ombre filer dans le néant.

– Et comme tous les êtres aimés, tu m'es indispensable. Surtout maintenant. Il ne faudrait pas que tu entraves une fois de plus mes projets.

– Au moins, tu m'as donné un objectif, répondit Luce en se débattant.

Il resserra son étreinte au point de lui écraser les os.

– Toujours le feu sacré... J'adore ça !

Il esquissa un sourire affreux.

– Si seulement ton étincelle restait à l'intérieur, reprit-il. Certains sont vraiment malheureux en amour.

– Comment ai-je pu écouter une seule de tes paroles ? persifla Luce. Tu ne sais rien de l'amour.

– Tiens donc ! Tu crois que le tien est plus fort que le Paradis et l'Enfer et que le destin de l'univers en dépend, mais tu te trompes. Ton amour pour Daniel Grigori n'est rien. Il est totalement insignifiant.

Ulcérée, Luce chercha son souffle.

– Tu peux dire tout ce que tu veux, j'aime Daniel et je l'aimerai toujours !

Satan la porta à la hauteur de ses yeux rouges et lui pinça la peau avec sa griffe la plus acérée.

– Je sais bien que tu l'aimes, mais je me demande bien pourquoi.

– Pourquoi ?

– Oui. Pourquoi lui ? Exprime-le verbalement. Fais-le moi ressentir. Je veux être touché.

– Il y a un millier de raisons que je n'ai pas à te donner.

Son sourire révélant ses dents saillantes s'élargit. Un long grognement de molosse surgit du plus profond de ses entrailles.

– C'était une épreuve. Tu as échoué, mais ce n'est pas ta faute. Pas vraiment. Il s'agit d'un regrettable effet secondaire de la malédiction. Tu ne sais plus prendre une décision.

– C'est faux ! J'ai pris celle de ne pas tuer mon âme !

Il s'emporta et crispa le poing. Puis il éteignit une partie du ciel étoilé, comme s'il existait un interrupteur. Ensuite, il se tut pendant un long moment, se contentant de fixer la nuit.

– Disais-tu au moins la vérité ? Que se serait-il vraiment passé si j'avais utilisé cette flèche pour..., s'enquit Luce.

Elle frémit, troublée par ce à quoi elle avait échappé.

– Qu'as-tu à gagner dans tout ça ? reprit-elle. Tu veux m'éliminer afin d'atteindre Daniel ? C'est pour cela que tu ne te montrais jamais en sa présence ? Parce qu'il s'en serait pris à toi et...

Le rire de Satan explosa.

– Tu crois que j'ai peur de Daniel Grigori ? Tu as vraiment une haute opinion de lui ! Quel genre de mensonges t'a-t-il débités sur son statut au Paradis ?

– Et toi, rétorqua Luce. Tu n'as cessé de mentir depuis notre rencontre. Pas étonnant que l'univers tout entier te haïsse et te fuie.

– On me redoute, on ne me déteste pas. Nuance. La peur recèle une part d'envie. Tu ne me croiras peut-être pas, mais bien des gens aimeraient détenir mon pouvoir. Bien des gens... m'adorent, en fait.

– Tu as raison, je ne te crois pas.

– Quelle ignorante ! Je t'ai emmenée visiter ton passé, je t'ai montré la futilité de cette existence, espérant te faire voir la vérité. Et tout ce que tu es capable de dire, c'est « Daniel ! Je veux Daniel ! ».

Il la lâcha et elle tomba dans le néant, ne s'arrêtant que lorsqu'il la foudroya du regard. Alors, il traça un cercle autour d'elle, les mains dans le dos, les ailes repliées, la tête levée vers le ciel.

– Regarde, c'est tout ce qu'il y a à voir, ici. Tout est là, les vies, les mondes, bien au-delà de la piètre conception des mortels.

En observant la voûte céleste infinie, Luce découvrit que la nuit noire s'étirait sur tant de points lumineux que le ciel était plus clair que sombre.

– C'est magnifique.

– Bientôt, il n'en restera plus rien, fit-il avec un rictus. Je suis las de ce jeu.

– Tout ça n'est qu'un jeu pour toi.

– Ce n'est qu'un jeu pour *lui.*

Il balaya le ciel de sa main, laissant une traînée sombre dans son sillage.

– Et je refuse de céder à cet Autre à cause d'une simple échelle cosmique, uniquement parce que nos camps sont en équilibre.

– Tu veux dire que l'équilibre s'est fait entre les Anges déchus qui se sont ralliés à toi et ceux qui se sont joints à...

– Oui, à l'autre. Pour l'instant...

– Il y a donc un autre Ange qui doit choisir son camp, déclara Luce, se rappelant le long discours d'Arriane, à Las Vegas.

– Sauf que, cette fois, je ne m'en remettrai pas au hasard. Je ne suis pas allé assez loin, avec cette histoire de flèche, et j'ai compris mon erreur. J'ai réfléchi, j'ai travaillé, pendant que toi et ton Daniel étiez absorbés par vos étreintes de jeunes premiers. Nul ne pourra saboter ce que j'ai prévu pour la suite. Je vais effacer l'ardoise, repartir de zéro. Je peux sauter les millénaires menant à toi et à cette faille qu'est ta vie, Lucinda Price. Et tout recommencer. Cette fois, je jouerai plus finement. Et je gagnerai.

– Qu'est-ce que tu veux dire par : effacer l'ardoise ?

– Le temps est une gigantesque ardoise, Lucinda. Ce qui est écrit peut être effacé par quelqu'un d'intelligent. C'est un geste important, certes, car cela signifie que je vais détruire des milliers d'années. Mais qu'est-ce que la perte de quelques millénaires face à l'éternité ?

– Comment peux-tu imaginer faire une chose pareille ? souffla Luce, médusée.

– Je veux revenir à la case départ, à la Chute ; lorsque nous avons tous été chassés du Paradis parce que nous avons osé faire appel à notre libre arbitre. C'est là qu'est survenue la première grande injustice.

– Pour revivre tes plus grands succès ? ajouta-t-elle.

Mais il ne l'écoutait pas, perdu dans les détails de son projet.

– Toi et Daniel Grigori voyagerez avec moi. Ton âme sœur est déjà en route.

– Pourquoi Daniel...

– Je lui ai montré le chemin, bien sûr. Tout ce que j'ai à faire, c'est arriver à temps pour voir les anges entamer leur chute vers la terre. Un beau moment en perspective !

– Entamer leur chute ? Combien de temps a-t-elle duré ?

– Neuf jours, selon certains, murmura-t-il. Une éternité, pour les déchus. Tu n'as jamais interrogé tes amis à ce sujet ? Cam, Roland, Arriane, ton cher Daniel ? On était tous là.

– Tu vas revivre l'évènement, et ensuite ?

– Alors je ferai quelque chose d'inattendu. Tu sais quoi ?

Il émit un petit rire étouffé, qui fit ressortir ses yeux rouges.

– Non, je ne sais pas, répondit-elle doucement. Tuer Daniel ?

– Non, je ne le tuerai pas, je le capturerai. Je vais tous les capturer jusqu'au dernier. J'ouvrirai un Annonciateur tel un grand filet et je le déploierai aux limites du temps. Ensuite, je me fondrai dans ma version passée et j'entraînerai la foule des anges dans le présent, avec moi. Même les moches.

– Et ?

– Eh bien, nous nous retrouverons au point de départ. Parce que la Chute, c'est le début. Elle ne fait pas partie de l'histoire, elle marque son commencement. Et tout ce qui est arrivé avant n'existera plus.

– Comme cette vie en Égypte ?

– Jamais arrivée.

– La Chine ? Versailles ? Las Vegas ?

– Jamais, rien, le néant. Mais cela dépasse votre propre histoire, à tous les deux, petite égoïste. C'est l'Empire romain et le prétendu fils de cet Autre qui disparaîtront. C'est la longue et triste détérioration de l'humanité surgie de la terre primitive pour transformer son monde en cloaque. Tout ce qui a eu lieu sera emporté par un tout petit saut dans le temps, comme un galet qui ricoche sur l'eau.

– Mais tu ne peux pas... effacer le passé !

– Bien sûr que si ! C'est aussi simple que de raccourcir une jupe à la ceinture. On coupe l'excédent de tissu et on réunit les deux pièces qui restent, comme si de rien n'était. On repart de zéro, ce qui me permet de faire une nouvelle tentative pour attirer les âmes importantes. Des âmes comme...

– Tu ne l'auras jamais. Il ne passera jamais de ton côté.

Au fil des cinq millénaires qu'elle avait observés, Daniel n'avait jamais cédé. Peu importait qu'elle mourût encore et encore, le privant de son seul véritable amour. Il ne cédait pas, ne changeait jamais de camp. Et même s'il fléchissait, elle serait là pour le soutenir. Elle se savait assez forte pour porter Daniel au moindre faux pas. Tout comme il l'avait fait pour elle...

– Tu auras beau effacer l'ardoise autant de fois que tu voudras, cela ne changera rien ! affirma-t-elle.

– Ha !

Il éclata d'un rire gras et effrayant, comme s'il avait honte pour Luce.

– Bien sûr que si ! Cela changera tout. Je dois t'énumérer les raisons ?

Il brandit une griffe jaunie et pointue.

– D'abord, Daniel et Cam seront de nouveau frères, comme les premiers jours suivant la Chute. Tu vas bien t'amuser ! Pire encore, il n'y aura pas de Néphilim. Les Anges n'auront pas eu le temps d'errer sur terre et de s'amouracher de mortels. Tu peux donc dire au revoir à tes petits camarades de classe.

– Non…

Il claqua des doigts.

– Une dernière chose. Ton histoire avec Daniel ? Effacée, bien sûr ! Tout ce que tu as découvert, lors de ta quête, ces choses que tu m'as racontées entre deux balades dans le passé ? Terminé !

– Non ! Tu ne peux pas faire ça !

Il la saisit de nouveau dans ses bras.

– Ma pauvre Lucinda, c'est pratiquement fait.

Son rire déferla comme une avalanche tandis que tout semblait se figer autour d'eux. Luce se crispa, puis se débattit pour se dégager de son emprise, mais il la serrait trop fort sous son aile maléfique. Luce ne voyait plus rien. Une bourrasque de vent les fouetta, puis elle sentit une explosion de chaleur, et enfin un froid glacial se posa sur son âme.

XX

FIN DU VOYAGE

Portes du Paradis – la Chute

Naturellement, elle ne pouvait se trouver que dans un seul endroit.

Le point de départ de tout.

Daniel dévalait vers la première vie, disposé à attendre aussi longtemps qu'il faudrait pour que Luce le rejoigne. Il la prendrait dans ses bras et murmurerait à son oreille : « Enfin, je t'ai trouvée. Plus jamais je ne te laisserai repartir. »

Surgi de l'ombre, il était là, figé dans la lumière aveuglante.

Non. Ce n'était pas sa destination.

Cet air doré et ce ciel opalescent, golfe cosmique de lumière irréelle. Son âme se crispa au spectacle des vagues de nuages blancs frôlant l'Annonciateur. Au loin bourdonnèrent les trois notes très identifiables, douces et sans fin. C'était la musique que faisait le Trône du monarque éthéré en irradiant purement de la lumière.

Non. Non, non !

Il n'était pas censé être là. Il devait retrouver la première incarnation de Lucinda sur terre. Comment s'était-il retrouvé là ? Surtout là ?

Ses ailes s'étaient aussitôt déployées. Ce fut une sensation différente que sur terre. Son geste lui parut aussi naturel que de respirer. Et ici, il brillait, mais sa splendeur n'était pas à cacher, ni à montrer. Elle était, tout simplement.

Cela faisait si longtemps qu'il n'était pas rentré chez lui !

Il avait été attiré comme un mortel peut l'être par une odeur d'enfance : les pins, les biscuits, la pluie d'été, le cigare d'un père. Une attirance très forte. Voilà pourquoi Daniel était resté à distance ces six mille dernières années.

Il était revenu, mais pas de sa propre volonté.

Ce chérubin !

L'ange pâle et délicat de son Annonciateur avait pris Daniel au piège.

Cet ange était bizarre, sa marque de l'Échelle trop fraîche, encore rouge et enflée, sur sa nuque, comme si elle avait été récemment gravée...

Daniel était tombé dans un piège. Il fallait qu'il parte, quoi qu'il arrive.

Il s'envola dans la plus pure des atmosphères, enveloppé par le brouillard blanc. Il fila à travers les forêts nacrées, au-dessus du Verger du savoir, autour du Bosquet de la vie. Il croisa le Lac blanc et le pied de montagnes célestes givrées d'un argent scintillant.

Il avait passé tant d'époques, en ces lieux.

Non.

Tout cela devait rester dans les méandres de son âme. L'heure n'était pas à la nostalgie.

Il ralentit et s'approcha de la Prairie du Trône. Tout était comme dans ses souvenirs : la plaine de nuages immaculée menait vers le centre de tout. Le Trône lui-même, presque étourdissant, irradiait une telle bonté, si lumineuse que même un ange comme lui avait du mal à la regarder en face. Il lui était impossible de voir le Créateur, assis sur le Trône, vêtu de lumière, de sorte que la synecdoque qui consistait à nommer l'entité « le Trône » était justifiée.

Daniel scruta les marches argentées qui bordaient le Trône, marquées chacune du rang des archanges dont c'était le quartier général, le lieu de culte où délivrer des messages au Trône.

En haut à droite de celui-ci se dressait le somptueux autel qui avait été son siège. Il était là depuis que le Trône existait.

Mais il ne restait que sept autels, désormais, alors qu'il y en avait eu huit.

Daniel grimaça. Il avait bien franchi les portes du Paradis, mais sans savoir quand, exactement. C'était important, pourtant. Le Trône ne s'était ainsi ébranlé que pendant une très courte période, juste après que Lucifer avait annoncé sa désertion, mais avant que les autres n'aient été appelés à choisir leur camp.

Il se trouvait à cette fraction de seconde suivant la trahison de Lucifer, mais avant la Chute.

La grande division approchait, durant laquelle certains choisiraient le Paradis et d'autres l'Enfer. Lucifer se transformerait en Satan sous leurs yeux. Le grand bras du Trône balaierait des légions d'anges de la surface du Paradis et les précipiterait vers leur chute.

Daniel s'approcha de la Prairie. L'accord des trois notes s'intensifia, formant un bourdonnement angélique. La Prairie rayonnait sous l'effet de la présence de toutes les âmes les plus vives, dont il faisait partie. Daniel avait beau être ébloui, il constata que Lucifer avait reçu l'autorisation de tenir sa cour depuis son autel d'argent, remis en place à l'extrémité de la Prairie, directement en face du Trône, mais pas tout à fait à sa hauteur. Alors que les autres anges étaient réunis devant le Trône.

C'était l'appel, l'ultime moment d'unité qu'ait connu le Paradis avant de perdre la moitié de ses âmes. À l'époque, Daniel s'était demandé pourquoi le Trône avait permis la tenue de cet appel. Lui qui dominait tout, croyait-il que l'appel de Lucifer aux anges se terminerait par une humiliation pure et simple ? Comment le Trône avait-il pu se méprendre à ce point ?

Gabbe évoquait encore cet appel avec une clarté étonnante. Daniel, lui, ne se souvenait pas de grand-chose, outre la douce caresse d'une aile solidaire tendue vers lui, un contact qui lui disait qu'il n'était pas seul.

Oserait-il regarder cette aile, maintenant ?

Il existait peut-être un moyen de vivre différemment cet appel, de faire en sorte que la malédiction frappe moins fort. Secoué tout entier par un frisson, Daniel se rendit compte qu'il pouvait transformer ce piège en une chance.

Bien sûr ! Quelqu'un avait modifié la malédiction afin qu'il existe une issue pour Lucinda. Tout en la poursuivant, Daniel s'était souvent dit que ce devait être Lucinda elle-même, qui, dans sa fuite effrénée, avait ouvert une brèche. Mais peut-être... était-ce plutôt lui depuis le départ.

Et voilà qu'il était là. Il pouvait agir. Et sans doute devait-il déjà l'avoir fait. À travers les millénaires qu'il avait parcourus pour arriver là. Toute action survenue précisément, au tout début, allait avoir des répercussions dans chacune des vies de la jeune fille. Enfin, cette histoire commençait à faire sens !

Ce serait lui qui atténuerait la malédiction pour permettre à Lucinda de vivre et de voyager dans son passé. Tout devait avoir commencé ici, avec Daniel.

Il descendit donc vers la plaine de nuages ourlée de lumière. Des centaines d'anges, voire des milliers, étaient là, de plus en plus anxieux. Lorsqu'il se glissa dans la foule, la lumière était époustouflante. Nul ne perçut son Anachronisme, tant la tension et la peur étaient vives.

– Le moment est venu, Lucifer ! annonça le Trône, qui avait accordé l'immortalité à Daniel et tout ce qui allait de pair. C'est vraiment ce que tu souhaites ?

– Pas seulement pour moi, mais pour les anges, mes semblables, répondit Lucifer. Tout le monde mérite le libre arbitre, et pas seulement les mortels que nous observons de là-haut.

Lucifer faisait appel aux anges plus lumineux que l'étoile du matin.

– La limite a été tracée dans la mer de nuages de la Prairie. Vous avez tous le choix, désormais, reprit-il.

Au pied du Trône, le premier scribe céleste commença l'appel en débutant par l'ange inférieur, le sept mille huit cent douzième fils du Paradis.

– Geliel ! appela le scribe. Dernier des vingt-huit anges à gouverner les maisons de la lune.

Le scribe continua, dans le ciel opalescent, tandis que Chabril, l'ange de la deuxième heure de la nuit, choisissait Lucifer. Tiel, l'ange du vent du nord, optait pour le Paradis, ainsi que Padiel, l'un des gardiens des berceaux, et Gadal, un ange impliqué dans les rites magiques pour les malades. Certains lançaient de longs appels, d'autres prononçaient à peine un mot. Daniel ne suivait pas vraiment. Il était en quête de lui-même. De surcroît, il connaissait déjà la fin.

Il traversa la foule des anges, se réjouissant du temps qu'il fallait pour énumérer tous les noms. Il devait reconnaître sa propre personne avant de sortir de la masse pour prononcer les paroles naïves dont il payait si lourdement le prix, depuis.

Il y eut une certaine agitation, des murmures, des éclats lumineux, un grondement de tonnerre. Daniel n'avait pas entendu le nom qui venait d'être appelé, il n'avait pas vu l'ange s'approcher pour déclarer son choix. Il se fraya un chemin pour mieux assister à la scène.

Roland s'inclina face au Trône.

– Respectueusement, je ne suis pas prêt à choisir, déclara-t-il en adressant un geste à Lucifer tout en regardant le Trône. Vous perdez un fils, aujourd'hui, et nous perdons tous un frère. Bien d'autres suivront, mais je vous en prie, ne prenez pas trop vite cette sombre décision. Ne contraignez pas notre famille à se diviser.

En voyant l'âme de Roland, l'ange de la poésie et de la musique, le frère de Daniel, son ami, implorer le ciel blanc, Daniel fut tiraillé.

– Tu te trompes, Roland ! s'exclama le Trône. En me défiant, tu as fait ton choix. Accueille-le à ton côté, Lucifer !

– Non ! cria Arriane en se précipitant vers Roland. Je vous en prie, accordez-lui le temps de comprendre ce qu'implique sa décision !

– Sa décision est prise, répondit simplement le Trône. Je sais ce qu'il y a dans son âme, en dépit de ses paroles. Il a déjà choisi.

Soudain, une âme chaude et époustouflante, aisément identifiable, effleura celle de Daniel.

Cam.

– Qui es-tu ? murmura Cam.

Il sentit d'instinct que quelque chose avait changé en Daniel, mais comment expliquer à un ange qui n'avait jamais quitté le Paradis et qui n'avait aucune idée de ce qui se préparait, qui il était vraiment ?

– Frère, calme-toi ! implora Daniel. C'est moi.

Cam le saisit par le bras.

– Malgré les apparences, tu n'es pas toi. (Il secoua tristement la tête.) Je suppose que tu es là pour une raison. Je t'en prie. Tu ne peux pas empêcher cela ?

– Daniel ! annonça le scribe. Ange des observateurs silencieux, les Grigori.

Non. Pas encore. Il n'avait pas encore décidé de ce qu'il allait dire ou faire. Daniel traversa la lumière aveuglante des âmes qui l'entouraient. C'était trop tard. Sa version passée se leva lentement, sans regarder le Trône ni Lucifer.

Son regard portait au loin, dans le brouillard. Vers elle.

– Respectueusement, je ne ferai rien de tout cela. Je ne choisis ni le camp de Lucifer ni celui du Paradis.

Une clameur s'éleva.

– Je choisis l'amour, un sentiment que vous avez tous oublié. Je choisis l'amour et je vous laisse à votre guerre. Tu as tort de nous imposer cela, déclara Daniel à Lucifer, avant de s'adresser au Trône : tout ce qui est bon au Paradis et sur terre est le fruit de l'amour. Cette guerre est injuste, et elle n'est pas bonne. L'amour est la seule chose qui vaille que l'on se batte pour elle.

– Tu te trompes. Si je reste ferme, c'est justement par amour, par amour pour toutes mes créations.

– Non, répondit doucement Daniel. Cette guerre n'est qu'une question de fierté. Rejette-moi, s'il le faut. Si tel est mon destin, je m'y soumettrai, mais je ne te céderai pas.

Lucifer émit un rire nauséabond.

– Tu as le courage d'un dieu, mais l'esprit d'un adolescent mortel. Ainsi, ta punition sera celle d'un adolescent. (Lucifer fit un geste ample de la main.) L'Enfer ne veut pas de lui.

– Et tu as déjà exprimé clairement ton choix de renoncer au Paradis, fit la voix teintée de déception du Trône. Comme pour tous mes enfants, je lis dans ton âme, mais je ne sais pas ce que tu vas devenir, Daniel. Et ton amour non plus.

– Il n'aura pas son amour ! lança Lucifer.

– Que proposes-tu, Lucifer ? s'enquit le Trône.

– Nous devons en faire un exemple, fulmina-t-il. Ne le voyez-vous pas ? L'amour dont il parle est destructeur !

Lucifer sourit comme si son idée la plus maligne commençait à germer en lui.

– Qu'il détruise les amoureux et non les autres ! reprit-il. Elle va mourir !

Les anges retinrent leur souffle. C'était impossible. Ils s'attendaient à tout sauf à cela.

– Elle mourra toujours, poursuivit Lucifer d'un ton chargé de fiel. Elle ne sortira jamais de l'adolescence et mourra encore et encore, précisément au moment où elle se rappellera ton choix. Vous ne serez jamais vraiment ensemble. Tel sera son châtiment. Quant à toi, Daniel...

– Il suffit ! dit le Trône. Si Daniel maintient sa décision, ta proposition convient, Lucifer.

Un long silence gêné s'installa.

– Comprends-moi bien, reprit-il. Je ne souhaite cela à aucun de mes enfants, mais Lucifer a raison. Il faut faire un exemple.

Le moment où cela devait se passer était là. Daniel devait saisir sa chance d'ouvrir une brèche dans la malédiction. Audacieux, il s'envola au-dessus de la Prairie pour rejoindre sa version précédente. Il était temps de modifier le passé.

– Quel est ce jumelage ? fulmina Lucifer, dont les yeux rouges se plissèrent face aux deux Daniel.

Troublés, les anges observaient la scène, abasourdis.

– Qu'est-ce que tu fais là ? murmura sa version antérieure.

Daniel n'attendit pas d'être interrogé davantage, il n'attendit même pas que Lucifer soit assis ou que le Trône se remette de sa surprise.

– Je viens de notre avenir, après des millénaires de punition...

Soudain, la stupeur des anges fut palpable. Aucun d'eux n'aurait jamais imaginé une telle chose. Daniel ne voyait pas assez clairement le Trône pour constater l'effet que produisait son retour sur lui, mais l'âme de Lucifer bouillonnait sous l'effet de la colère. Daniel tint bon :

– Je viens implorer ta clémence. Si nous devons être punis – Maître, je ne conteste en rien ta décision – rappelle-toi au moins que l'un des plus nobles aspects de ton pouvoir est la pitié, si mystérieuse et hors de notre portée.

– La pitié ? répéta Lucifer. Après l'ampleur de tes trahisons ? Ta version future regrette-t-elle au moins son choix ?

Daniel secoua la tête.

– Mon âme est vieille, mais mon cœur est jeune, dit-il en observant son incarnation passée, visiblement abasourdie.

Il se tourna ensuite vers l'âme de sa bien-aimée, si lumineuse de beauté.

– Je ne puis être autre que le fruit de mes choix successifs. Je me tiens à ma décision.

– Le choix est fait, dirent les deux Daniel à l'unisson.

– Notre châtiment reste donc valable ! répondit le Trône.

La grande lumière fut comme parcourue d'un frémissement. Le silence se prolongeait et Daniel se demanda s'il avait eu raison de se présenter.

– Toutefois, nous t'accordons la pitié.

– Non ! cria Lucifer. Le Paradis n'est pas le seul camp lésé !

– Silence ! ordonna le Trône, d'une voix forte.

Il semblait las et peiné. Jamais Daniel ne l'avait vu plus perplexe.

– Si un jour son âme parvient à se défaire du poids d'un sacrement choisi pour elle, elle sera libre de choisir par elle-même, de revivre ce moment, et d'échapper à la punition ordonnée. Ce faisant, elle mettra une dernière fois à l'épreuve cet amour qui, selon toi, dépasse les droits du Paradis et de la famille. Son choix sera ta rédemption ou il entérinera ta punition. C'est tout ce que l'on puisse faire.

Daniel s'inclina, ainsi que sa version antérieure.

– Je ne puis l'accepter ! hurla Lucifer. Jamais ! Jamais !

– C'est fait ! tonna la voix, visiblement parvenue aux limites de sa pitié. Je ne tolérerai aucune discussion quant à mes décisions, quel qu'en soit l'objet. Que ceux qui ont mal choisi ou pas choisi du tout se retirent ! Les portes du Paradis leur sont désormais fermées !

Il y eut comme un clignotement, puis la dernière lueur s'éteignit.

Le Paradis se retrouva dans l'obscurité. Il fit soudain très froid.

Les Anges retinrent leur souffle en tremblant, blottis les uns contre les autres.

Le silence s'installa.

Nul ne dit mot.

Ce qui se produisit ensuite était inimaginable, même pour Daniel, qui avait déjà assisté à cette scène.

Sous leurs pieds, le ciel frémit et un flot indomptable d'eau blanche et mousseuse fit déborder le Lac blanc. Le Verger du savoir et le Bosquet de la vie se heurtèrent, ébranlant tout le Paradis.

Un éclair d'argent jaillit du Trône et frappa la partie ouest de la Prairie. Le sol nuageux bouillonna et devint noir d'encre. Sous Lucifer, un gouffre sans fond les aspira comme un siphon. Malgré sa rage impuissante, lui et les Anges qui l'entouraient disparurent.

Quant à ceux qui n'avaient pas encore déclaré leur choix, ils perdirent pied et glissèrent eux aussi dans l'abîme. Ainsi en fut-il de Gabbe, d'Arriane et même de Cam et de tous les anges chers au cœur de Daniel. Ils étaient les dommages collatéraux de sa décision. Même sa version passée fut emportée vers le trou noir.

Daniel fut incapable d'empêcher le déroulement des évènements.

Neuf jours de chute vertigineuse attendaient les déchus, avant qu'ils n'atteignent la terre. Neuf jours que Daniel devait mettre à profit pour rechercher Luce. Il devait plonger.

Au bord du néant, Daniel regarda en bas et vit un point lumineux, plus loin que tout ce qui était imaginable. Ce n'était pas un ange, mais une bête aux grandes ailes noires plus sombres que la nuit, et elle volait vers lui... Comment cela était-il possible ?

Il venait de le voir lors du Jugement : il avait été le premier à tomber... Pourtant, il ne pouvait s'agir que de lui. Ses ailes brûlèrent d'un coup quand Daniel vit que Lucifer portait quelque chose sous son aile.

– Lucinda ! cria-t-il, mais la bête l'avait déjà lâchée.

Le monde s'arrêta.

Daniel ignorait où Lucifer avait disparu, car il filait déjà vers Luce, dont il sentit l'âme brûler de façon si nette, si familière... Il serra ses ailes contre son corps pour chuter plus vite encore, si vite que tout devint flou. Il tendit les mains et...

Elle atterrit dans ses bras.

Aussitôt, les ailes de Daniel formèrent un bouclier autour d'elle. D'abord, elle parut étonnée, comme si elle venait d'émerger d'un terrible cauchemar, puis elle le regarda droit dans les yeux et souffla. Elle toucha sa joue, caressa les lignes de ses ailes.

– Enfin, souffla-t-il en trouvant ses lèvres.

– Tu m'as trouvée, murmura-t-elle.

– Comme toujours.

En contrebas, la foule des anges déchus s'illumina comme un ciel étoilé. Ils semblaient tous attirés les uns vers les autres par quelque force invisible, agrippés les uns aux autres durant ce long et tragique plongeon depuis le

Paradis. L'espace d'un instant, ils semblèrent chantonner et brûler avec une perfection superbe. Sous le regard de Luce et Daniel, un éclair noir traversa le ciel et parut encercler la masse lumineuse de la chute.

Tout fut soudain plongé dans le noir, à part Daniel et Luce, comme si tous les anges étaient tombés dans un repli caché du ciel.

ÉPILOGUE

Savannah, Géorgie,
27 novembre 2009

Ce serait le dernier Annonciateur que Luce emprunterait avant très longtemps. Quand Daniel ouvrit l'ombre projetée par la lueur inexplicable des étoiles, dans cet étrange ciel de nulle part, Luce ne regarda pas en arrière. Soulagée, elle serra sa main dans la sienne. Elle était avec Daniel, désormais. Et ils allaient rentrer chez elle ensemble.

– Attends, dit-elle avant de plonger dans l'ombre.

– Quoi ?

Il effleura son épaule d'un baiser. Aussitôt, Luce se cambra et le prit par la nuque pour l'attirer vers elle. Leurs langues se mêlèrent dans un baiser à perdre haleine. Elle aurait voulu qu'il dure toute la vie.

Ils quittèrent le passé lointain unis dans ce baiser tant espéré et si passionné que tout le reste s'évanouit. Un baiser dont la plupart des gens se contentaient de rêver toute leur vie. Oui, c'était l'âme que Luce cherchait depuis qu'elle l'avait quitté, dans le jardin de ses parents. Et ils étaient encore enlacés quand ils sortirent de l'Annonciateur sous un paisible nuage d'argent.

– Encore ! l'implora-t-elle quand il s'écarta enfin.

Ils étaient très haut, et Luce n'aperçut, en contrebas, qu'une parcelle d'océan au clair de lune, et de petites vagues blanches qui venaient s'écraser sur une côte sombre.

Daniel éclata de rire et la serra plus fort contre lui. C'était si bon de la tenir dans ses bras ! Plus ils s'embrassaient, plus Luce avait l'impression qu'elle n'en aurait jamais assez. Il n'y avait guère de différence, entre tous les Daniel qu'elle avait croisés dans ses vies antérieures et celui qui l'embrassait là, pourtant rien n'était pareil, non plus. Enfin, Luce pouvait lui rendre ses baisers sans douter d'elle-même ou de leur amour. Son bonheur était sans limites. Et le plus incroyable était qu'elle avait failli renoncer...

Soudain, elle revint à la réalité. Elle avait échoué dans sa tentative de briser la malédiction. On s'était joué d'elle. Elle avait été dupée... par Satan.

Elle n'avait aucune envie d'interrompre leur baiser, mais elle prit le visage de Daniel entre ses mains pour contempler ses yeux violets et y puiser de la force.

– Je suis désolée d'avoir fui de la sorte, déclara-t-elle.

– Ne le sois pas, répondit-il en toute sincérité. Il fallait que tu partes. C'était écrit : il fallait que cela arrive. Nous avons agi au mieux, Lucinda.

Elle fut émue aux larmes.

– Je commençais à croire que je ne te reverrais jamais, avoua-t-elle.

– Combien de fois t'ai-je répété que je te retrouverais toujours ?

Daniel se plaça alors dans son dos, puis il embrassa sa nuque et l'enlaça. Dans cette position désormais familière, ils prirent leur envol.

Luce ne se lasserait jamais de voler avec Daniel. Ses ailes blanches déployées fendaient le ciel de minuit tandis qu'ils filaient avec grâce. Dans les bras puissants de Daniel, elle se sentait plus en sécurité.

– Regarde, dit Daniel. La lune !

L'astre semblait si proche que Luce avait l'impression de pouvoir la toucher.

Ils volèrent presque en silence. Bientôt, Luce inspira profondément. Elle écarquilla les yeux de surprise. Elle connaissait cet air marin et salé ! C'était celui de la côte de Géorgie. Elle était... chez elle ! Ses yeux s'embuèrent au souvenir de sa mère, de son père et de son chien. Depuis combien de temps était-elle absente ? Comment se dérouleraient les retrouvailles ?

– On rentre chez moi ? demanda-t-elle.

– D'abord, il faut dormir, répondit Daniel. Pour tes parents, tu ne t'es absentée que quelques heures. Il est presque minuit, ici. Nous ferons un saut demain matin.

Daniel avait raison : mieux valait se reposer. Mais s'ils ne rentraient pas chez elle, où Daniel l'emmenait-il ?

Ils approchaient de la lisière d'une pinède qui ondulait sous le vent, et des plages désertes et chatoyantes. Ils se dirigeaient vers une île, un peu au large. Tybee ! Luce s'y était rendue une dizaine de fois, quand elle était enfant.

Et plus récemment aussi, juste après son départ de Sword & Cross... Dans une petite cabane avec une porte peinte en rouge, des vitres tachées de sel et de la fumée qui sortait de la cheminée.

Elle y avait dormi pendant trois jours à l'issue de la terrible bataille du cimetière, quand Daniel lui avait parlé pour la première fois de leurs vies passées. Mlle Sophia s'était transformée en une sorte de monstre, Penn avait été tuée et tous les anges avaient expliqué à Luce que sa vie était en péril.

– Nous allons pouvoir nous reposer, déclara Daniel. C'est un lieu sûr pour les déchus. Nous avons quelques dizaines d'abris comme ceux-là à travers le monde.

La perspective d'une nuit de sommeil aurait dû enthousiasmer la jeune fille, surtout avec Daniel auprès d'elle. Pourtant, un détail la tourmentait.

– J'ai quelque chose à te dire, déclara-t-elle en se tournant vers lui sur le chemin.

À part le hululement d'un hibou, dans les pins, et le bruit des vagues, le silence régnait autour d'eux.

– Je sais, répondit-il.

– Tu sais ?

– J'ai tout vu, expliqua Daniel dont les yeux gris lançaient des éclairs. Il t'a dupée, n'est-ce pas ?

– Oui ! s'écria Luce, honteuse.

– Combien de temps est-il resté avec toi ?

Daniel semblait nerveux, comme s'il tentait de réprimer sa jalousie.

– Longtemps, admit Luce en grimaçant. Mais il y a pire : il prévoit quelque chose d'horrible.

– Il a toujours quelque sombre projet en tête, marmonna Daniel.

– Oui, mais là, c'est terrible.

Elle se blottit dans ses bras et posa les mains sur son torse.

– Il m'a dit... Qu'il voulait effacer l'ardoise.

– Quoi ? s'exclama Daniel en resserrant ses bras autour de sa taille.

– Je n'ai pas tout compris. Il veut revenir à la Chute pour ouvrir un Annonciateur et emmener tous les anges avec lui. Il a dit qu'il allait...

– Effacer le temps intermédiaire, effacer notre existence, poursuivit Daniel d'une voix rauque.

– C'est ça.

– Attention ! s'écria-t-il en entraînant la jeune fille vers la cabane. On nous espionne peut-être. Mlle Sophia, les Bannis, n'importe qui. Allons à l'intérieur, à l'abri. Il faut que tu me répètes ses moindres paroles, Luce.

Il donna un coup de pied dans la porte rouge, puis la referma à double tour derrière eux. Avant qu'ils puissent faire quoi que ce soit, deux bras les enlacèrent dans une étreinte géante.

– Vous êtes en sécurité ! déclara une voix soulagée.

C'était Cam. Le démon était vêtu de noir, comme lorsqu'ils étaient à Sword & Cross. Ses immenses ailes dorées tirées en arrière, derrière ses épaules, projetaient des reflets lumineux sur les murs. Il avait le visage pâle, émacié. Ses yeux pétillaient comme des émeraudes.

– Nous sommes de retour, déclara Daniel, prudent, en lui donnant une tape sur l'épaule. Mais je ne suis pas certain que nous soyons à l'abri.

Cam toisa Luce, qui se demanda ce qu'il faisait là. Pourquoi Daniel semblait-il heureux de le voir ?

Daniel mena Luce vers le fauteuil à bascule en rotin, près de la cheminée, et lui fit signe de s'asseoir. Elle s'écroula sur le siège, tandis que Daniel s'assit sur un accoudoir, une main dans le dos de la jeune fille.

Toujours aussi chaleureuse, la cabane n'avait pas changé. Il y flottait un parfum de cannelle. Dans un coin, la couchette en toile sur laquelle Luce avait dormi était prête. Une étroite échelle en bois menait au grenier qui surplombait l'espace principal. La lanterne verte pendait toujours d'une poutre.

– Comment as-tu su qu'il fallait venir ici ? demanda-t-il à Cam.

– Roland a lu quelque chose dans les Annonciateurs, ce matin. Il en a conclu que tu reviendrais et qu'il se passait peut-être autre chose. Qui nous concerne tous.

– Si ce qu'affirme Luce est vrai, personne ne peut faire face seul à cette situation.

– Je sais, répondit Cam en désignant Luce. Les autres sont en route. J'ai pris la liberté de diffuser la nouvelle.

Dans le grenier, une fenêtre trembla. Daniel et Cam se levèrent d'un bond.

– Ce n'est que nous! lança Arriane. On a les Néphilim aux basques, alors on se déplace avec la grâce d'une équipe de hockey.

Un grand éclat lumineux or et argent sembla vibrer dans la cabane. Luce se leva juste à temps pour voir Arriane, Roland, Gabbe, Molly et Annabelle, la fille en qui elle avait reconnu un ange, à Helston, glisser en douceur de la charpente, ailes déployées. Ensemble, ils formaient une myriade de couleurs: noir et or, blanc et argent, en fonction de leur camp, ils étaient là, tous ensemble.

Quelques instants plus tard, Shelby et Miles descendirent l'échelle avec fracas. Ils portaient toujours leurs vêtements de Thanksgiving, qui semblait si lointain: Shelby, un pull vert et Miles un jean et une casquette de baseball.

Luce avait l'impression de rêver. Elle était si heureuse de se retrouver parmi ces visages familiers, ceux de ses amis qu'elle avait bien cru perdre! Il ne manquait que ses parents et Callie, mais plus pour longtemps.

Arriane, les anges et les Néphilim encerclèrent Luce et Daniel et s'étreignirent les uns les autres. Même Annabelle, que Luce connaissait à peine. Et même Molly.

Soudain, les questions se bousculèrent.

– Quand es-tu revenue? On a tant de choses à se raconter!

Gabbe l'embrassa sur la joue.

– J'espère que tu as été prudente... Et que tu as vu ce que tu avais besoin de voir.

– Tu nous as ramené quelque chose de bien ? s'enquit Arriane.

– On t'a cherchée pendant une éternité, pas vrai, Miles ? intervint Shelby.

– C'est cool que tu sois revenue intacte, ma vieille, commenta Roland.

Daniel les fit tous taire.

– Qui a amené les Néphilim ? demanda-t-il d'un ton grave.

– C'est moi, déclara Molly en prenant Shelby et Miles par les épaules. Ça te pose un problème ?

Daniel scruta les amis de Shoreline. Avant que Luce puisse prendre leur défense, il esquissa un sourire et déclara :

– C'est bien. Nous aurons besoin de toute l'aide possible. Asseyez-vous tous.

– Lucifer ne peut pas être sérieux, commenta Cam en secouant la tête, abasourdi. C'est un acte complètement désespéré. Il ne... Sans doute cherchait-il à pousser Luce à...

– Si, il en est capable, assura Roland.

Ils étaient réunis autour du feu, face à Luce et Daniel, restés dans le fauteuil à bascule. Gabbe avait trouvé des saucisses et de la guimauve, ainsi que du chocolat, dans le placard de la cuisine. Elle avait improvisé un barbecue dans la cheminée.

– Il préfère tout recommencer que de perdre la face, ajouta Molly. De plus, il pourrait très bien faire table rase du passé.

Miles lâcha son assiette qui tomba par terre, avec sa saucisse.

– Dans ce cas... Shelby et moi... n'existerions plus ? Et Luce ? Où se retrouverait-elle ?

Tout le monde se tut. Luce était soudain gênée de ne pas être un ange. Elle sentit soudain ses épaules rougir.

– Que faisons-nous ici si le passé a été réécrit ? demanda Shelby.

– Ils n'ont pas encore terminé leur chute, expliqua Daniel. Quand ça se passera, l'acte sera accompli et ne pourra être empêché.

– Alors nous avons... neuf jours, souffla Arriane.

– Daniel ? fit Gabbe en levant les yeux vers lui. Qu'est-ce qu'on peut faire ?

– Il n'y a qu'une seule chose à faire, répondit-il.

Tous se tournèrent vers lui, pleins d'espoir.

– Nous devons attirer tout le monde vers l'endroit de la Chute initiale des anges.

– C'est-à-dire ? s'enquit Miles.

Un long silence s'ensuivit.

– C'est difficile à expliquer, déclara enfin Daniel. Cela remonte à tellement longtemps. Et nous étions nouveaux, sur terre. Toutefois... nous avons des moyens de le déterminer.

Cam émit un sifflement. Aurait-il peur ?

– Neuf jours, c'est peu pour localiser le lieu de la Chute, déclara Gabbe. Encore plus pour trouver un moyen d'arrêter Lucifer, en arrivant.

– Nous devons essayer, répondit Luce sans réfléchir, étonnée par sa propre certitude.

Daniel scruta les anges, les prétendus démons et les Néphilim, réunis.

– On est impliqués tous ensemble alors ?

Enfin, il posa les yeux sur Luce.

La jeune fille n'osait penser au lendemain, mais elle se blottit dans ses bras.

– Pour toujours, déclara-t-elle.

TABLE DES MATIÈRES

Retrouvez toute l'actualité
de DAMNÉS sur
www.damnes-lelivre.fr

Le tome 4 de *Damnés*
paraîtra en juin 2012

Cet ouvrage a été mis en pages
par DV Arts Graphiques à La Rochelle

Impression réalisée par
ROTOLITO LOMBARDA SPA

Imprimé en France
N° d'impression :